SO-AVC-929

GÜNTHER BÖHME / DIE ZEHNTE MUSE

Maximilian Bern

DIE ZEHNTE MUSE

Herausgegeben von Günther Böhme

721.–730. Tausend

ELSNER

Gesetzt in der
zur Palatino-Familie gehörenden
Linotype-Aldus-Buchschrift
und gedruckt in der Druckhaus Darmstadt GmbH, Darmstadt.
Die Buchbinderarbeiten besorgte Hollmann KG, Darmstadt.
Den Einband gestaltete Dietrich Evers.

ISBN 3-87199-050-7
Otto Elsner Verlagsgesellschaft, Darmstadt
Gegründet 1871 in Berlin
Verlagsnummer 7457
1974
– Alle Rechte vorbehalten –

Das unvermeidliche

VORWORT

(das auch überschlagen werden kann)

Die zehnte Muse ist so unverwüstlich wie ihre neun Schwestern. Da sie nicht altert, bedarf sie der Verjüngung nicht. Aber sie zeigt sich immer wieder gern von einer anderen Seite. Im Grunde hat sie deren soviel wie das Leben selbst und gewinnt mit dem Leben selbst immer neue hinzu. So kommt's, daß sie immer wieder neu erscheint. Als ihr Maximilian Bern 1901 zum ersten Mal das Gewand geschneidert hatte, war es zusammengesetzt aus Scherz und Ernst, aus Melancholie und Übermut, aus Ironie und Heiterkeit. Und ringsum war sie leicht und duftig, wie es aller Humor ist, hatte an sich den Hauch von Besinnlichkeit und Koketterie; lockre Frechheit fehlte nicht und nicht die Kritik des Herzens. Und so erscheint sie heute noch.

Aber was sollen prosaische Beschreibungen eines Wesens, das sich letztlich nicht beschreiben, sondern nur genießen läßt. Und wer so lebhaft für sich selbst sprechen kann wie die zehnte Muse, wer über so vielfältigen Ausdruck verfügt, wer sich selbst schon längst bekannt gemacht hat, bedarf der Vorstellung nicht, braucht keine Fürsprache. Wer aber sich von ihr nicht bezaubern lassen kann, dem wird auch kein Vorwort dazu verhelfen. Wer freilich, der noch Sinn für Hintergründiges und Doppelbödiges hat, wer, dem das Lächeln über sich selbst näher steht als das Lachen über andere, würde von ihr nicht bezaubert sein?

So bleiben denn nur noch ein paar Worte zu sagen zur vorliegenden Auswahl. Die Gliederung früherer Auflagen ist, um der Kontinuität willen, beibehalten worden. Viele Gedichte freilich und manche Autoren mußten weichen — man möge es verzeihen. Die Gegenwart und die jüngere Generation verlangen ihr Recht, auf ihre Weise die Unsterblichkeit der zehnten Muse belegend. Aber auch Altes, das bisher keinen Platz gefunden hatte und der Wiederentdeckung harrte, wurde aufgenommen. Nicht Modernisierung war das Ziel, sondern Erneuerung.

Die Frage nach den Kriterien der Auswahl ist schwer, wenn überhaupt zu beantworten. Was ist schon damit gesagt, daß nur belassen oder aufgenommen werden sollte, was uns Heutige anspricht von den Kindern unserer Muse? Denn zugleich muß doch bekannt werden, daß vieles Ansprechende draußen blieb — eben weil es nur eine Auswahl sein konnte. Und so teilt auch diese Auswahl das Schicksal aller ihrer Geschwister — daß sie nämlich nur Auswahl ist und bei aller angestrebten (und hoffentlich erreichten) Vielfalt unvollkommen bleiben muß. Das ist unvermeidlich: daß der eine dieses, der andere jenes vermissen wird; dem einen dieses, dem anderen jenes weniger bedeutsam erscheint; dem einen mehr ausländische Dichtung, dem anderen mehr Mundartdichtung erwünscht wäre — daß man schließlich alles auch ganz anders hätte machen können. Es gibt für alles Gründe — und so im Grunde gar keinen — ausgenommen die Wirkung dessen, was sich vorstellt, selbst. Das muß der Herausgeber verantworten.

Er glaubt sich auszukennen in den Sachen der zehnten Muse und hat sich immer wieder neu mit ihr eingelassen — weil er doch von ihr nicht lassen kann. Und bei der Vorliebe für sie stellen sich freilich auch Vorlieben eigener Art heraus. Möge der Leser sich, wenn er's noch nötig hat, davon anstecken lassen. Denn daß ihn vieles Liebenswerte erwartet, das wird er mit Sicherheit schon bald entdecken.

Wiesbaden, Ostern 1974

Günther Böhme

ADAM UND EVA

Elisabeth

Ich soll erzählen,
Die Nacht ist schon spät.
Willst du mich quälen,
Schöne Elisabeth?

Daran ich dichte
Und du dazu,
Meine Liebesgeschichte
Ist dieser Abend und du.

Du mußt nicht stören,
Die Reime verwehn.
Bald wirst du sie hören,
Hören und nicht verstehn.

Hermann Hesse

Unbeständigkeit

Auf Kieseln im Bache, da lieg' ich, wie helle,
Verbreite die Arme der kommenden Welle,
Und buhlerisch drückt sie die sehnende Brust.
Dann trägt sie ihr Leichtsinn im Strome darnieder,
Schon naht sich die zweite und streichelt mich wieder,
Da fühl' ich die Freuden der wechselnden Lust.

O Jüngling, sei weise, verwein' nicht vergebens
Die fröhlichsten Stunden des traurigen Lebens,
Wenn flatterhaft je dich ein Mädchen vergißt.
Geh, ruf sie zurücke, die vorigen Zeiten,
Es küßt sich so süße der Busen der zweiten
Als kaum sich der Busen der ersten geküßt.

Johann Wolfgang Goethe

Apfel und Feigenblatt

Der Apfel und das Feigenblatt,
Das sind die zwei Symbole,
Die uns ein Gott gegeben hat
Zum Weh und teils zum Wohle.

Durch Apfel und das Feigenblatt
Kam Adam zur Erkenntnis.
Wie schade — ein Eunuche hat
Dafür gar kein Verständnis.

Der Apfel und das Feigenblatt
Sind wicht'ge Utensilien
Und sehr beliebt in Land und Stadt
Von Grönland bis Brasilien.

Die beiden Dinge sind antik,
Doch unbedingt vonnöten.
So wichtig wie in der Musik
Die Pauken und Trompeten.

Der Apfel ist nebst Feigenblatt
Nicht nur für feine Leute,
Der größte Menschenfresser hat
Auch daran seine Freude.

Der Apfel und das Feigenblatt,
Sie stürzten Fürstenthrone
Und setzten Könige schachmatt
Mit Zepter samt der Krone.

Der Apfel und das Feigenblatt,
Sie stimmen uns vergnüglich,
Und machen sie uns auch nicht satt,
Sie munden ganz vorzüglich.

Dem Herrn sei Lob und Preis und Dank,
Der uns dies einst gegeben.
Ich möcht' mein ganzes Leben lang
Vom Sündenfallobst leben.

Fred Endrikat

Eva

Die Erde war nun fix im Rollen,
Und alles stand an seinem Platz,

Geschaffen eben aus dem Vollen;
Vom Aar herunter bis zum Spatz,
Vom Mastodon bis zu den Sporen,
Vom Elefanten bis zur Maus
Fühlt' alles sich wie neugeboren
Und sah recht frisch und munter aus.
So tummelte sich denn im Grünen,
Was in dem Brehm beschrieben steht;
Nur Eva war noch nicht erschienen,
Sonst war die Schöpfung ganz komplett.
Und, um von Adam nun zu reden:
Längst auf der Erde war auch er —,
Da ging er um im Garten Eden
Wie eine Schildwach' hin und her.
Was hat er nur? Sollt' ihm 'was fehlen?
Ihm fehlte 'was, man sah's ihm an.
Es schien ihn etwas sehr zu quälen,
Und hörbar seufzt er dann und wann.
Auch lacht er wohl zuweilen bitter,
Kein Zweifel, ihn macht was nervos;
Auf seiner Stirn lag ein Gewitter,
Und das brach endlich also los:

»Wo bleibt sie nur? Mir wird ganz bange.
Was hält sie auf? Es ist doch toll!
Neugierig bin ich nur, wie lange
Ich hier umsonst noch warten soll.
Sie ist nicht fertig augenscheinlich.
Warum nicht fertig? da ich doch
Längst auf dem Posten bin. Wie peinlich!
Es bringt mich zur Verzweiflung noch!
Die Zeit will gar nicht von der Stelle
Und fließt doch sonst so eilig hin,
Das Paradies wird mir zur Hölle,
So wahr der erste Mensch ich bin!«

Wie nun der Arme, schon verzagend,
Vor Zorn kaum noch sich ärgern kann,
Da kommt sie endlich, freundlich fragend:
»Bin ich nicht pünktlich, lieber Mann?«

So Eva in des Edens Garten. —
Seit jener Stunde aber ließ
Gar manches Weib den Gatten warten
Und meint', sie käme sehr präzis.

Julius Stettenheim

Ungewißheit

Ich sprach dich an am hellen Vormittage
In einer Gegend, wo sonst gar nichts ist.
Mein Gruß war keck und deine Antwort zage,
Und dennoch glaub' ich, daß du Eine bist.

In deinem Hausflur schienst du mir so bange,
Machtest auf jedem Treppenabsatz: Pst! . . .
Und wehrtest ängstlich meinem Überschwange,
Und dennoch glaub' ich, daß du Eine . . .

Im Zimmer saß leibhaftig deine Mutter,
Links an der Wand hing: Komm, Herr Jesu Christ,
Und rechts ein Blatt mit Doktor Martin Luther,
Und dennoch glaub' ich, daß du . . .

Dein Stübchen war so ärmlich, ach und reinlich,
Wie's nur bei tugendsamen Mädchen ist.
Daß auch ein Bett dastand, war mir fast peinlich,
Und dennoch glaub' ich . . .

Und meine Küsse wurden so ausführlich,
Wie es bei mir sonst gar nicht üblich ist.
Und gegen Ende warst du so — natürlich,
Und dennoch . . .

Es ist so schwer, sich heute auszukennen,
Und niemand weiß mehr, was der andre ist.
Ich möchte dich Adelaide nennen,
Und dennoch glaub' ich, daß du Eine bist.

Franz Hessel

Romanze

Das ist doch immer dasselbe,
Man weiß schon am Anfang den Schluß.
Sie trug das entzückende Gelbe
Und gab ihm im Kellergewölbe
Den ersten, den zärtlichsten Kuß.

Dann liefen sie über die Wiesen
Und hielten die Hände dabei.
Die Welt lag ihnen zu Füßen.
Und alles war, um's zu genießen.
Und noch im November war Mai.

Dann gingen sie nicht mehr spazieren.
Dann gingen sie in ein Quartier
Mit staubigem Plüsch und Bordüren.
Dort ließ sie sich lachend verführen.
Die Sinne, die taumelten ihr.

Sie wußten nicht Anfang, nicht Ende
Des einzgen, des Augenblicks.
Sie hielten sich zittend die Hände
Und starrten an Decke und Wände.
Und seufzten die Seufzer des Glücks.

Sie dachten ans Kellergewölbe
Und an ihren zärtlichsten Kuß
Und auch ans entzückende Gelbe.
Dann war es, wie immer, dasselbe.
Man weiß schon am Anfang den Schluß.

Er sagte: Jetzt nur keine Tränen;
Vielleicht auch nur: Mädchen, laß sein.
Pfiff leise zwischen den Zähnen.
Und unterdrückte ein Gähnen.
Und dann war sie wieder allein.

Sie weinte noch rund sieben Tage;
Die Liebe, die braucht ihre Zeit.
Doch als dann der Nächste kam: Sage,
Mein Kind, wie wär's, wenn ich's wage,
Dann wärst du . . .? Dann war sie bereit.

Das ist doch immer dasselbe.
Man weiß schon am Anfang den Schluß.
Längst trägt sie nicht mehr das Gelbe
Und braucht nicht das Kellergewölbe
Für einen verstohlenen Kuß.

Wohl sprachen von Liebe die beiden
Und sagten einander: Das Glück,
Das soll uns kein dritter verleiden.
Doch als es dran ging ans Scheiden,
Da — blieb kaum die Spur noch zurück.

Da wollt' es im Herzen nicht stechen.
Und Tränen, die kamen ihr nicht.
Und Hoffnung — wie sollt' sie zerbrechen?
Sie hörte den nächsten schon sprechen
Und streichelte ihm das Gesicht.

Und schüttelte ihn an den Haaren
Und sagte: Versprich nichts dabei.
Was Glück ist — wir werden's erfahren.
Und Liebe? Die lernt sich in Jahren — — —
Und blieb ihm ein Leben lang treu.

Vielleicht doch . . . war's gar nicht dasselbe
Und kam gar nicht, wie's kommen muß?
Vielleicht ging sie auch ins Gewölbe,
Trug nochmals das Kleidchen, das gelbe,
Und machte . . . für immer . . . Schluß.

Günther Böhme

Erfolgloser Liebhaber

Ein Mensch wollt' sich ein Weib erringen,
Doch leider konnt's ihm nicht gelingen.
Er ließ sich drum, vor weiteren Taten,
Von Fraun und Männern wohl beraten:
»Nur nicht gleich küssen, tätscheln, tappen!«
»Greif herzhaft zu, dann muß es schnappen!«
»Laß deine ernste Absicht spüren!«
»Sei leicht und wahllos im Verführen!«
»Der Seele Reichtum lege bloß!«
»Sei scheinbar kalt und rücksichtslos!«
Der Mensch hat alles durchgeprobt,
Hat hier sich ehrenhaft verlobt,
Hat dort sich süß herangeplaudert,
Hat zugegriffen und gezaudert,
Hat Furcht und Mitleid aufgeweckt,
Hat sich verschwiegen, sich entdeckt,
War zärtlich kühn, war reiner Tor,
Doch wie er's machte — er verlor.
Zwar stimmte jeder Rat genau,
Doch jeweils nicht für jede Frau.

Eugen Roth

Was ist Liebe?

Für alle ein — Hauptwort,
Für junge Leute ein Verhältniswort,
Für Verehelichte ein Bindewort,
Unter Umständen ein Umstandswort,
Für Ungetreue ein Zeitwort,
Für Kavaliere ein Zahlwort,
Und für Alte ein Fremdwort.

Verfasser unbekannt

Der geplagte Bräutigam

Im ganzen Dorfe gehts Gerücht,
Daß ich um Greten freie;
Sie aber läßt das Tändeln nicht,
Die Falsche, Ungetreue! —
Denn Nachbar Kunzens langer Hans
Führt alle Sonntag sie zum Tanz
Und kommt mir ins Gehege —
    Man überlege!

Auf künft'ge Ostern wirds ein Jahr,
Da faßt ich mich in Kürze —
Und kaufte ihr (das Ding war rar)
Ein Band zur neuen Schürze;
Und an dem zweiten Feiertag,
Just mit dem neunten Glockenschlag,
Bracht ich ihr mein Geschenke —
    Man denke!

Ich hatte nämlich räsonniert
Den Tag vorher beim Biere:
Wenn ich sie, mit dem Band geziert,
Zum Abendtanze führe,
So sag ich alles lang und breit
Und breche die Gelegenheit
Im Fall der Not vom Zaune —
    Man staune!

Drauf hatt ich mich schön angetan,
Als gings zum Hochzeitsfeste!
Ich zog die neuen Stiefeln an
Und meines Vaters Weste;
Doch als ich kam vor Gretens Haus,
War auch der Vogel schon hinaus
Mit Hansen in die Schenke —
    Man denke!

Das faßte mich wie Feuerbrand,
Der Zunder mußte fangen;
Da kam, um seinen Hut mein Band,
Der Musjö Hans gegangen;
Nun sprüht ich erst in voller Wut,
Er wurde grob — und kurz und gut
Ich kriegte derbe Schläge —
    Man überlege!

Den Tag darauf an Gretens Tür
Lauscht ich als Ehrenwächter.
Da schallte aus dem Garten mir
Ein gellendes Gelächter.
Und als ich habe hingeschaut,
Da saß denn meine schöne Braut
Mit Hansen hinterm Zaune —
    Man staune!

Das fuhr mir arg durch meinen Sinn,
Das Wort blieb in der Kehle;
Des andern Morgens ging ich hin
Und hielt ihrs vor die Seele;
Und sagt ihrs endlich grad heraus:
»Hör, Grete, mach mirs nicht zu kraus,
Sonst geh ich meiner Wege!«
    Man überlege!

Da lachte sie mir ins Gesicht
Und kehrte mir den Rücken.
Ja, wenn der Hans den Hals nicht bricht,
So reiß ich ihn in Stücken!
Sonst bringt sie es gewiß so weit,
Daß ich mich noch bei guter Zeit
Im nächsten Teich ertränke! —
    Man denke!

Theodor Körner

Ein Kuß am Straßenrand

Vier Lippen, die sich leicht berühren:
Da stürzen schon die Leuchtreklamen
Wie Meteore in die Dunkelheit,
Aus allen Fenstern rollen Straßenbahnen,
Die Mopedfahrer knattern himmelan,
Ein Lastzug schwankt von Dach zu Dach,
Der Schutzmann pfeift im Kellerloch.

Ein Windstoß kühlt,
Vier Lippen, die sich trennen,
Und Autos zeichnen im Vorüberfahren
Zwei Schatten, die zu einem werden,
An eine fremde Häuserwand.

Andreas Donath

Er ist fromm, aber wenn er schläft

Als ich meiner Rosilis
Neulich an die Schürze griffe,
Sagte sie mir gar gewiß,
Ich wär fromm nur, wenn ich schliefe;
Sonst doch wär ich in der Haut
Ein rechtschaffen böses Kraut.

Ja, mein Liebchen, fing ich an,
Ich gesteh es, wenn ich wache,
Daß ich es nicht lassen kann.
Doch es ist so eine Sache,
Stelle deine Schönheit ein,
So will ich nicht lose sein.

Über dieses bin ich doch
In dem Schlafe fromm und stille,
Drum, mein Engel, ist es noch
Dein und mein beliebter Wille,
Suchst du die Gewogenheit
Bloß in meiner Frömmigkeit;

Ei, so schlaf einmal bei mir:
Sonst, ich muß es dir gestehen,
Daß ich niemals kann zu dir
Fromm und eingezogen gehen.
Soll ich fromm sein, meine Zier,
Ei, so schlaf einmal bei mir.

Christian Weise

Bim, Bam, Bum

Ein Glockenton fliegt durch die Nacht.
Als hätt' er Vogelflügel;
Er fliegt in römischer Kirchentracht
Wohl über Tal und Hügel.

Er sucht die Glockentönin BIM,
Die ihm vorausgeflogen;
D. h., die Sache ist sehr schlimm,
Sie hat ihn nämlich betrogen.

»O komm«, so ruft er, »komm, dein BAM
Erwartet dich voll Schmerzen.

Komm wieder, BIM, geliebtes Lamm,
Dein BAM liebt dich von Herzen!«

Doch BIM, daß ihr's nur alle wißt,
Hat sich dem BUM ergeben;
Der ist zwar auch ein guter Christ,
Allein das ist es eben.

Der BAM fliegt weiter durch die Nacht
Wohl über Wald und Lichtung.
Doch, ach, er fliegt umsonst! Das macht,
Er fliegt in falscher Richtung.

Christian Morgenstern

Morgenstimmung

Leise schleich' ich wie auf Eiern
Mich aus Liebchens Paradies,
Wo ich hinter dichten Schleiern
Meine besten Kräfte ließ.

Traurig spiegelt sich der bleiche
Mond in meinem alten Frack;
Ach, die Wirkung bleibt die gleiche,
Wie das Kind auch heißen mag.

Wilhelmine, Karoline,
's ist gesprungen wie gehupft,
Nur daß hier die Unschuldsmiene,
Dort dich die Routine rupft.

Frank Wedekind

September-Elegie

Zwar sagten uns die Meteorologen,
Es bliebe weiter warm und sommerlich,
Doch ihr Kalkül hat, wie so oft, getrogen,
Ich merk': mein Rheumatismus meldet sich.

Im Radio erklingt »Cosi fan tutte«,
Die »Letzte Rose« liegt auf dem Klavier;
Sie ist verblüht und weicht der Hagebutte —
Der Sommer geht, der Herbst steht vor der Tür.

Ein Mädchen, süß wie Schokoladentorte,
Saß gestern vor mir in der Straßenbahn.
Ich fühlt: »Jetzt pocht das Schicksal an die Pforte«,
Ich sah sie schon als Leda, mich als Schwan.

Verlangend schaute ich den süßen Fratz an,
Auch sie, sie blickte liebevoll zu mir.
Dann stand sie auf und — bot mir ihren Platz an —
Der Sommer geht, der Herbst steht vor der Tür . . .

Ernst Petermann

Abschied

Jetzt bist du fort. Dein Zug ging neun Uhr sieben.
Ich hielt dich nicht zurück. Nun tut's mir leid.
— Von dir ist weiter nichts zurückgeblieben
Als ein paar Fotos und die Einsamkeit.

Noch hör ich leis von fern den D-Zug pfeifen.
In ein paar Stunden hält er in Polzin.
Mich ließest du allein in Groß-Berlin,
Nun werde ich durch laute Straßen streifen

Und mißvergnügt in mein Möbliertes gehen,
Das mir für dreißig Mark Zuhause ist,
Und warten, daß ein Brief von dir mich grüßt,
Und abends manchmal nach der Türe sehen.

. . . Ich kenn das schon. Und weiß, es wird mir fehlen,
Daß du um sechs nicht vor dem Bahnhof bist.
— Wem soll ich, was am Tag geschehen ist,
Und von dem Ärger im Büro erzählen?

Jetzt, da du fort bist, scheint mir alles trübe.
Hätt ichs geahnt, ich ließe dich nicht gehn.
Was wir vermissen, scheint uns immer schön.
Woran das liegen mag . . . Ist das nun Liebe?

Das regnet heut! Man glaubt beinah zu spüren,
Wies Thermometer mit der Stimmung fällt.
Frau Meilich hat die Heizung abgestellt.
Und irgendwo im Hause klappen Türen.

Jetzt sitz ich ohne dich in meinem Zimmer
Und trink den dünnen Kaffee ganz allein.

— Ich weiß, das wird jetzt manches Mal so sein.
Sehr oft vielleicht . . . Beziehungsweise: immer

Mascha Kaléko

Volkslied

Sie macht dem Herrn das Zimmer rein
Und klopft die Betten breit
Und gießt ihm frisches Wasser ein
Und läßt sich Zeit.

Er steht dabei
Und sieht ihr zu
Und denkt: Das könnte gehn.
Er fragt: »Wie wär's?«
Sie sagt: »Nanu?«
»Nachts um halb zehn?«

Er ist Student,
Sie ist allein
Und hat's noch nie getan.
Der Vollmond scheint zum Fenster rein.
Wie im Roman —

Sie macht dem Herrn das Zimmer rein
Und sagt: »Jetzt muß ich gehn.«
Und gießt ihm frisches Wasser ein,
Früh, um halb zehn.

Werner Finck

Berthas Liebesbrief

Mein oller Hausherr pennt noch fest und schnarcht.
Jetzt soll ick schuften und vielleicht noch Schweiß vajießen?
Madame is jrade einhol'n auf'm Marcht.
Jetzt Reinemachen? Nich vor Keese, Scheibenschießen.
Jetzt, jetzt vasenk ick mir ma tief,
Jetzt les ick meinen Liebesbrief!
Ick hab ihn im Busen — hier isser!
Der süße kleene rosane düskrete Bijeh-du!
Noch isser zujeklebt, noch isser zu!
Ick will mir nämlich damit überraschen!
Wat mir mein Oskar schreibt, hat sich jewaschen!

Von Oskars Briefen bin ick janz behext!
Ick brauch ihm jarnich lesen, nee, ick kenn schon seinen Text:
»Heißgeliebte Bertha, ick sehn mir nach Deinem Atemhauch!
Heißgeliebte Bertha, ick liebe Dir, und Du mir auch!
Dir jehör ich ewig!« Jetzt hab ick doch den Brief zerknifft!
Ick streichle 'n wieder jrade — ja is denn det überhaupt Oskarn
seine Schrift?
Det sieht mir beinah mehr nach Justav aus . . .
Na klar is der von Justav, Mensch, ick war wohl dämlich!
Der Justav, au, der hat das Knutschen raus,
Im Jrunde is der Justav mein Verlobter nämlich!
Der Brief kann nur von Justav sein,
Nu kiek ick aber wirklich rein!
Natürlich, det isser! Det isser!
Die Handschrift kenn ich janz jenau, die Klaue is von ihm,
Hier: Liebe mit'm »h«, und klein jeschriem,
Det der nich orthopädisch schreibt, na wichtig!
Im Küssen is der Junge dafür richtig!
Von seinen Küssen bin ick janz behext!
Jetzt muß ick aber lesen meinen Justav seinen Text:
»Heißjeliebte Bertha«, so lejt der Justav immer los,
»Heißjeliebte Bertha, ach, meine Liebe is so jroß!
Dir jehör ick ewig, denn Du bist eine Jans« — Wat, Jans?
»Jans reizende Person! Zehndausend Küsse, Franz« Franz??
Franz????
Natürlich! Franz vom letzten Schwof,
Wie kam ick auf den andern Zimt?
Der süße Franz, der is so dof,
Der heirat' mir bestimmt!

Günter Neumann

»Ich bin das Weib . . .«

Ihr seid gereizt durch mein Benehmen?
So sagt mir doch, was euch gefällt!
Vor mir braucht man sich nicht zu schämen!
Ich bin . . . das Weib! Mich kennt die Welt.

Die Haare glatt? . . . Nach der Methode?
Wollt ihr mich wild? Wollt ihr mich zart?
Ich hab' Frisuren jeder Mode
Und habe Seelen jeder Art.

Pflückt doch die Blume meines Mundes!
Trinkt meinen Kuß, nicht meinen Sinn,
Und suchet, Narren, nichts Profundes,
Wo ich mir selbst Geheimnis bin.

Ihr dünkt euch überlegne Kenner?
Ach, unsre Waffen sind nicht gleich!
Ihr seid nur giergeplagte Männer:
Ich bin . . . das Weib, mein ist das Reich!

Mein Ziel wird ewig sich erfüllen,
Ich bin die Isis alter Zeit,
Und niemand konnte mich enthüllen,
Doch bin ich eurer Lust bereit.

Und irritiert euch mein Benehmen,
So sagt mir doch, was euch gefällt!
Vor mir braucht man sich nicht zu schämen,
Ich bin . . . das Weib! Mich kennt die Welt.

Ferdinand Hardekopf

Die eheliche Liebe

Klorinde starb; sechs Wochen drauf
Gab auch ihr Mann das Leben auf,
Und seine Seele nahm aus diesem Weltgetümmel
Den pfeilgeraden Weg zum Himmel.
»Herr Petrus!« rief er, »aufgemacht!« —
»Wer da?« — »Ein wack'rer Christ.« —
»Was für ein wack'rer Christ?« —
»Der manche Nacht,
Seitdem die Schwindsucht ihn aufs Krankenbette
*   brachte,*
In Furcht, Gebet und Zittern wachte.
Mach bald!« — — Das Tor wird aufgetan.
»Ha, ha! Klorindens Mann!
Mein Freund«, spricht Petrus, »nur herein;
Noch wird bei Eurer Frau ein Plätzchen ledig sein.«
»Was? Meine Frau im Himmel? Wie?
Klorinden habt Ihr eingenommen?
Lebt wohl! Habt Dank für Eure Müh'!
Ich will schon sonstwo unterkommen.«

Gotthold Ephraim Lessing

Volkslied

O grüne Zeit! Vergangenheit!
O liebes Liebesjoch!
Wir hatten manchen Strauß und Streit;
Matilde — schön war's doch.

Bald gab's ein Lied, bald gab's ein Buch,
Wofür wir zwei geschwärmt;
Und kamst du abends zu Besuch,
Wie hast du hold gelärmt.

Du warst mir niemals eine Last,
Du warst mir eine Lust,
Und daß du mich betrogen hast,
Das hab ich auch gewußt.

Alfred Kerr

Die zersägte Dame

Der Zaubrer fesselt also meine Frau.
Er legt dieselbe dann in eine Kiste.
Vernagelt sie (die Kiste) sehr genau.
Und fragt, wo er sie nun zersägen müßte.

Ich sage diesem wunderbaren Mann,
Daß er sie vertikal halbieren wolle.
Er nickt. Greift nach der Säge. Setzt sie an,
Und kalten Bluts zersägt er meine Olle.

Mir rinnt ein Schweißstrom übers Angesicht.
Blutbäche rieseln durch die Kistenbretter.
Die Säge kreischt und pfeift und knirscht und zischt,
Und alle Leute murmeln Donnerwetter!

Da ist er fertig. Legt die Säge fort.
Entfernt die Kistenhälfte eigenhändig.
Und — vor Erstaunen finde ich kein Wort —
Mein Weib entsteigt der andern sehr lebendig!

Ihr Körper zeigt auch nicht den kleinsten Ritz,
Obwohl er auseinanderklaffen müßte.
Ich nehm' sie seufzend wieder in Besitz
Mitsamt der vertikal zersägten Kiste.

Der ganze Zirkus applaudiert und lacht.
Die Ehemänner wiehern vor Vergnügen.
Ich hab sie allerdings stark im Verdacht,
Auch ihre Frauen sind nicht totzukriegen!

Hanns Max Hackenberger

Ehekrach

»Ja —!«
»Nein —!«
»Wer ist schuld?
            Du!«
»Himmeldonnerwetter, laß mich in Ruh!«
— »Du hast Tante Klara vorgeschlagen!
D u läßt Dir von keinem Menschen was sagen!
D u hast immer solche Rosinen!
D u willst bloß, ich soll verdienen, verdienen —
D u hörst nie. Ich rede dir gut zu . . .
W e r ist schuld —?
            Du!«
»Nein.«
»Ja.«
— »W e r hat den Kindern das Rodeln verboten?
W e r schimpft den ganzen Tag nach Noten?
W e s s e n Hemden muß ich stopfen und plätten?
W e m passen wieder nicht die Betten?
W e n muß man von vorn und hinten bedienen?
W e r dreht sich um nach allen Blondinen?
            Du —!«
»Nein.«
»Ja.«
»Wem ich das erzähle . . .!
            Ob mir das einer glaubt —!«
— »Und überhaupt —!«
      »Und überhaupt —!«
            »Und überhaupt —!«

Ihr meint kein Wort von dem, was ihr sagt:
Ihr wißt nicht, was euch beide plagt.
Was ist der Nagel jeder Ehe?
Zu langes Zusammensein und zu große Nähe.

Menschen sind einsam. Suchen den andern.
Prallen zurück, wollen weiter wandern . . .
Bleiben schließlich . . . Diese Resignation:

Das ist die Ehe. Wird sie euch monoton?
Zankt euch nicht und versöhnt euch nicht:
Zeigt euch ein Kameradschaftsgesicht
Und macht das Gesicht für den bösen Streit
Lieber, wenn ihr alleine seid.

Gebt Ruhe, ihr Guten! Haltet still.
Jahre binden, auch wenn man nicht will.

Das ist schwer: ein Leben zu zwein.
Nur eins ist noch schwerer: einsam sein.

Kurt Tucholsky

Fannie

Du warst nicht schön. Von »farbenprächtiger Sattheit«
Ließ sich beim besten Willen nichts bemerken.
Nein, diese bleichsuchtblasse tote Mattheit
Vermochte durstige Augen nicht zu stärken.
Die Nase war noch ziemlich zu ertragen.
Der Mund gewöhnlich. Und das Haar nicht häßlich.
Nein. Fannie, mehr kann wirklich niemand sagen.
Du warst nicht schön. (Du bist nur unvergeßlich.)

Alfred Kerr

Tragödie

Am Nebentisch im Café »Anglais«:
»Ich kann bloß leben in deiner Näh'!«
— Det versteh' ick nich.

»Für mich ist dein ältester Anzug neu.
Du gehst mit anderen, ich bin dir treu.«
— Det versteh' ick nich.

»Ich möchte mit keinem anderen leben,
Er könnte mir Millionen geben.«
— Det versteh' ick nich.

— »Ick habe dir doch heimjeschickt!
Ich hab' dir 'ne weiß-rote Jacke gestickt.«
— Det versteh' ick nich.

»Doch ja! Für das Sechstagerennen.
Es wird dich keine darin erkennen.«
— Det glaub' ick nich.

»Ich habe die weißeste Seide genommen,
Und dickes Blut ist hineingeronnen.«
— Du quassel' man nich.

Da schrie sie auf: »Ich werd' verrückt!«
Sie hielt ihr Gesicht in die Hände gedrückt
Und krümmte sich.

René Schickele

Die glückliche Ehe

Gedankt sei's dir, o Gott der Ehen!
Was ich gewünscht, hab' ich gesehen:
Ein grenzenlos beglücktes Paar;
Ein Paar, das ohne Gram und Reue,
Bei gleicher Lieb' und gleicher Treue
Durch deine Bande selig war.
Ein Wille lenkte hier zwei Seelen.
Was sie gewählt, pflegt' er zu wählen,
Was er verwarf, verwarf auch sie,
Ein Fall, wo andre sich betrübten,
Stört' ihre Ruhe nie. Sie liebten
Und fühlten nicht des Lebens Müh'.

Da ihn kein Eigensinn verführte,
Und sie kein eitler Stolz regierte:
So herrschte weder sie noch er.
Sie herrschten, aber bloß mit Bitten;
Sie stritten; aber wenn sie stritten,
Kam bloß ihr Streit aus Eintracht her.
Der letzte Tag in ihrem Bunde,
Der letzte Kuß von ihrem Munde
Nahm wie der erste sie noch ein.
Sie starben. Wann? Wie kannst du fragen?
Acht Tage nach den Hochzeitstagen;
Sonst würde dies ein Märchen sein.

Christian Fürchtegott Gellert

Es waren drei junge Leute

Es waren drei junge Leute,
Die liebten ein Mädchen so sehr.
Der eine war der Gescheute,
Floh zeitig über das Meer.
Er fand eine gute Stelle
Und ward seiner Jugend froh,
Und lebt als Junggeselle
Noch heute in Borneo.

Der zweite schied mit Weinen.
Er sang seiner Liebe Leid
Und ließ es gebunden erscheinen
Just um die Weihnachtszeit.
Das kalte Herz seiner Dame,

Die Quelle all seines Weh's,
Macht ihm die schönste Reklame
Auf allen ästhetischen Tees.

Der dritte nur war dämlich,
Wie sich die Welt erzählt.
Er liebte die Holde nämlich
Und hat sich mit ihr vermählt,
Und sitzt jetzt ganz bescheiden
Dabei mit dummem Gesicht,
Wenn sie von den andern beiden
Mit Tränen im Auge spricht . . .

Ludwig Eichrodt

Spatz und Spätzin

Auf dem Dache sitzt der Spatz,
Und die Spätzin sitzt daneben,
Und er spricht zu seinem Schatz:
»Küsse mich, mein holdes Leben!

Bald nun wird der Kirschbaum blühn,
Frühlingszeit ist so vergnüglich;
Ach! Wie lieb' ich junges Grün
Und die Erbsen ganz vorzüglich!«

Spricht die Spätzin: »Teurer Mann,
Denken wir der neuen Pflichten,
Fangen wir noch heute an,
Uns ein Nestchen einzurichten!«

Spricht der Spatz: »Das Nesterbau'n,
Eierbrüten, Junge füttern
Und dem Mann den Kopf zu krau'n —
Liegt den Weibern ob und Müttern.«

Spricht die Spätzin: »Du Barbar!
Soll ich bei der Arbeit schwitzen,
Und du willst nur immerdar
Zwitschern und herumstibitzen?«

Spricht der Spatz: »Ich will dich hier
Mit zwei Worten kurz berichten:
Für den Spatz ist das Pläsier,
Für die Spätzin sind die Pflichten!«

Karl August Mayer

Passantin

So schöner Wuchs! So schöne Haut!
So schöne Hände, schöne Haare.
Ganz Frauenanmut. — Und für wen gebaut?
Und für wie viele Jahre?

Aus Worten, Augen streichelt mich ein Geist,
Der mir gefällt und heimlich schön verspricht.
Für mich so schön, vielleicht für andre nicht. —
Was nützt es mir, da es vorüberreist.

Und nützt mir doch, kann meine Phantasie
Versagtes in Konvexes übertragen. —

Die Wolke, die dich labt, du fängst sie nie;
Sie hört dich nicht und du kannst ihr nichts sagen.

Joachim Ringelnatz

Herr Meyer

»Ich spiele heut mit Meyer Skat«,
So sagte ihr der Gatte,
Obwohl er mit der Tänzerin
Ein Rendezvouschen hatte.
Nach Hause kam er früh um drei,
Er sagte, als sie grollte:

»Weil Meyer erst zu viel verlor
Und weiterspielen wollte!«
»So, so, mit Meyer spieltest du?!«
Und da sie weiter schmollte,
Gab er ihr gleich sein Ehrenwort,
Weil sie es haben wollte.
Was will ein armer Ehemann
In solchem Falle machen?
Gibt er es nicht, ist er erwischt,
Und hat dann nichts zu lachen.
Das kleine gab er insgeheim,
So fordert es der Friede,
Fürs große war er früh um drei
Natürlich viel zu müde.

Da machte sie das Zimmer auf
Und drin saß sein Freund Meyer;
Ihm war es in dem Augenblick,

Als trüg er einen Schleier.
Sie sprach etwas von Ehrenwort,
Von Lump und nicht genieren:
»Ich bat Herrn Meyer her zu mir,
Um dich zu überführen!«
»Na, du bist gut«, begann er dann,
Schon fühlte er sich freier,
»Glaubst du, es gibt in dieser Stadt
Nur diesen einen Meyer?
Ja, diesen Meyer mein ich nicht,
Du solltest dich was schämen,
Von deinem eignen Ehemann
Das Schlimmste anzunehmen!«
Geknickt sah sie ihr Unrecht ein.
Es gab Versöhnungsfeier.
O, Ehmann, spielst du jemals Skat,
Spiel' immer nur mit Meyer!

A. O. Weber

Liebes-Realistik

Ich liebe dich, das mußt du endlich wissen,
Ich kann es doch nicht dauernd wiederhol'n.
Nun schmolle doch nicht gleich, komm, laß dich küssen.
Ich finde, es wird kalt. Hast du noch Kohl'n?

Wann, glaubst du, wird dein Mann nach Hause kommen?
Natürlich ist nichts bei — nur wär' es peinlich.
Hast du die Zigarette weggenommen?
Na, nun erlaube mal — seit wann bin ich denn kleinlich?

Du, gestern traf ich deine Freundin Ellen.
Die hat schon wieder einen neuen Mann,
Die könnte sich gleich an die Ecke stellen.
Was siehst du mich die ganze Zeit so komisch an?

Am Sonntag könntest du mich mal besuchen,
Dein Mann kann auch allein zum Boxen geh'n.
Ich nehm' mir noch ein Stückchen Streuselkuchen.
Für mich allein gebacken? Wirklich? Danke schön!

Nun laß das doch — du weißt, beim Essen,
Da mag ich so was nicht. Ach, apropos —
Zwei Mark bekomm' ich noch — hast du's vergessen?
Natürlich hat es Zeit — ich mein' es ja nicht so.

Du bist in letzter Zeit so sehr empfindlich.
Was hast du — hat dein Mann etwas gemerkt?
Ich lieb' dich doch — du bist so süß und kindlich.
Nicht an den Kragen, der ist heute frisch gestärkt.

Jetzt muß ich gehn. Ich will dich doch nicht kränken.
Ich kenn' mich in der letzten Zeit mit dir nicht aus.
Am Sonntag werd' ich dir viel schöne Stunden schenken.
Jetzt nicht. Du weißt, um fünf ist meine Frau zu Haus.

Rolf Ulrich

Kuß-Arithmetik

Leben, Lesbia, leben, lieben
Sei von niemand uns verwehrt!
Zetern laß die böse Sieben.
's ist nicht einen Pfennig wert.

Sonne geht und kehret wieder,
Uns erwartet ew'ge Nacht,
Sinkt der kurze Tag hernieder,
Der uns heute fröhlich lacht.

Küsse gib mir hundert, tausend,
Tausend dann zu hundert Malen
Und zum dritten: hundert tausend;
Dann verwirren wir die Zahlen,

Bis in einem Meer von Küssen
Wir den Grund nicht mehr erreichen,
Und die schlimmsten Neider müssen
Sich geprellt beiseite schleichen.

Catull

Als sie ins Kloster ziehen wollte

Soll, kluge Schönheit, dein Vergnügen
Mit deiner Brust ins Kloster gehn,
Wie, soll der Garten brache liegen,
Auf welchem Zuckerrosen stehn?
Was willst du, da sich andre freuen,
Mit Fasten deinen Leib kasteien?

Ach, schönes Kind, die enge Zelle
Ist deiner Hoffnung weites Grab.

Hier wächst und ist die Qual der Hölle,
Hier nimmt der Kern des Lebens ab.
Und in den bangen Kirchenmauern
Muß auch Canarisekt versauern.

Das Jungfernhonig nährt die Galle,
Die Einsamkeit gebiert den Tod.
Die Jungfrau schwindet vor dem Falle
Und leidet ohne Leiden Not.
Der Rosenkranz, der Freiheit Ende,
Beschwert der Nonnen Herz und Hände.

Komm, laß dich in ein Kloster führen,
Wozu der Abt den Schlüssel trägt
Und Amor über alle Türen
Dies in erhabner Schrift geprägt:
Zu unsrer lieben Frauen Orden
Ist dieser Ort gewidmet worden.

Den Altar geben deine Brüste,
Das Rauchwerk glüht in deinem Schoß;
Hier stillen wir des Fleisches Lüste
Und dämpfen sie auf einen Stoß,
Bis wir durch ein geschwächtes Küssen
Auch in das Komplet treten müssen.

Johann Christian Günther

Ab zehn

Der Hannes sitzt mit seiner Hanne
Im Zimmer, das er abmöbliert,
Und streichelt nur die Kaffeekanne,
Weil Hanne jung und sich noch ziert.

Da schlägt es zehn
Und eine Stimme tönt jetzt außenwändig:
»Sie Fräulein! – Woll'n Sie bitte gehn!
Ab zehn Uhr ist das unanständig!«

Heinz Behrend

Bum-Bum!

Es liebte ein feuriger Jüngling
Ein zärtliches Mädchen gar sehr,
Doch leider war sie Anarchistin

Und er Polizeikommissär.
Da wurde die Brust ihm zerrissen
Im Kampfe von Liebe und Pflicht,
Er hätte verhaften sie müssen
Und bracht' übers Herze es nicht.
Denn er trug ja ein liebendes Herze
Im Busen mit sich herum.
Im entscheidenden Augenblicke
Machte dieses immer: Bum bum!

Sie hätte ihn töten müssen
Nach anarchistischer Pflicht,
Doch da sie ihn ebenfalls liebte,
So konnte sie's ebenfalls nicht.
Man sieht, die Liebe vollbringet
So viel wie die Pflicht, ja noch mehr: —
Sie blieb nicht mehr Anarchistin,
Er nicht Polizeikommissär.
Nun konnten sie ruhig sich küssen,
Denn aller Skrupel war stumm,
Nur leise schlug das Gewissen
Und laut schlug das Herz: Bum bum!

Er öffnet' erglühend die Arme,
Sie wehrte ihm länger nicht mehr,
Da küßte die Anarchistin
Der Polizeikommissär.
Doch wie er sie an sich drücket,
Da kracht es plötzlich und pufft —
Im entscheidenden Augenblicke,
Da flogen sie beid' in die Luft.
Denn sie trug eine Höllenmaschine
Verborgen im Kleide herum,
Die platzt' durch die starke Umarmung.
So starben sie beide — Bum bum!

Rideamus

Die Weiber sind nicht ohne Fehler

Ein Weib sei, wie es immer sei,
So wird ihr doch was fehlen;
Die Schöne, die ist selten treu,
Die Garstige macht quälen;
Die Kluge kommandiert zu viel,
Die Dumme treibt nur Narrenspiel;
Die Junge bringt Galans ins Haus,

Der Alten stinkts zum Halse raus;
Die Reiche läßt dir's Geld nicht frei,
Die Arme wird dir's stehlen.
Ein Weib sei, wie es immer sei,
So wird ihr etwas fehlen!

Unbekannter Dichter

Treue!?

Am rauschenden Nordseestrande
Da ward die Bekanntschaft gemacht;
Da haben die beiden im Sande
Geplaudert, gescherzt und gelacht.
Sie sprachen von allem auf Erden
Und — von der Sonne Licht,
Sie sprachen von ihrer Liebe,
Doch von der — Ehe — nicht.
Erst in der Abschiedsstunde,
Da hat sie's ihm erzählt
Voll Mut zum ersten Male:
Sie sei — bereits vermählt.
Da küßt er sie so innig
Nach alter Minne Brauch
Und flüstert unbefangen:
»Mein Schatz — ich bin es auch!« —

L. Marco

Für alle Fälle

Die letzte Nacht, die ihr Gatte verreist!
Nun hat sie mich doch nicht abgespeist,
Sie bleibt bei mir, und endlich gerührt
Senkt sie die Flagge und kapituliert!
Glaubt nicht, daß das Ding so einfach war!
Was kostet das Bitten und Schwüre gar,
Bis sie nur überhaupt gekommen?
Und hier erst, was habe ich hier vernommen?
Auf alle Bitten ein grausames »Nein«
Und »ich will nicht« und »ich kann nicht« und
                    »es darf nicht sein«
Und »ich halt meinem Gatten die Treue wie Eisen«
Und »daß er ein Trottel, mußt du erst beweisen.«
Selbst jetzt, als ich eben, von Zittern gepackt,
Die duftige Bluse ihr aufgehakt
Und auf den schimmernden Nacken beglückt

Den ersten hungrigen Kuß gedrückt,
Da fängt sie schon wieder von vorne an:
»Ach Gott, du böser, abscheulicher Mann.
Nun ist es doch so weit gekommen,
Und hab mir's so heilig doch vorgenommen.
Selbst heut, als ich wegging mit Zögern und Zaudern,
Mit dir ein Stündchen hier zu verplaudern —
Du lagst mir ja darum stets in den Ohren —
Da hatt ichs aufs neue mir zugeschworen,
Es gibt nichts, und wenn er verzappelt dabei,
Ich bleibe beständig und wahre die Treu!« —
»Ach Holde,« so sag ich, »gräme dich nicht,
Man schwört nur Schwüre, damit man sie bricht!
Mich drückt es vielmehr, daß du morgen früh
Nicht deinen Toilettentisch findest allhie,
Denn Puder und Nadeln und Brauenstift,
Ich glaube nicht, daß man bei mir sie trifft!«
Da meinst sie errötend und schmiegte sich dicht:
»Was das anbetrifft, da kümmre dich nicht,
Das hab ich alles, eh ich gekommen,
Für alle Fälle gleich mitgenommen.«

Jos. L. Ostermayr

Das Mädchen

Gestern noch ein dürftig Ding,
Das so grau und albern ging,
Nichts an ihm zu sehen —
Und muß heut behutsam sein,
Wie wenn im Mai die Blüten schnei'n,
    Daß nicht alle verwehen.

Wie wenn ich Blüten an mir habe,
Als sei ich eine Gottesgabe, —
Ein reines Wunder bin ich ja,
Wie nie ich eins mit Augen sah,
Und muß mich sehr zusammennehmen
    Und schämen.

Warum? Weil ich so blühend bin,
Und weil der Wind treibt Blüten hin,
Die nicht am Baum erröten
Und voller Vorsicht sind
Und Unschuld und Erblöden —
    Der dumme Wind!

Peter Hille

Liebe auf Eis gelegt

Der Nebel macht die Scheiben blind.
Das Laub ist von den Bäumen.
Und wenn du Kohlen hast, mein Kind,
Dann bleibst du bei dem kalten Wind
Am besten in den Räumen.

Die kleine Bank in unserm Park,
Auf der wir so oft saßen,
Steht zwar noch da, doch ist sie arg
Gerupft. Man hat — ich find das stark —
Ihr nicht ein Brett gelassen.

Cafés und Kinos fallen flach.
Ich bin zu schlecht bei Kasse.
Ich sitz zu Haus und denke nach,
Wie ich aus Wasser Brennstoff mach.
(Die Lampe frißt 'ne Masse!)

Und weißt du, zum Spazierengehen
Fehln mir die Kalorien.
Dies Lange-vor-der-Haustür-Stehn
Mit Küßchen und Aufwiedersehn —
Das spür ich in den Knien.

Zum Abschied nimm noch dies Gedicht.
Bleib frisch, gesund und heiter.
Dies Wetter taugt zur Liebe nicht.
Leb wohl, mein Kind, mach kein Gesicht!
Im Frühling sehn wir weiter!

Fritz A. Koeniger

Der andere Mann

Du lernst ihn in einer Gesellschaft kennen.
Er plaudert. Er ist zu dir nett.
Er kann dir alle Tenniscracks nennen.
Er sieht gut aus. Ohne Fett.
*   Er tanzt ausgezeichnet. Du siehst ihn dir an ...*
*   Dann tritt zu euch beiden dein Mann.*

Und du vergleichst sie in deinem Gemüte.
Dein Mann kommt nicht gut dabei weg.
Wie er schon dasteht — du liebe Güte!
Und hinten am Hals der Speck!

Und du denkst bei dir so: »Eigentlich . . .
Der da wäre ein Mann für mich!«

Ach, gnädige Frau! Hör auf einen wahren
Und guten alten Papa!
Hättest du den Neuen: in ein, zwei Jahren
Ständest du ebenso da!
  Dann kennst du seine Nuancen beim Kosen;
  Dann kennst du ihn in Unterhosen;
  Dann wird er satt in deinem Besitze;
  Dann kennst du alle seine Witze.
  Dann siehst du ihn in Freude und Zorn,
  Von oben und unten, von hinten und vorn . . .
Glaub mir: wenn man uns näher kennt,
Gibt sich das mit dem happy end.
Wir sind manchmal reizend, auf einer Feier . . .
Und den Rest des Tages ganz wie Herr Meyer.
Beurteil uns nie nach den besten Stunden.

Und hast du einen Kerl gefunden,
Mit dem man einigermaßen auskommen kann:
  Dann bleib bei dem eigenen Mann!

Kurt Tucholsky

Mutige Liebe

Was auch von Eheküssen
Warnung und Bosheit spricht —
Zwei, die zusammen müssen,
Schreckt auch die Ehe nicht.

Arthur von Wallpach

Xanthippe

Will er sauer, so will ich süß,
Will er Mehl, so will ich Grieß,
Schreit er hu, so schrei ich ha,
Ist er dort, so bin ich da,
Will er essen, so will ich fasten,
Will er gehn, so will ich rasten,
Will er recht, so will ich link,
Sagt er Spatz, so sag ich Fink,
Ißt er Suppen, so eß' ich Brocken,
Will er Strümpf, so will ich Socken,

Sagt er ja, so sag' ich nein,
Sauft er Bier, so trink' ich Wein,
Will er dies, so will ich das,
Singt er Alt, so sing' ich Baß,
Steht er auf, so sitz' ich nieder,
Schlägt er mich, so kratz' ich wieder,
Will er hü, so will ich hott!
Das ist ein Leben, erbarm es Gott!

Abraham a Santa Clara

Das böse Weib

Wer wird meine Fesseln lösen?
Wer ist's, der den Strick zerhaut?
Denn die Böseste der Bösen
Ist als Weib mir angetraut.

Mußt sie nur einmal besehen
Diese Schlange, wenn sie speit!
Würdest auch zu Allah flehen,
Daß er mich von ihr befreit.

Ach, mein Blick wird immer trüber,
Seit ich so im Ehejoch.
Monde, Jahre gehn vorüber —
Und das Biest lebt immer noch.

Die Verwandten der Megäre:
Plebsgelichter, Schmeichelkatzen!
Wenn ich nicht so vornehm wäre,
Spie ich ihnen in die Fratzen!

Fluch dem Tag, an dem du Schuft
Mir hast vorgestellt den Besen!
Du betrogst mich. Fahr zur Gruft,
Der du einst mein Freund gewesen!

Ibn Dschudi
Übers. Janheinz Jahn

Eheharmonie

Ich hab' ein kleines Wetterhaus,
Da geht ein Ehepaar ein und aus.
Doch sieht man beide nie zu zwei'n,

Ein jeder geht für sich allein.
Bei schönem Wetter kommt sie raus
Aus ihrem kleinen Wetterhaus.
Das ärgert ihn, drum bleibt er drin.
Wenn's regnet, geht sie wieder rin.
Erst wenn sie drin ist, kommt er raus
Aus seinem kleinen Wetterhaus.
Das ärgert sie — drum bleibt sie drin.
Wenn's schön wird — geht er wieder rin.
Erst wenn er drin ist — kommt sie raus
Aus ihrem kleinen Wetterhaus.
Das ärgert ihn — er kommt in Wut.
Sie geht rein — wenn es regnen tut.
Erst wenn sie drin ist — kommt er raus
Aus seinem kleinen Wetterhaus.
Das ärgert sie — sie ist ergrimmt.
Er geht rein, wenn das Sönnchen kimmt.
So geht es nun tagein, tagaus,
Sie raus — er rein — er rein — sie raus.
Einmal kommt er — einmal kommt sie,
Das nennt man Eheharmonie.
Somit wär' die Geschichte aus
Vom Ehepaar im Wetterhaus.

Fred Endrikat

Ehescheidung

Zum Pfäffel kam ein Pärchen und schrie:
Geschwind, und laßt uns frei'n!
Wir können keinen einzigen Tag
Mehr ohne einander sein!

Und aber ein Jährlein kaum verstrich,
Sie liefen herbei und schrie'n:
Herr Pfarrer, trennt und scheidet uns,
Laßt keine Stunde flieh'n!

Das Päfflein runzelte sich und sprach:
Macht euch die Scham nicht rot?
Wir haben es alle drei gelobt,
Euch trenne nur der Tod!

Rot macht die Scham, doch Reue blaß,
Herr Pfarrer gebt uns frei!
Der Mann bot einen Dollar dar,
Die Frau der Dollar zwei.

Da tat das Pfäffel zwischen sie
Ein Kätzlein heil und ganz;
Der Mann, der hielt es bei dem Kopf,
Die Frau hielt es am Schwanz.

Mit seinem Küchenmesser schnitt
Der Pfarr die Katz' entzwei:
»Es trennt, es trennt, es trennt der Tod!«
Da waren sie wieder frei.

Gottfried Keller

Ungeschickt

Der Miedl, der is g'storben ihr Mann,
Jetzt tröst i s' halt, so guat i kann;
Denn 's Unglück muß ma' christli' tragen.
»Ja«, sagt s', »i wollt ja gar nix sagen
Vom Sterben, wenn er nur nit gar
Aa no'so u n g ' s c h i c k t g'storben war.

Jetzt wer' i neunavierzge bald.
Zum Wiederheiraten is z' alt,
Zum Wittibsein da bin i z' jung,
Und wegen dem is 's halt so dumm.
Drum reut er mi' soviel, der Mann!
Wie ma' so u n g ' s c h i c k t sterben kann!

Karl Stieler

Mir ist es gleich

Ich weiß, daß deine Liebe
Verkäuflich ist;
Ich weiß, daß dir der Reichste
Der liebste ist;
Ich weiß, daß diese schäumenden Ekstasen
Erheuchelt sind,
Daß sie nur künstlich deinen Leib durchrasen,
Mein bleiches Kind;
Ich weiß, daß dieses traumverlor'ne Flüstern,
Daß dieser liebesirre, heiße Blick
Ein wohlgeübtes und ein oft erprobtes
Komödienstück;

Und dennoch fühl' ich mich an deinem Busen
Beglückt und reich;
Ob Wahrheit oder Lüge diese Liebe,
Mir ist es gleich.

Felix Dörmann

Bekenntnis einer Chansonette

Sing ich auch hier von Küssen und Kosen,
Von Puderdosen und Spitzenhosen,
Ihr Männer, bildet euch nur nichts ein,
Noch mag ich keinen von euch zum Schatze,
Zu Hause streichl' ich meine Katze
Und lese Schillers Wallenstein.

Ich übe fleißig die übelsten Chosen,
Kokottengebärden und Nuttenposen,
Ich bin noch jung, ich lerne schnell.
Doch eure Liebe, die ist mir schnuppe.
Zu Haus koch ich mir Tomatensuppe
Und lese Schillers Wilhelm Tell.

Und hab ich hier brav gemimt und gewitzelt
Und eure verwöhnten Sinne gekitzelt,
Dann geh ich nach Hause ganz allein.
Im Bettchen eß ich 'ne Schillerlocke
Mit Sahne und lese das Lied von der Glocke
Oder die Jungfrau — und schlafe ein.

Franz Hessel

Konsequenz des Herzens

Ich bin nicht eifersüchtig von Natur.
Keine Spur.

Ach so, damals . . . Damals ja. Aber künftig
Bin ich vernünftig.

Du wirst es ja sehen.

Meinetwegen kannst du auch ganz alleine gehen.
Ich sage keinen Ton.

(Aber: treff ich dich mit der bemalten Person
Freundlich vorm Schotten-Café stehen ...
Dann werd ich mich doch mal genötigt sehen,
Der Dame mit den gefärbten Tatzen
In vornehm-gepflegter Konversation
Die giftigen Augen auszukratzen!)

Mascha Kaléko

Was ist der Buhler Kuß? Nichts als ein süßes Gift,
Das beides Leib und Geist zu größtem Schaden trifft.
Nur wunder, daß man ihn so gerne an sich ziehet,
Wohl dem, der ihn wie Pest, wie Tod und Schlange fliehet.

Theocritos

Der Kupferstecher nach der Mode

Ein Kupferstecher stach
Ein Kind in einer Wiege.
Wie schön! die Unschuld sprach
Aus jedem seiner Züge. —
Ein schönes Mädchen sah in Ruh'
Dem schlauen Kupferstecher zu.

Sie spricht — so süß, wie Mädchen sprechen —
Mit Unschuld im Gesicht:
»Ach! können Sie denn nicht
Mir auch ein solches Kindchen stechen?«
Der Künstler lacht, und geht: die Schöne schleicht ihm nach —
Nun weiß ich weiter nicht, was er dem Mädchen stach.

Christian Friedrich Daniel Schubart

Die Teilung

An seiner Braut, Fräulein Christinchens, Seite
Saß Junker Bogislaw Dietrich Karl Ferdinand
Von — sein Geschlecht bleibt ungenannt —
Und tat, wie alle seine Landesleute,
Die Pommern, ganz abscheulich witzig und galant.

Was schwatzte nicht für zuckersüße Schmeicheleien
Der Junker seinem Fräulein vor!
Was raunte nicht für kühne Schelmereien
Er ihr vertraut ins Ohr?

Mund, Aug und Nas und Brust und Hände,
Ein jedes Glied macht ihn entzückt,
Bis er, entzückt auch über Hüft und Lende,
Den plumpen Arm um Hüft und Lende drückt.

Das Fräulein war geschnürt (vielleicht zum ersten Male).
»Ha!« schrie der Junker, »wie geschlank!
Ha, welch ein Leib, verdammt, daß ich nicht male!
Als käm er von der Drechselbank!

So dünn! — Was braucht es viel zu sprechen?
Ich wette gleich — was wetten wir? Wieviel?
Ich will ihn voneinander brechen!
Mit den zwei Fingern will ich ihn zerbrechen,
Wie einen Pfeifenstiel!«

»Wie?« rief das Fräulein; »wie? zerbrechen?
Zerbrechen (rief sie nochmal) mich?
Sie könnten sich an meinem Latze stechen.
Ich bitte, Sie verschonen sich.«

»Bei'm Element! so will ich's wagen«,
Schrie Junker Bogislav, »wohlan!«
Und hatte schon die Hände kreuzweis angeschlagen
Und packte schon heroisch an,
Als schnell ein: »Bruder! Bruder, halt!«
Vom Ofen her aus einem Winkel schallt.

In diesem Winkel saß, vergessen, nicht verloren,
Des Bräutgams jüngster Bruder, Fritz.
Fritz saß mit offnem Aug und Ohren,
Ein Kind voll Mutterwitz.

»Halt!« schrie er, »Bruder! Auf ein Wort!«
Und zog den Bruder mit sich fort:
»Zerbrichst Du sie, die schöne Docke,
So nimm die Oberhälfte dir!
Die Hälfte mit dem Unterrocke,
Die, lieber Bruder, schenke mir!«

Gotthold Ephraim Lessing

Die kleine Mariette

Sonst hieß sie die kleine Mariette,
Von Zwilch war Mieder und Rock;
Sie schlief auf hartem Bette
Und wohnte im fünften Stock.

Jetzt wohnt sie Bel-Etage,
Hat Witz und Phantasie,
Hält Diener und Equipage
Und heißt Komtesse Marie.

Wie hat sich in dritthalb Jährchen
Das alles nur so gemacht?
Mein Freund, das ganze Märchen
Heißt: Tausend und eine Nacht ...

Ernst Eckstein

Hermine

Hermine liebt Aprikosentörtchen,
Limonade findet sie süßer als Bier.
Hermine liebt die geflüsterten Wörtchen.
Anständige Menschen gefallen ihr.

Sie liebt es, auf dem Diwan zu liegen,
Ein Stückchen Schokolade im Mund.
Sie spricht nicht gerne vom Kinderkriegen,
Sie findet es eigentlich ungesund.

Aber deshalb ist man nicht prüde.
Es gibt nichts Schöneres als die Natur.
Nur macht die Liebe einen so müde
Und ruiniert die ganze Frisur.

Hermine ist für das Ideale,
Das Ideale findet sie fein.
Die Liebe — findet sie — ist das Brutale;
Besonders die Männer sind so gemein.

Franz Hessel

Die erste Modedame

Die Bibel schreibt vom Feigenblatt,
Drin Eva schritt so züchtig —
Doch wie sie es getragen hat,
Wird uns gesagt nur flüchtig.

Glaubt ihr, sie trug's, wie sie vom Baum
Es nahm im Garten Eden?
Es würde euch gelingen kaum,
Mir derlei einzureden.

Bald trug sie's faltig in Plissees,
Bald lang und glatt herunter,
Bald machte sie's saisongemäß
Mit frischen Blüten bunter.

Bald sprach sie: »Ich geh' Rokoko!«
Und bald: »Ich geh' heut steirisch!«
Und, ach, wie war sie herzensfroh,
Gelang's ihr biedermeirisch!

Und täglich quälte sie die Herrn,
Den Adam und die Knaben:
»Herrgott, ich geh' so unmodern!
Ich muß ein neues haben!«

Fritz Engel

Ins Reine

Im Hahnserail war groß Geschrei,
Es wurde viel gesprochen,
Die junge Henne hätt' die Treu'
Dem alten Hahn gebrochen.
»Nein, was zu toll ist, ist zu toll!«
Rief laut der Schwestern eine
Und pust', daß jede Feder schwoll,
Und schimpfte Stein und Beine.
»Das ruchlose Geschöpf — die Schand'!
Wir alle sind beleidigt! —
Gäb's e i n e Henne wohl im Land,
Die solche Sünd' verteidigt?
Die alte Frömmigkeit stirbt aus! —
Grau'nhafte Freveltaten!
O Sittlichkeit im Hühnerhaus,
Wo bist du hingeraten?« —
Sie drangen auf die Ärmste ein,
Begannen zu versäbeln
Das hübsche Ding, fast kurz und klein,
Mit ihren scharfen Schnäbeln.

Hoch flog der Schmutz auf dort und hier;
Staub gab's auf allen Gassen,

Kein gutes Federchen war ihr
Am ganzen Leib gelassen.
Der alte lächerliche Hahn
Stand still auf einem Beine
Und sah sich dumm die Sache an,
Wie alles kam ins Reine.

Otto Hausmann

Danach

Es wird nach einem happy end
Im Film jewöhnlich abjeblendt.
    Man sieht bloß noch in ihre Lippen
    Den Helden seinen Schnurrbart stippen —
    Da hat sie nu den Schentelmann.
        Na, un denn —?

Denn jehn die Beeden brav ins Bett.
Na ja . . . diss is ja auch ganz nett.
    A manchmal möcht man doch jern wissen:
    Wat tun se, wenn se sich nich kissen?
    Die könn ja doch nich imma penn . . .!
        Na, un denn —?

Denn säuselt im Kamin der Wind.
Denn kricht det junge Paar 'n Kind.
    Denn kocht sie Milch. Die Milch looft üba.
    Denn macht er Krach. Denn weent sie drüba.
    Denn wolln sich beede jänzlich trenn . . .
        Na, un denn —?

Denn is det Kind nich uffn Damm.
Denn bleihm die Beeden doch zesamm.
    Denn quäln se sich noch manche Jahre.
    Er will noch wat mit blonde Haare:
    Vorn doof und hinten minorenn . . .
        Na, un denn —?

Denn sind se alt.
        Der Sohn haut ab.
Der Olle macht nu ooch bald schlapp.
    Vajessen Kuß und Schnurrbartzeit —
    Ach, Menschenskind, wie liecht det weit!
    Wie der noch scharf uff Muttern war,
    Det is schon beinah nich mehr wahr!

Der olle Mann denkt so zurück:
Wat hat er nu von seinen Jlück?
Die Ehe war zum größten Teile
Vabrühte Milch un Langeweile.
Und darum wird beim happy end
Im Film jewöhnlich abjeblendt.

Kurt Tucholsky

Der Liebe höchstes Lied

Es lebt der Zobel in Sibirien,
In der Sahara lebt das Gnu,
Es lebt der Säufer in Delirien —
In meinem Herzen lebst nur du!

Es schwimmt im Öle die Sardine,
Doch schwimmt sie drin nur ab und zu,
In ihrem Honig schwimmt die Biene —
In meinem Herzen schwimmst nur du!

Es sitzt der Kutscher auf dem Bocke,
Der Geizhals sitzt auf seiner Truh,
Die Georgine in der Locke —
In meinem Herzen sitzt nur du!

An Meeresklippen hängen Algen,
Die Jungfrau hängt ihr Fenster zu,
Es hängt der Räuber an dem Galgen —
An meinem Herzen hängst nur du!

Es liegt der Stier an heißen Tagen
Am Bachesrand in stiller Ruh,
Es liegt der Knödel in dem Magen —
In meinem Herzen liegst nur du!

Im seidnen Kleide steckt die Schöne,
Doch steckt sie drin nur ab und zu,
In Lederhosen stecken Beene —
In meinem Herzen steckst nur du!

Es spuckt der Hausknecht in die Hände,
Beim Wichsen spuckt er auf den Schuh,
Der Pferdeknecht spuckt an die Wände,
In meinem Herzen spuckst nur du!

Auf ihren Mann haut die Mulattin.
Es haut der Lehrer immerzu,
Es haut der Neger seine Gattin,
In meinem Herzen haust nur du!

Es ruht der Firn auf hohen Schrofen,
Es ruht im grünen Gras die Kuh,
In meinem Zimmer rußt der Ofen,
In meinem Herzen ruhst nur du!

Verfasser unbekannt

Toleranz

Der dicke Franz nahm eine Hur' ins Haus.
Sein Nachbar Melcher sprach:
Ei Franz, jag doch das Mensch hinaus!
Im ganzen Dorf spricht man dir Uebels nach.
Hm, sprach der aufgeklärte Franz,
's ist dummes Volk, weiß nichts von Toleranz.

Christian Friedrich Daniel Schubart

Hong-Kong

Ich erhielt heute deinen beleidigten Brief.
Deine Nachschnüffeleien kränken mich tief.
Und erstens ist Tay-Fi kein Frauenzimmer,
Dann zweitens treiben es andre viel schlimmer,
Und drittens hab ich — parteilos betrachtet —
Zwar mit ihr in einem gemeinsamen Zimmer
Im Grand Hotel Discrétion übernachtet,
Doch war überhaupt nur dies Zimmer noch frei,
Und wie die Betten zunander standen,
(Vergleiche die kleine Skizze anbei)
Ist gar kein Grund zu Verdächten vorhanden. —
Im übrigen weißt du: ich liebe dich sehr.
So lange von dir getrennt zu sein,
Erträgt aber niemand. Ich bin doch kein Stein,
Und ich brauche — ganz schroff gesagt: mehr Verkehr.
Alle Männer, auch Frauen, ganz nebenher
Gesagt, alle Völker brauchen dasselbe
Und diese blöde, luetische, gelbe
Chinesin kommt ernstlich doch nicht in Betracht.
Wir haben uns halt mal per Zufall gefunden
Und ein paar anregende Stunden verbracht.
Man kann doch nicht ewig die ausgeschwätzte
Gleiche Gesellschaft und Gegend erleben.

Wenn man alle Münchner nach Preußen versetzte
Und umgekehrt. Und auch andererseits,
Etwa die Fakire nach der Schweiz. –
Was würde das Perspektiven ergeben! –
Wollen doch nicht am Alltäglichen kleben.
Großzügig sein! Also zürne nicht mehr. –
Du weißt, welche Zeit dein Brief bis hierher
Bei dem miserablichten Dampferverkehr
Gebraucht, und wie lange es wiederum währt,
Bis du endlich meine Rückantwort liest.
Und dann – ich habe das eben benießt –
Ist doch die ganze Affäre verjährt.

Joachim Ringelnatz

Der Pilger und die fromme Dame

Es reist' ein Pilgersmann nach Morgenland hinaus,
Er kam vor eines Edelmannes Haus,
Kam vor sein Haus, vor seine Tür,
Trat eine schöne Dam' herfür.

Er sprach sie an um eine gute Gab',
Was eine solche Dam' vermag:
»Ich kann dir halt nichts geben,
In mein Schlafkämmerlein laß' ich dich legen.« ·

Der Pilgersmann war von Herzen froh,
Sein' Mantel er sogleich auszog,
Sie schlafen beieinander die liebe, lange Nacht,
Bis daß das Hämmerlein sechs Uhr schlägt.

»Ei, Bettelmann, steh auf, es ist schon Zeit,
Die Vögelein singen auf grüner Heid'.« –
»Ei, laß sie betteln und pfeifen oder nicht,
Von meiner Allerliebsten scheid' ich nicht.«

Und als der Pilgersmann zum Hof rauskam,
Der Edelmann vom Jagen zurückekam.
»Ich wünsche Euch das ewige Leben,
Die Frau hat mir schon Gab' gegeben.«

»Ei, Frau, was hast du denn dem Bettelsmann gegeben,
Daß er mir wünscht das ew'ge Leben?!«
»Ich hab' ihm nichts gegeben als dies oder das,
Soviel mein zarter Leib vermag.« –

»Ei, Frau, laß den Bettelmann ein nimmer in dein Haus,
Lang' ihm seine Gabe zum Fenster hinaus,
Bind's ihm an eine lange Stange an,
Daß er zu Dir nicht langen kann.« —

»Ei, Mann, er bringt ja Segen in dein Haus,
Es geht der fromme Mann ins Morgenland hinaus.« —
»Und zieht er hin, so laß ihn gehn,
Er möchte sonst gar stillestehn.«

Verfasser unbekannt
16. Jh.

Unholde Nacht

Unholde Nacht hüllt alles um mich ein,
Fern ist der Gatte, leer mein ganzes Haus:
Ich fürchte mich, sie stehlen mich heraus:
Drum komm, Geliebter — Schützer mir zu sein!

Indisch. Übers. G. Meyer

Die Tochter

Mama, daß Sie mich sorglich hüten,
Das darf und kann ich nicht verbieten.
Stets zittert Ihre Zärtlichkeit,
Ist die Gefahr gleich noch so weit:
Doch, nehm' ich mich nicht selbst in acht,
Werd' ich vergeblich nur bewacht.
Ich weiß, daß ich als Kind begehrte,
Was man mir allzuscharf verwehrte.
Frei, geb' ich mich der Tugend hin,
Doch Fesseln brech' ich, sie zu fliehn:
Drum, nehm' ich mich nicht selbst in acht,
Werd' ich vergeblich nur bewacht.
Kann Klugheit Müttern alles sagen,
Was schlaue Töchter heimlich wagen?
Und schläfert man durch List und Schein
Zuletzt nicht einen Argus ein?
Drum, nehm' ich mich nicht selbst in acht,
Werd' ich vergeblich nur bewacht.

Abraham Gotthelf Kästner

Das Schreien

Einst ging ich meinem Mädchen nach
Tief in den Wald hinein,
Und fiel ihr um den Hals, und »Ach!«
Droht sie, »ich werde schrei'n!« —

Da rief ich trotzig: »Ha! ich will
Den töten, der uns stört!« —
»Still!« lispelt sie, »Geliebter still!
Daß ja dich niemand hört!«

Johann Wolfgang v. Goethe

Liebesreim

Ein klein' Vöglein wär' ich gern,
Schwirrt um meinen guten Herrn.
Honig hat er auf den Lippen,
Und ich dürfte davon nippen;
Wann ich wollte, könnt' ich's wagen,
Niemals würd' er mich verjagen.
Und zum Dank pfiff ich ihm Lieder
Stolz von seiner Schulter nieder.
Käm' der liebe Mondenschein,
Schlief in seiner Hand ich ein —
Wär' ich nur sein Vöglein klein.

Ricarda Huch

Frühling

Das Frühlingswetter macht mich meist
Besonders melancholisch;
Das Fleisch wird schwach, und auch der Geist
Regiert nur mehr symbolisch;
Man fühlt die Luft bei jedem Schritt
Bewegt von Zärtlichkeiten —
Und alle Nerven schwingen mit
Wie gleichgestimmte Saiten.

Die Mädchen geh'n im Unschuldskleid
Und müssen immer lachen —
Sie sind in dieser Jahreszeit
Sehr schwierig zu bewachen;

Sie tragen Rosen an der Brust,
Trotz Müttern und trotz Tanten,
Und mustern ziemlich selbstbewußt
Die männlichen Passanten.

Nachts träumen sie: Wann nahst du mir
Zur süßen Liebesfeier! . . .
Sieh', meine Lippen glüh'n nach dir,
Mein Held und mein Befreier!
— Denn ihre arme Seele spürt,
Daß die Kastanien blühen.
Ach Gott, man wird so leicht verführt,
Man muß sich nur bemühen.

Hans Adler

Eine kleine Ballade

Sie wohnte vier Treppen
Er unten im Keller,
Und beide hatten sie keinen Heller.

Wohl litten sie nicht Hunger und Not,
Doch was sie verdienten mit ehrlichem Sinn,
Das reichte so gerade zum Leben hin.

Jung waren sie beide und lebensfroh,
Machten sich weiter keine Sorgen;
Kam heute das Glück nicht, kam's wohl morgen.

Kehrten arbeitsmüd' sie am Abend heim,
So schauten beide zum Fenster hinaus
Und sahen nach dem Glücke aus.

Aus dem Dache sah sie,
Aus dem Keller sah er,
Und mancher Seufzer flog hin und her.

An einem heißen Maientag
Sprach er sie schüchtern drunten an,
Als sie die Treppen zu steigen begann.

»Da oben ist's wohl jetzt schön heiß?«
»Ja«, lachte sie, »ja, der Sonnenschein
Heizt etwas stark mein Zimmerlein.«

»Und zu mir kommt gar keine Sonne herein.«
»Nun«, meint sie mit einem fröhlichen Nicken,
»Ich werd' etwas Sonne hinunterschicken.«

»Dürfte ich sie nicht holen kommen?«
»Nein, i bewahre!« Und im Lauf
Rennt sie die vier Treppen hinauf — — —

Doch seltsame Dinge geschehen im Mai,
Am selben Abend, der Mond schien herein,
Holte er noch seinen Sonnenschein.

Alice Berend

Ein Steckbrief

Ich sende einen Steckbrief aus
Nach Jungfer Rosamunde;
Zehn Taler kriegt, wer mir von ihr
Gebracht die erste Kunde.

Sie hat zwei braune Äugelein,
Ein stumpfes keckes Näschen;
Als ich zum letzten Mal sie sah,
Da trug sie rosa Höschen.

Da trug sie einen Unterrock
Aus chinagelber Seide,
Und vorn war ein Champagnerfleck
Auf ihrem Morgenkleide.

Und trefft ihr wo ein Mädel an,
Das küssen kann wie keine,
So greift rasch zu und bringt sie mir,
Denn das, das ist die Meine.

So send ich diesen Steckbrief aus
Nach Jungfer Rosamunde;
Zehn Taler kriegt, wer mir von ihr
Gebracht die erste Kunde.

Leo Heller

Därf ih' Diandl liabn?

Ih bin jüngst verwichn
Hin zan Pforra geschlichn:

»Därf ih 's Diandl liabn?« —
»Untasteh Dih nit, bei meina Seel,
Wann Du's Diandl liabst, so kimmst in d'Höll!«

Bin ih vull Valonga
Zu da Muata gonga:
»Därf ih 's Diandl liabn?« —
»O mei liaba Schotz, es is noh zfrua,
Nach funfzehn Jahrln erst, mei liaba Bua!«

War in großn Nöthn,
Han en Vota bet'n;
»Därf ih 's Diandl liabn?« —
»Dunners Schlangl!« schreit er in sein Zurn,
»Willst mein Steckn kostn, konnst es thuan!«

Wußt nix onzufonga,
Bin zan Herrgott gonga:
»Därf ih 's Diandl liabn?«
»Ei ja freili«, sogt er und hot glocht,
»Wegn en Büaberln hon ih 's Diandl gmocht!«

Peter Rosegger

Der Landmann zum Städter

Du schläfst auf weichen Betten,
Ich schlaf' auf weichem Klee,
Du siehst dein Bild im Spiegel,
Ich spiegle mich im See.
Du trittst auf Fußtapeten,
Ich tret' auf sanftes Gras;
Dich tränken teure Weine,
Mich tränkt ein wohlfeil Naß.

Du wohnst in bangen Mauern,
Ich wohn' auf freier Flur;
Dir malt die Kunst den Frühling,
Mir malt ihn die Natur.
Du bist oft siech vor Wollust,
Ich bleibe stets gesund;
Dich schützt für Geld ein Schweizer,
Mich schützt mein treuer Hund.

Du schlummerst ein bei Saiten,
Und ich beim Wasserfall;

Du hörst Kastrat und Geiger,
Ich Lerch' und Nachtigall.
Dich sieht der heiße Mittag,
Mich sieht der Morgen wach;
Dein Mädchen glänzt von Schminke,
Mein Mädchen glänzt vom Bach.

Johann Joachim Ewald

Altes Lied

Es ist manch' heimliche Quelle,
Die klagend im Dunkeln singt:
Ist denn kein Becher zur Stelle,
Kein Becher, der mich trinkt?

Es ist an heimlicher Stelle
Manch' Becher arm und leer,
Der von der klagenden Quelle
So gern gefüllet wär'!

Wenn der von der klagenden Quelle
Und die vom Becher wüßt':
Manch' Mädchen und mancher Geselle,
Die hätten sich längst geküßt! —

Georg Busse-Palma

Unbefangen

Ich bin ein Mädchen, fein und jung,
Und bin gottlob noch frei;
Ich weiß nichts von Romanenschwung
Und haß' Empfindelei.

Leicht fließt mein Blut. Ich liebe Scherz,
Ich liebe Sang und Tanz.
Mein Reichtum ist ein frohes Herz,
Mein Schmuck ein Blumenkranz.

Ich schlage nicht aus Evens Art,
Leichtgläubig, eitel, schwach;
Und Neugier, liebe Neugier, ward
Mein Erbteil siebenfach.

Auch flieh' ich nicht der Männer Spur;
Mir sagte die Mama:
Wir armen Mädchen wären nur
Um ihretwillen da.

Drum schleicht in meinen schlichten Sinn
Kein blöder Stolz sich ein.
Wohl mir, daß ich ein Mädchen bin!
Laßt andre Engel sein!

Friedrich Wilhelm Gotter

Reiseabschied von der Frau

Nun wechselt mir die Welt,
Und andre Leute lenken
Mein Handeln und mein Denken.
Und ich bin einzeln hingestellt,
Bin frei und ohne Frau.

Wie schön! — So es vorübergeht!!
Weil wir einander so genau
Durchkennen und — —

Ein Wind, der weht,
Gewitter funkt,
Weil Neues Altes säubern muß.

Mein letztes Lebewohl, ein Kuß,
Ist nur, wie in der Schrift, ein Punkt.

Bestehendes,
Sei's Stein, braucht Fluß,
Braucht Wehendes.

Joachim Ringelnatz

Am Teetisch

Sie saßen und tranken am Teetisch
Und sprachen von Liebe viel.
Die Herren, die waren ästhetisch,
Die Damen von zartem Gefühl.

»Die Liebe muß sein platonisch«,
Der dürre Hofrat sprach.
Die Hofrätin lächelt ironisch,
Und dennoch seufzet sie: »Ach!«

Der Domherr öffnet den Mund weit:
»Die Liebe sei nicht zu roh,
Sie schadet sonst der Gesundheit.«
Das Fräulein lispelt: »Wieso?«

Die Gräfin spricht wehmütig:
»Die Liebe ist eine Passion!«
Und präsentieret gütig
Die Tasse dem Herrn Baron.

Am Tische war noch ein Plätzchen,
Mein Liebchen, da hast du gefehlt;
Du hättest so hübsch, mein Schätzchen,
Von deiner Liebe erzählt.

Heinrich Heine

Scherzo

Ein schöner Vogel fiel ein in den Baum.
Leis schwankte der Zweig: Sie wußten sich kaum.

Der Vogel strich ab, und wieder schwang
Der Zweig sich aus; zwei Herzschläge lang.

Der schöne Vogel, wo flog er hin?
Vielleicht zu Gott, gegen Anbeginn . . .

Denn hier bei uns — was sollte er hier?
Das Herz ist offen, doch zu die Tür.

Er ist wohl längst (ob ihm noch bangt?)
Im großen Garten angelangt.

Ihn trägt die Luft, ihn trägt der Wind —
Wir arm und reiche Menschenkind:

> *Coda:*
> *Geht die Tür,*
> *Schlürft ein Schuh:*
> *Gib dich mir!*
> *Nimm mich, du!*
> *Lischt ein Licht,*
> *Sinkt ein Kleid,*
> *Liebe spricht:*
> *In Ewigkeit . . .*

Josef Weinheber

Warnung

Männer suchen stets zu naschen,
Läßt man sie allein;
Leicht sind Mädchen zu erhaschen,
Weiß man sie zu überraschen.
Soll das zu verwundern sein?
Mädchen haben frisches Blut,
Und das Naschen schmeckt so gut!
Doch das Naschen vor dem Essen
Nimmt den Appetit.
Manche kam, die das vergessen,
Um den Schatz, den sie besessen,
Und um ihren Liebsten mit.
Väter, laßt euch's Warnung sein,
Sperrt die Zuckerplätzchen ein!

Verfasser unbekannt
1783

Frühling

Komm, Mädchen, mir nicht auf die Stube.
Du glaubst nicht, wie das gefährlich ist
Und wie mein Herze begehrlich ist —
Komm, Mädchen, mir nicht auf die Stube.
Du klipperst und klapperst mit Tellern und Tassen,
Rasch muß ich von Arbeit und Handwerkszeug lassen,
Du kleine Kokette,
Und muß dich küssen und stürmisch umfassen.
Komm, Mädchen, mir nicht auf die Stube.

Komm, Mädchen, mir nicht in die Wege.
Wenn im Garten ich einsam spazieren geh
Und im Garten dich einsam hantieren seh —
Komm, Mädchen, mir nicht in die Wege.
Aus Himbeergebüschen schimmert dein Rücken,
Ich höre dein Kichern beim Unkrautpflücken,
Du hast mich gesehen:
Was zögert er noch, in den Arm mich zu drücken?
Komm, Mädchen, mir nicht in die Wege.

Komm, Mädchen, mir nicht in die Laube.
Denn wüßtest du, wie das erbaulich ist
Und wie solche Sache vertraulich ist;
Komm, Mädchen, mir nicht in die Laube.

Wenn wir so nebeneinander sitzen
Und unsre Augen zusammenblitzen,
Es netzt uns der Nachttau,
Wir könnten uns leicht erkälten, erhitzen.
Komm, Mädchen, mir nicht in die Laube.

Detlev von Liliencron

Mädchenlied

Ich füge mich nicht mehr in mich hinein,
Der Raum ist zu klein,
Und in der Enge, der blassen,
Werd' ich mir selber zur Pein.
Drum suche ich still für mich allein
Ein neues Geborgensein,
Und werde es finden und jubelnd umfassen
Und nie mehr lassen,
Ist es erst mein.
Läge auch Nebel über den Gassen,
Ich stünde mitten im Sonnenschein
Und würde mich runden und quellen wie Wein
Und meinen süßesten Duft verprassen
Und doch mein eigenes Werden verpassen
Vor Seligsein.

Vera Bern

Warum

Warum, wenn mir's am Tag gelang,
Vertraut mit dir zu kosen,
Träum' ich oft ganze Nächte lang
Von nichts als wilden Rosen?

Und — schau ich wilde Rosen an,
Wo ich am Tage gehe,
Wie kommt es Mädel, daß ich dann
Dich nachts im Traume sehe?

Maximilian Bern

Nach dem Balle

Setz in des Wagens Finsternis
Getrost den Atlasschuh!

Die Füchse schäumen ins Gebiß;
Und nun, Johann, fahr zu!
  Es ruht an meiner Schulter aus
  Und schläft, ein müder Veilchenstrauß,
  Die kleine blonde Comtesse.

Die Nacht versinkt in Sumpf und Moor,
Ein erster roter Streif.
Der Kiebitz schüttelt sich im Rohr
Aus Schopf und Pelz den Reif.
  Noch hört im Traum der Rosse Lauf,
  Dann schlägt die blauen Augen auf
  Die kleine blonde Comtesse.

Die Sichel klingt vom Wiesengrund,
Der Tauber gurrt und lacht,
Am Rade kläfft der Bauernhund,
All Leben ist erwacht.
  Ach, wie die Sonne köstlich schien;
  Wir fuhren schnell nach Gretna Green,
  Ich und die kleine Comtesse.

Detlev von Liliencron

Eroberung

Ach, sie strampelt mit den Füßen,
Ach, sie läßt es nicht gescheh'n,
Ach, noch kann ich ihren süßen
Körper nur zur Hälfte sehn;
Um die Hüfte weht der Schleier,
Um den Schleier irrt mein Blick,
Immer wilder loht mein Feuer,
Ach, sie drängt mich scheu zurück!

Mädchen, ich will nichts erzwingen;
Mädchen, gib mir einen Kuß;
Sieh, dich tragen eigne Schwingen
Durch Begierde zum Genuß.
Ach, da schmiegt sie sich und lächelt:
Deine Küsse sind ein Graus;
Und mit beiden Händen fächelt
Sie der Kerze Schimmer aus.

Frank Wedekind

Ich habe dich so lieb

Ich habe dich so lieb!
Ich würde dir ohne Bedenken
Eine Kachel aus meinem Ofen
Schenken.

Ich habe dir nichts getan.
Nun ist mir traurig zu Mut.
An den Hängen der Eisenbahn
Leuchtet der Ginster so gut.

Vorbei — verjährt —
Doch nimmer vergessen.
Ich reise.
Alles, was lange währt,
Ist leise.

Die Zeit entstellt
Alle Lebewesen.
Ein Hund bellt.
Er kann nicht lesen.
Er kann nicht schreiben.
Wir können nicht bleiben.

Ich lache.
Die Löcher sind die Hauptsache
An einem Sieb.

Ich habe dich so lieb.

Joachim Ringelnatz

Ninoschka

Ninoschka,
Ninoschka,
Steig ein in die Droschka,
Wir fahren
Zum Zaren,
Dawai.

Auf Wiedersehn, Matka,
Wir kaufen in Stadtka
Dir Ringlein und Broschen
Und Gummigaloschen,
Ein' Bauer auch mit Papagei.

Ninoschka,
Ninoschka,
Steig ein in die Droschka,
Wir fahren
Zum Zaren,
Dawai.

Der sitzt auf dem Schemel,
Da droben im Kreml
Und mischt ein Kompottka
Aus goldgelbem Wodka
Mit Kandis, Vanille und Ei.

Ninoschka,
Ninoschka,
Steig ein in die Droschka,
Wir fahren
Zum Zaren,
Dawai.

Er gibt uns ein Näpfchen,
Wir trinken ein Tröpfchen
Und setzen paar Läus'chen
Ihm heimlich ins Kräus'chen
Und tanzen den Teppich entzwei.

Ninoschka,
Ninoschka,
Steig ein in die Droschka,
Wir fahren
Zum Zaren.
Dawai.

Er spricht: Lieber Stjenka,
So nimm als Geschenka
Ein goldenes Schlößchen,
Macht beide ein Sprößchen,
Und laßt euch nicht stören dabei.

Fritz Grasshoff

Die Schönste

Du Mädchen mit den schlanken Lenden,
Mit deinem weißen Busen, liebliche Tamana,
Wenn deine Augen glutvolle Verheißung senden,
Dann ist's geschehn um alle Männer fern und nah.

Heimlich schleicht sich der Nachbar von seinem Weib
Und steckt dir seinen Haustürschlüssel zu,
Er hofft und bangt nach Liebeszeitvertreib
Und träumt wohl, daß er nächstens bei dir ruh. —

So sind die Leute ganz von dir gebannt.
Die Männer stehen stundenlang an deinem Tor.
Nutzt du es aus? Ich starre unverwandt, —
Man sagt, du ließest manchmal einen vor . . .

Verfasser unbekannt

Die kleine Lampe

Es steht in meinem Zimmer
Ein Lämpchen auf dem Pult,
Das hat einen freundlichen Schimmer,
Das hat eine lange Geduld;

Ist emsig, mir zu dienen,
Hat oft, wenn alles schlief,
Manch süße Dummheit beschienen
Und manchen Liebesbrief.

Es hat in einsamen Jahren
So treu für mich geglüht;
Und jüngst hab' ich's erfahren:
Das Lämpchen hat auch — Gemüt.

Es kam zu heimlicher Feier
Die Kleine — zum ersten Mal . . .
Gesichtchen tief im Schleier,
Die Schultern tief im Schal.

Sie kam so scheu, so schüchtern,
Sie stand so fluchtbereit —
Mein Herz war nicht mehr nüchtern
Vor so viel Seligkeit.

Wir saßen beim roten Weine,
Sie flüstert: Jetzt muß ich nach Haus —
Da ging die kluge, kleine,
Taktvolle Lampe aus . . .

Rudolf Presber

Unmoralisches Intermezzo

Nun, da die Fliederbüsche wieder blauen,
Wie liegt sich's lind im Garten hinterm Haus!
Man raucht und träumt ... Zwei gutgelaunte Frauen
Gehn her und hin und hängen Wäsche aus.

Die Socken, Kragen, Hemden, Hosenbeine
Und was man sonstwie auf dem Leibe trägt:
Sie alle flattern scherzhaft an der Leine,
Vom Ost-Nordost-Wind geistig angeregt.

... Was wär' denn das? — — Wie? — — Trau' ich meinen Sinnen?
Da seh mal einer dieses Herrenhemd!
Schon buhlt es mit den beiden Nachbarinnen ...
Nach rechts ... nach links ... Daß es sich bloß nicht schämt!

Oho! Nun bildet sich ein wüster Knäuel!
Das quietscht und plustert, Arm in Arm gepreßt!
... Die Unterhosen dünkt's mit Recht ein Greuel.
Sie streben voller Abscheu nach Südwest.

Man selber ist wie auf das Maul geschlagen
Und recht aus tiefstem Herzensgrund verstimmt.
Was soll man zu dem Menschentreiben sagen,
Wenn sich sogar die Wäsche so benimmt?

Dr. Owlglaß

Nein, Ja!

Herrin, willst du hold mir sein,
So sieh mich nur ein wenig an,
Sonst erlieg ich meiner Pein,
Daß ich nicht länger leben kann.
Ich bin siech, mein Herz ist wund.
Frau, das haben mir getan
Meine Augen und dein Mund.

Herrin, sieh, was mich beschwert,
Bevor ich ganz verloren bin.
Weh des Worts, das mich versehrt!
Verwandle gnädig seinen Sinn!
Immer sprichst du nein, nein, nein,
Nein, ach nein, ach nein, ach nein,
Das will mir noch das Herz entzwein.

Sprich, o sprich noch einmal ja,
Ja, ja, ja, ja, ja, ja, ja!
Nur das liegt meinem Herzen nah.

Heinrich von Mohrungen
Nachdichtung Kurt Erich Meurer

Die eine selige Nacht

Nächtliche Straßen durchpfiff der Nordost,
Als gingen wir durch Schnee und Frost,
Eng aneinandergeschmiegt zu zwei'n,
Ich und das blonde Jungfräulein.
Traten sacht ein durch das dunkle Tor,
Klommen die schmale Treppe empor.
»Still! Meine Wirtin, der alte Drachen,
Braucht nichts zu merken und nicht zu erwachen.
Dort steht der Kleiderschrank. Stoße dich nicht!
Hier ist mein Zimmer. Gleich mach' ich Licht.«
Und dann küßt' ich das zierliche Ding,
Daß ihm Hören und Sehen verging.
— — — — — — — — —
Neun Stunden später — früh um halb acht —
Hab' ich die Kleine zur Stadtbahn gebracht.
Da hatte sich draußen der Wind gedreht,
Weich kam er von Westen her geweht.
Da schimmerte feucht es auf Straßen und Wegen,
Da fiel ein warmer, befreiender Regen;
Da sangen, noch schüchtern und doch voll Frohlocken,
Die Vögel wie erste Morgenglocken;
Da hatte die eine selige Nacht
Der ganzen Welt den Frühling gebracht.

Werner Bergengruen

Erinnerung an die Marie A.

An jenem Tag im blauen Mond September
Still unter einem jungen Pflaumenbaum
Da hielt ich sie, die stille bleiche Liebe
In meinem Arm wie einen holden Traum.
Und über uns im schönen Sommerhimmel
War eine Wolke, die ich lange sah.
Sie war sehr weiß und ungeheuer oben
Und als ich aufsah, war sie nimmer da.

Seit jenem Tag sind viele, viele Monde
Geschwommen still hinunter und vorbei.
Die Pflaumenbäume sind wohl abgehauen
Und fragst du mich, was mit der Liebe sei?
So sag ich dir: Ich kann mich nicht erinnern.
Und doch, gewiß, ich weiß schon, was du meinst
Doch ihr Gesicht, das weiß ich wirklich nimmer
Ich weiß nur mehr: Ich küßte sie dereinst.

Und auch den Kuß, ich hätt' ihn längst vergessen
Wenn nicht die Wolke dagewesen wär
Die weiß ich noch und werd ich immer wissen
Sie war sehr weiß und kam von oben her.
Die Pflaumenbäume blühn vielleicht noch immer
Und jene Frau hat jetzt vielleicht das siebte Kind
Doch jene Wolke blühte nur Minuten
Und als ich aufsah, schwand sie schon im Wind.

Bert Brecht

Ich bin traurig

Deine Küsse dunkeln, auf meinem Mund.
Du hast mich nicht mehr lieb.

Und wie du kamst —!
Blau vor Paradies.

Um deinen süßesten Brunnen
Gaukelte mein Herz.

Nun will ich es schminken,
Wie die Freudenmädchen
Die welke Rose ihrer Lende röten.

Unsere Augen sind halb geschlossen,
Wie sterbende Himmel —

Alt ist der Mond geworden.
Die Nacht wird nicht mehr wach.

Du erinnerst dich meiner kaum.
Wo soll ich mit meinem Herzen hin?

Else Lasker-Schüler

Wanderschaft

Im Walde blüht der Seidelbast,
Im Graben liegt noch Schnee;
Das du mir heut geschrieben hast,
Das Brieflein tat mir weh.

Jetzt schneid ich einen Stab im Holz,
Ich weiß ein ander Land,
Da sind die Jungfern nicht so stolz
Der Liebe abgewandt.

Im Walde blüht der Seidelbast,
Kein Brieflein tut mir weh,
Und das du mir geschrieben hast,
Schwimmt draußen auf dem See,
Schwimmt draußen auf dem Bodensee,
Ja draußen auf dem See.

Hermann Hesse

Erwartung

Sieh die Maid mit der schlanken Gestalt,
Zierlich von bläulicher Schärpe umflossen!
Wasser zu schöpfen kam sie heraus:
Kaum geschöpft ist's wieder vergossen.

Und so schöpft und vergießt sie aufs neu.
Welch ein wunderliches Gehaben! —
Nicht doch, sie treibt absichtlich ihr Spiel,
Weil wir zu treffen das Wort uns gaben.

Stamm der Khmer; Kambodscha, Hinter=Indien
Übers. a. d. Französischen: August Seidel

Scheiden, Meiden

»Es kommt mir tief von Herzen, daß ich jetzt weine.
Ich und mein Geselle müssen uns scheiden.
Daran sind schuld die Lügner. Gott gebe ihnen Leid!
Wer uns zwei versöhnte, er schüfe mir Seligkeit.«

Der von Kürenberg
Nachdichtung Kurt Erich Meurer

Nackte Zweige

Die nackten Zweige sind schön,
Sie haben den Mond gefangen.
Schöner sind deine Brüste,
Schön das Spiel meiner Hände,
Schöner das Schoßes Verlangen.

Zärtliche Linie verebbt.
Flut, die steigt und verrinnt.
Im mondenen Gittergeflecht
Fängt sich der Wind.

George Forestier

Komödie in drei Küssen

Sie war fast gänzlich ausgezogen,
Und hohe Bäume drängten da
Ihr Laub hin zu den Fensterbogen
Aufdringlich, hämisch, nah, ganz nah.

Sie saß auf meinem Lotterbette,
Halb nackt, die Hände überein,
Ihr schauerten auf dem Parkette
Vor Lust die Füßchen klein, so klein.

Ich sah in ihrem Lächeln irren
Ein Fleckchen Licht, wie Wachs so bleich,
Und heimlich auf der Brust ihr schwirren:
Der Fliege über Rosen gleich.

Die Knöchel küßt' ich ihr, die zieren.
Sie lachte drauf wie sehr empört,
Das klang in Trillerperlenschnüren,
Wie man Kristall nur lachen hört.

Es flüchteten die kleinen Füßchen
Flugs unters Hemd: »Was fällt dir ein?«
Das erste freie kühne Küßchen
Schien lachend so bestraft zu sein.

Die Lider zitterten ihr leise,
Küßt' ich ihr sanft die Augen dann.
Sie bog den Kopf nach Schelmenweise
Zurück und sprach: »Oh, das ging an!

Monsieur, zwei Worte nur, ich bitte . . .« —
Mein Kuß — wie lachte sie da toll! —
Traf schließlich ihres Busens Mitte.
Nun lachte sie hingebungsvoll . . .

Sie war fast gänzlich ausgezogen,
Und hohe Bäume drängten da
Ihr Laub hin zu den Fensterbogen
Aufdringlich, hämisch, nah, ganz nah.

Arthur Rimbaud
Übers. Martin Löpelmann

Frühlingswind

Als der Frühlingswind
In der Goldlotusstadt
Wohlgeruch raubte,
Erhoben die Bienen,
Welche dort gleichsam als Wächter standen,
Einen großen Lärm.
Als er sich
Mit aller Eile davonmachte,
Glitt er
Auf dem mit flüssiger Salbe bestrichenen
Brustgestade der Schönen von Kerala
Aus, und hinkend geworden,
Bewegte er sich
Nur langsam weiter.

Kalidasa
Übers. a. d. Indischen: Theodor Aufrecht

Liebesgedicht aus dem Amarusataka

Sie ist allein mit ihm im Schlafgemach,
Das junge Weib; sie sieht den Gatten schlummern,
Hebt leis' vom Lager sich empor, betrachtet
Sein Antlitz lang', indessen er sich stellt,
Als ob er schlafe; — und nun küßt sie leise
Ihn einmal übers andre; — da gewahrt sie,
Wie sich die Härchen auf der Wange ihm
Vor Wonne sträuben, und von Scham erfüllt
Senkt sich das Antlitz, da erhebt er sich
Und lacht und küßt sie viele, viele Male.

Amaru 9. Jh.
Übers. a. d. Indischen: Leopold v. Schroeder

Ein Fluß ist sie –

Ein Fluß ist sie, so schaurig tief,
Die krausen Fluten sind des Leibchens Falten,
Auf denen sich, dem Tschakrawa –
Ka-Paare gleich, die zarten Brüst' entfalten,
Mit ihrem lichten Feuerglanz
Die Äugelein zur Lotusblüt' gestalten –
Willst nicht ins ferne Meer verfließen du,
Mußt ferne dich von diesem Flusse halten.

Bhartrihari
Übers. a. d. Indischen: Hoefer
7. Jh.

Als mich die Lust . . .

Als mich die Lust zum erstenmal
So packte, daß ich fast verging,
Hat sich um meine Brust der Ring
Noch immer mehr verengt. Ich habe nur die Wahl,

So aufzuglühn, bis der geliebte Mann
Mich nur zu träumen braucht, um meinen Leib
So heiß zu fühlen, wie bei keinem Weib,
Das er besessen hatte dann und wann.

Ich aber will nur so beglückt zergehn,
Daß ich mich wie ein wundes Tier
Verkrieche und die Gier
Nach innen bohre . . . Und darüber rinnt

Der Regen hin . . . und trifft ein Kind,
Das hat mich weinen sehn.

Louize Labé
Übers. von Paul Zech

Liebeslied aus dem alten Indien

Wenn von zweien, die in Lust und Leide
Lang und langsam fest zusammenwuchsen,
Eines stirbt: das lebt; tot ist das andre.

Übers. A. Wilbrandt

Zu Gott Krischna – Kano

O Kano*, an deinem Weiher habe ich die
 buntgefärbten Wasserkrüge vergessen.
O Kano, an dem Weiher vergaß ich meinen farbigen
 Tilak.
Wenn du, o Kano, es genommen hast, so gib es her!
Wenn du, o Kano, es gesehen hast, so zeige es!
In der Wiege schreit das Kind.
Mein Mann wird mich schimpfen.
Die Verantwortung ist dein!

O Kano, an deinem Weiher habe ich den farbigen
 Nasenring vergessen.
O Kano, wenn du ihn nahmst, so gib ihn her!
Wenn du ihn gesehen hast, so zeige ihn!
In der Wiege schreit das Kind.
Mein Mann wird mich schimpfen.
Die Verantwortung ist dein!

O Kano, an deinem Weiher vergaß ich mein farbiges
 Brusttuch.
O Kano, wenn du es hast, so gib es her!
Wenn du es gesehen hast, so zeige es!
In der Wiege schreit das Kind.
Mein Mann wird mich schimpfen.
Die Verantwortung ist dein!

O Kano, an deinem Weiher vergaß ich den farbigen
 Lendenschmuck.
Wenn du ihn genommen hast, so gib ihn her!
Wenn du ihn gesehen hast, so zeige ihn!
In der Wiege schreit das Kind.
Mein Mann wird mich schimpfen.
Die Verantwortung ist dein.

Stamm der Bhil. Zentralindien
Übers. Wilhelm Kopper

Die untreue Frau

Und ich nahm sie mit zum Flusse,
Glaubte, sie sei noch ein Mädchen,
Doch sie hatte einen Mann.

In der Nacht auf Sankt Jakobus
Wars und fast wie abgemacht.

* Kano = Krischna

Es erloschen die Laternen,
Und die Grillen fingen Feuer.
Bei den letzten Häuserecken
Rührte ich an ihre Brüste,
Die sich leicht im Schlummer wiegten,
Und sie blühten für mich gleich
Auf wie Hyazinthensträuße.
Ihres Unterrockes Stärke
Raschelt' mir im Ohr wie Seide,
Aufgerissen mit zehn Messern.
Ohne Silberlicht in ihren
Kronen warn die Bäume höher,
Und ein Horizont von Hunden
Kläffte — weit entfernt vom Fluß.

Als wir nun die Brombeersträucher,
Binsen und die Weißdornbüsche
Hinter uns gelassen hatten,
Höhlte ich den feuchten Sand
Unter ihres Haares Fülle.
Ich entledigt' mich des Halstuchs.
Sie entledigt' sich des Kleides.
Ich des Gurts mich mit Revolver.
Sie sich ihrer drei, vier Leibchen.

Narden nicht, nicht Blütenmuscheln
Haben solche feine Haut,
Selbst Kristall, darauf der Mond,
Schimmert nicht mit solchem Glanz.

Ihre Schenkel schlüpften mir
Fort wie aufgescheuchte Fische,
Halb voll Feuer, halb voll Frost.
Ich durchrast' in jener Nacht
Aller Wege schönsten Weg,
Ritt ein Füllen aus Perlmutter
Ohne Zaumzeug, ohne Bügel.
Will, als Ehrenmann, nicht sagen,
All das, was sie mir gesagt hat.
Die Erleuchtung des Verstandes
Heißt mich sehr bescheiden bleiben.

Brachte fort sie dann vom Fluß,
Unrein ganz von Sand und Küssen,
Während mit der Luft gewandt
Sich der Lilien Schwerter schlugen.

Ich benahm mich wie ich bin.
Wie ein wirklicher Zigeuner.
Schenkt' ihr einen Nähzeugbeutel,
Prächtig, aus strohgelbem Atlas,
Und ich wollt mich nicht verlieben,
Weil sie mir, wiewohl sie einen
Mann schon hatte, dennoch sagte,
Daß sie noch ein Mädchen sei,
Als ich sie zum Flusse mitnahm.

Federico García Lorca
Übers. Enrique Beck

Amors Klage

Sonst, wenn mir vom Bogen
Goldene Pfeile flogen,
Ach, wie heiß und wahr
Liebte sich ein Paar!

Noch sind alle Herzen
Rasch zu Minnescherzen;
Aber laulich kalt,
Treulos, o wie bald!

Mich ergreift Entsetzen.
Menschen! Euch ergetzen
Unstet von Natur
Meine F l ü g e l nur.

Johann Christian Friedrich Haug

Eine verliebte Ballade für ein Mädchen namens Yssabeau

Ich bin so wild nach deinem Erdbeermund,
Ich schrie mir schon die Lungen wund
Nach deinem weißen Leib, du Weib.
Im Klee, da hat der Mai ein Bett gemacht,
Da blüht ein schöner Zeitvertreib
Mit deinem Leib die lange Nacht.
Da will ich sein im tiefen Tal
Dein Nachtgebet und auch dein Sterngemahl.

Im tiefen Erdbeertal, im schwarzen Haar,
Da schlief ich manches Sommerjahr
Bei dir und schlief doch nie zuviel.
Ich habe jetzt ein rotes Tier im Blut,
Das macht mir wieder frohen Mut.
Komm her, ich weiß ein schönes Spiel
Im dunklen Tal, im Muschelgrund ...
Ich bin so wild nach deinem Erdbeermund!

Die graue Welt macht keine Freude mehr,
Ich gab den schönsten Sommer her,
Und dir hat's auch kein Glück gebracht;
Hast nur den roten Mund noch aufgespart,
Für mich so tief im Haar verwahrt ...
Ich such ihn schon die lange Nacht
Im Wintertal, im Aschengrund ...
Ich bin so wild nach deinem Erdbeermund.

Im Wintertal, im schwarzen Erdbeerkraut,
Da hat der Schnee sein Nest gebaut
Und fragt nicht, wo die Liebe sei.
Und habe doch das rote Tier so tief
Erfahren, als ich bei dir schlief.
Wär nur der Winter erst vorbei
Und wieder grün der Wiesengrund!
... Ich bin so wild nach deinem Erdbeermund!

François Villon
Nachdichtung: Paul Zech

GASSEN, GOSSEN,
KNEIPEN UND KASCHEMMEN

Rausch

Rausch, mein riesiger, bartumwallter
Bruder, tritt zu mir herein!
Sieh dies Glas! Das ist ein alter,
Mondscheingelber, feurigkühler, brennendkalter Wein.

Morgenroter, abendroter
Vetter: Saug am Ziegenschlauch,
Daß ein butterheller, fetter
Wein dir salbt den Bauch!

Neige dich, mein riesenhafter
Purpurbruder, über mich!
Torkelnd, ein erschlaffter
Knabe, dem das Wangenrot verblich,

Berg ich tief mich in den Falten
Deines Kleides. In den roten Klüften
Träume ich die alten
Träume, hingelagert an den Hügeln deiner Hüften.

Georg Britting

Prosit

Wir sind auf unsere Kindheit angewiesen.
Wie aber kommt's, daß ich kein Neger bin?
Kein Gelber, kein Mulatte, kein Indianer?
Von Vererbung habe ich gelesen und weiß doch nicht,
Warum gerade ich ein Weißer bin.

Ich schließe die Augen: Welt ist vorbei.
In mir sind bunte Kombinationen. —
Was aber dächte, fühlte, verstünde ich
Als Blinder, Tauber, Liliputaner?
Alles wäre anders, wär' ich doppelt so groß!

Meine Augen verpflanz' ich — spaßhalber, prost! —
In meine Kniee zum Beispiel und warte ab.
Werde ich traurig oder glücklich sein?
Alle Winkel verändern sich. Durch die Sinne dringt
Das große Außen anders ein.

Was wird geschehen, wenn ich den Tastsinn jetzt trainiere?
Das Hören übe und das Sehen?
Wenn mir der Bernhardinerhund, die Biene,
Die Wildgans und die weiße Lilie
Verraten den sechsten, siebenten, achten Sinn?

Freunde, trinkt! Der Wein ist gut.
Sonne und Schieferstein kreisen im Blut.
Eine Angel hängt vom Himmel, unsre Herzen unten an,
Wenn wir heimgehen, — wenn wir heimgehn, —
Zieht jemand dran. —

Arnim Juhre

Bar

Flieder in langen Vasen,
Ampeln, gedämpftes Licht,
Und die Amis rasen,
Wenn die Sängerin spricht:

Because of you (ich denke)
Romance had its start (ich dein)
Because of you (ich lenke
Zu dir und du bist mein).

Berlin in Klammern und Banden,
Sechs Meilen eng die Town,
Und keine Klipper landen,
Wenn so die Nebel braun,

Es spielt das Cello so bieder
Für diese lastende Welt,
Die Lage verlangte Lieder,
Wo das Quartär zerfällt,

Doch durch den Geiger schwellen
Jokohama, Bronx und Wien,
Zwei Füße in Wildleder stellen
Das Universum hin.

Abblendungen: Fächertänze,
Ein Schwarm, die Reiher sind blau,
Kolibris, Pazifikkränze
Um die dunklen Stellen der Frau,

Und nun sich zwei erheben,
Wird das Gesetz vollbracht:
Das Harte, das Weiche, das Beben
In einer dunkelnden Nacht.

Gottfried Benn

Lied zur Pauke

Laut verlacht verlaust verloren
Blut geschluckt und Kopf geschoren
Abgetan und ausverkauft und
Quergelegt und Haar gerauft und

Angepfahlt und abgeschlacht und
Alle Knochen klein gemacht und
Übern Kopf die Haut gezogen
Und mit Eisen aufgewogen

Krummgepeitscht und gradgestaucht und
Angespuckt und Herz verhaucht und
Hundeschnauzen festgebissen
Und die Arme abgerissen

Ausgedörrt und kleingezwängt und
Steine um den Hals gehängt und
Riemen um den Bauch geschlungen
Und mit Knüppeln umgesprungen

Pflock ins Fleisch und Tritt in Bauch und
Aufgehängt in Schnee und Rauch und
Zahn und Zähne ausgeschlagen
und das Gold nach Haus getragen.

Soweit wär er hergestellt nun
Abgeschoben in die Welt nun
Daß er seine Beine hebe!
Daß er weiterlauf und lebe!

Christoph Meckel

Krakoviak

Zwischen Don und Woronesh
Tanzt in einem Ziegelkeller,
Tanz Marusja um ihr Leben,
Und sie tanzt Krakoviak.

Hände klatschen hart den Rhythmus
Zu dem Stampfen ihrer Stiefel,
Zu dem Wirbel ihrer Röcke,
Knisternd alter Seidenröcke
Aus dem Schrank der Babuschka.

Wodka färbt die Dielen dunkler.
Zwanzig Männer und ein Mädchen.
In der Ecke die Ikonen
Zittern vom Gedröhn der Bässe.

Zwischen Don und Woronesh
Belln Gewehre und Granaten.
Zwischen Don und Woronesh
Tanzt Marusja, tanzt Marusja,
Tanzt Marusja Krakoviak.

George Forestier

Ein' festen Sitz

Ein' festen Sitz hab' ich veracht't,
Fuhr unstet durchs Revier,
Da fand ich sonder Vorbedacht
Ein lobesam Quartier.

Doch wie ich in der Ruhe Schoß
Sänftlich zu sitzen wähn',
Da bricht ein Donnerwetter los,
Muß wieder wandern gehn.

Alljahr wächst eine andre Pflanz'
Im Garten, als vorher;
Das Leben wär' ein Narrentanz,
Wenn's nicht so ernsthaft wär'.

Joseph Victor von Scheffel

Heimat Berlin

Die Linden lang! Galopp! Galopp!
Zu Fuß, zu Pferd, zu zweit!
Mit der Uhr in der Hand, mit'm Hut auf'm Kopp,
Keine Zeit! Keine Zeit! Keine Zeit!
Man knutscht, man küßt, man boxt, man ringt,
Een Pneu zerplatzt, die Taxe springt!
Mit eenmal kracht das Mieder!
    Und wer in Halensee jeschwooft,
    Jeschwitzt, det ihm die Neese looft,
    Der fährt
      Immer mal wieder

    Mit der Hand über'n Alexanderplatz,
    Neuköllner und Kassube,
    Von Nepp zu Nepp een eenz'ger Satz,
    Rin in die jute Stube!
    Mach Kasse! Mensch! Die Großstadt schreit:
    Keine Zeit! Keine Zeit! Keine Zeit!

Hier kläfft's Hurra! Hier äfft der Mob,
Das Jift und Jalle speit!
Revolver in der Hand, mit'm Helm auf'm Kopp.
Keine Zeit! Keine Zeit! Keine Zeit!
Jedrillt, jeknufft, jeschleift, jehängt!
Minister sein? Jeschenkt, jeschenkt!
Von hinten brüllst'n nieder!
    Und wer sich 'ne Oase kooft
    Und zukiekt, wie der Hase looft,
    Der fährt
        Immer mal wieder

    Mit der Hand über'n Alexanderplatz
    Und Trumpf is Gassenbube:
    Von rechts bis links een eenz'ger Satz
    Rin in die jute Stube!
    Der nächste Herr! Die Großstadt schreit:
    Keine Zeit! Keine Zeit! Keine Zeit!

Im Globetrott mach stopp! mach stopp!
Und fährste noch so weit,
Billett in der Hand, mit'm Fez auf'm Kopp,
Keine Zeit! Keine Zeit! Keine Zeit!
Der Mensch vaduft', die Panke stinkt!
Kehrt marsch! Die Berolina winkt!
Da zuckt's durch alle Glieder!

Denn wer nu mal mit Spree jetooft,
Durch alle Länder Weje looft,
Der fährt
        Immer mal wieder

Mit der Hand über'n Alexanderplatz,
Den Pharusplan im Schube!
Newyork–Berlin een eenz'ger Satz:
Rin in die jute Stube!
Da habt ihr mich! Die Großstadt schreit:
Neue Zeit! Neue Zeit! Neue Zeit!

Walter Mehring

Heinrich Zille

Nee, Heinrich Zille, nee,
War keen Daumier.
Et war ooch nich sein Wille.
Er war eb'n Heinrich Zille.

Berlin, wie et meckert und wasserplanscht
Und de Unterhosen sonnt,
So'n bißken mit Schwitze und Liebe vermanscht –
Det hat er jekannt. Und jekonnt.

Ja, jeh mal in de Destille
Und kieke mal durch'n Rooch –
Da siehste Heinrich Zille.
Aber dich sieht er ooch!

Und spielste ooch triste
'ne vornehme Tulpe
Im Jrunde, wat biste?
Jenau so 'ne Nulpe.

Und biste wat Beßres jewesen,
Dem Bleistift verbirgste nischt –
Der hat schon janz andere Neesen
Beim Popeln erwischt.

Robert Gilbert

Die Ballade des Abenteurers

Abenteuernd, abenteuernd
Trotte ich durchs Land.
Bin nicht Euren Seelen, Euren
Herzen nicht verwandt.
Jegliche Verkleidung paßt mir,
Der ich bin in Ewigkeit,
Bald Trappist und bald voll Freßgier!
Meinen Namen fraß die Zeit!
Meiner alten Mutter Erde
Riß die Nabelschnur entzwei;
Die Chimäre, die mich nährte,
War des Alltags Einerlei!
Was hilft es Euren Wächtern,
Ich dringe doch herein:
Es tragen Eure Töchter
Ein Kind vom Stelldichein!
Abenteuernd, abenteuernd
Trotte ich durchs Land,
An Gefahren wund mich scheuernd,
Und der Leiden Hornhaut härtet meine Hand.

Abenteuernd, abenteuernd
Außer Rand und Band,
Mit der Wollust stets befeuernd,
Schüre ich den Brand!
Meine Tränen sind das Eiland
Der enterbten Kreatur —
Bald ein Vieh und bald ein Heiland
Ringe ich mit der Natur!
Meine Garde sind die Kranken,
Das Gefängnis ist mein Schloß;
Und wir kommen, Euch zu danken,
Krückenlahm und hoch zu Roß!
Was hilft es Euren Wächtern,
Ich dringe doch herein:
Mit blut'gen Menschheitsschlächtern,
So will ich Herrscher sein!
Abenteuernd, abenteuernd
Trotte ich durchs Land,
An Gefahren wund mich scheuernd;
Und der Leiden Hornhaut härtet meine Hand!

Abenteuernd, abenteuernd
Trotte ich durchs Land,
Und der Tod, den Bund erneuernd,

Frißt mir aus der Hand!
Jegliche Vermummung paßt mir,
Henkerkleid und Ordensstern,
Wird der Körper einst zur Last mir,
Diene fromm ich meinem Herrn!
Oft schon schlief ich unter Leichen,
Selig wie ein müdes Kind —
Oft auch mäste ich die Reichen,
Die lebendig Tote sind!
Was hilft es ihren Wächtern,
Sie müssen doch hinab!
Doch nie stirbt mein Gelächter!
Ich finde nie das Grab.
Abenteuernd, abenteuernd
Trotte ich durchs Land,
An Gefahren wund mich scheuernd —
Und der Leiden Hornhaut härtet meine Hand!

Walter Mehring

Lieber Sterne ohne Strahlen,
Als Strahlen ohne Sterne —
Lieber Kerne ohne Schalen,
Als Schalen ohne Kerne —
Geld lieber ohne Taschen,
Als Taschen ohne Geld —
Wein lieber ohne Flaschen,
Als umgekehrt bestellt!

Friedrich Bodenstedt

Drei wilde Gänse

Drei wilde Gänse,
Die flogen übern See.
Da schoß der Jäger alle drei,
Und was einmal ins Wasser fiel,
Kommt nimmer in die Höh'.

Drei junge Mädels,
Die führte ein Kavalier aus,
Und wenn erst ein Mädel mal Sekt genascht —
Die kommt nicht mehr nach Haus.

Und ich pfeife auf meine Jungfernschaft,
Und ich pfeife auf mein Leben.
Der Kerl, der sie mir genommen hat,
Um eins und um zwei und um drei bei der Nacht,
Der kann sie mir nimmer geben.

Geh' schenk mir doch 'n Fuffz'ger,
Geh' schenk mir doch 'ne Mark.
Ich will mich mit Schnaps besaufen,
Ich will mir eine Villa kaufen
Oder einen Sarg . . .

Klabund

Vorstadtballade

Ihr Vater war — wie man erzählt —
Mit ihrer Mutter nicht vermählt.
Er war ein Sonderling.
Ein Atheist, und nebenbei
Betrieb er eine Greißlerei
In Ottakring.

Sie war schon hübsch und ganz gescheit,
Als sie mit Zopf und kurzem Kleid
Noch in die Schule ging.
Am Weg zur Schule lernt man meist,
Und halb im Spiel, was Liebe heißt
In Ottakring.

Sie wurde groß und lachte gern
Und ging, weiß Gott, mit jedem Herrn,
Das leichte blonde Ding.
Und man besang sie damals als
Das schönste Mädel von Hernals
Und Ottakring.

Man liebt sich müd, man küßt sich satt —
Der Nutzen, den man davon hat,
Ist relativ gering;
Es zahlt oft so ein Kavalier
Nichts als ein Gulasch und ein Bier
In Ottakring.

Wie haben's doch die andern gut
In Seidenrock und Federnhut,
Nachts auf dem Kärntnerring.

Das lebt und rauscht und lockt hinaus . . .!
Sie ging — und kam nicht mehr nach Haus,
Nach Ottakring.

Ja, sonderbar geht's auf der Welt!
Wer Glück hat, findet Gut und Geld
Und Seidenkleid und Ring —
Wer Pech hat, der krepiert einmal
Im neuen Infektionsspital
In Ottakring.

Hans Adler

Das Café-Sonett

Den Marmortisch umsprühen Manieristen,
Erregt vom Beichtwort Mauds, der Künstlerin:
›Weiß nicht, ob Weib ich, ob ich Knabe bin!‹
Sie steigern sich in überhitzte Listen.

Der Dame liegt die letzte Nacht im Sinn.
Dem John, dem dunkelsten der Morphinisten,
Dem Welt-Abbé, dem Décadence-Artisten
Hält sie die gleiche klare Stirne hin.

Da: Jack, Gorilla, erster Fußball-Preis.
Der Geist bestellt die sechste Schnaps-Karaffe.
Wie Maud, erkannt, ihr süßes Schicksal weiß!

Es fällt die Festung vor dem Bild der Waffe.
Dem Football-Monstrum bringt man Huhn mit Reis.
Maud, sachlich: »Schaufle was du kannst, mein Affe!«

Ferdinand Hardekopf

Ich baumle mit de Beene

Meine Mutter liegt im Bette,
Denn sie kriegt das dritte Kind;
Meine Schwester geht zur Mette,
Weil wir so katholisch sind.
Manchmal troppt mir eine Träne
Und im Herzen puppert's schwer;
Und ich baumle mit de Beene,
Mit de Beene vor mich her.

Neulich kommt ein Herr gegangen
Mit 'nem violetten Shawl,
Und er hat sich eingehangen,
Und es ging nach Jeschkenthal!
Sonntag war's. Er grinste: »Kleene,
Wa, dein Portmenee ist leer?«
Und ich baumle mit de Beene,
Mit de Beene vor mich her.

Vater sitzt zum 'zigsten Male
Wegen »Hm« in Plötzensee.
Und sein Schatz, der schimpft sich Male,
Und der Mutter tut's so weh!
Ja, so gut wie der hat's keener,
Fressen kriegt er und noch mehr,
Und er baumelt mit de Beene,
Mit de Beene vor sich her.

Manchmal in den Vollmondnächten
Is mir gar so wunderlich:
Ob sie meinen Emil brächten,
Weil er auf dem Striche strich!
Früh um drei krähten Hähne,
Und ein Galgen ragt, und er . . .,
Und er baumelt mit de Beene,
Mit de Beene vor sich her.

Klabund

Nota bene!

Vor mir Flaschen flüßgen Goldes —
Nota bene: Wein vom Rhein!
Und dazu ein Weib, ein holdes —
Nota bene: welches mein;
Bin ich froh, ein Epikur —
Nota bene: heute nur.

Heut! Das Morgen bringt ja Sorgen —
Nota bene: dem der sorgt;
Fehlt mir Geld, werd' ich mir's borgen —
Nota bene: wenn man borgt.
Glücklich machen Lieb und Wein —
Nota bene: sie allein.

Will mit dem Geschick nicht handeln —
Nota bene: heda! halt!

Nur darf's nie zur Scheuche wandeln
Meines Liebchens Huldgestalt.
Schönheit ist mir Lebensbrot —
Nota bene: bis zum Tod.

Carl Michael Bellmann
Übers. J. P. Willatzen

Das Lautenlied der Gilline

Zum Klang der Laute sing' ich —
Ich bin das tolle Weib,
Und meine Liebe bring' ich
Euch dar als Zeitvertreib.

Astarte schuf mir Lenden
An Wollustgluten reich,
Blütweißer Schultern Blenden,
Mein Leib ist göttergleich.

Laßt aus den Taschen fließen
Den Strom von gelbem Gold
Zu meinen weißen Füßen,
Zu meinen Füßen hold.

Bin Evas schöne Tochter,
Bin Sieger-Satans Kind;
Schau, ob nicht deine Träume
In mir verwirklicht sind.

Kalt bin ich oder glühend,
Von Leidenschaft verzehrt,
Weich, zärtlich, schmachtend, sprühend —
Ganz, wie dein Wunsch begehrt.

Sieh, käuflich ist mein Sehnen
Und meiner Wangen Rot,
Mein Herz, Glück, Lachen, Tränen,
Selbst, wenn du willst, — der Tod.

Zum Klang der Laute sing' ich —
Ich bin das tolle Weib,
Und meine Liebe bring' ich
Euch dar als Zeitvertreib.

Charles de Coster
Übers. Kurt L. Walter van der Bleek

In dem Bordell, wo wir zu Hause sind

Dien' ich der Schönen liebend wie ein Knecht,
Müßt ihr mich schmähn als Narren drum und Strolch?
Sie ziert mit soviel Gaben ihr Geschlecht,
Für sie bewaffn' ich mich mit Schild und Dolch.
Kommt Kundschaft, hei! da lauf ich wie ein Molch,
Hol' Wein im Krug und mache kein Gebrumm;
Reich' Wasser, Käse, Brot und Obst herum,
Und zahlen sie, sag' ich: »Es stimmt!« geschwind,
»Beehrt uns wieder, plagt die Brunst euch drum,
In dem Bordell, wo wir zu Hause sind.«

Doch ohne Zank und Streiterei geht's nie,
Legt sich Margot nur aus Gefälligkeit.
Dann mag ich sie nicht sehn und hasse sie.
Ich nehm' ihr Gürtel, Mieder, Rock und Kleid
Und schwöre ihr, die Zeche tät' mir leid.
Sie stemmt die Fäuste in die Seiten, ach,
Und schreit und flucht bei Christi Ungemach,
Sie dulde's nicht. Da braus' ich wie ein Wind
Und schreib's dem Satan auf das Nasendach
In dem Bordell, wo wir zu Hause sind.

Dann gibt sie Ruh, läßt krachend einen Furz
Als wie ein giftgeschwollenes Insekt,
Setzt drauf die Faust mir auf das Dach, lacht kurz,
Klatscht mir den Steiß und tändelt, kost und neckt,
Bis tiefer Schlaf uns trunken hingestreckt,
Tags drauf, wenn ihr's im Bauche braust und jückt,
Steigt sie auf mich, daß sie die Frucht nicht drückt.
Ich ächze unten, wie ein Brett vom Spind,
Von ihr gepreßt, zerhobelt und zerpflückt
In dem Bordell, wo wir zu Hause sind.

Geleite

Von Wind, Eis, Hagel bleib' ich unversehrt,
Ich schütze eine Dirne, die mich nährt.
Letzthin ist's gleich, wer gibt und wer gewährt.
Laßt uns! Dem Lappen folgt der Lump wie blind.
Oft trifft uns Schmutz, er wird von uns verehrt,
Nie Ehre, die uns stets den Rücken kehrt
In dem Bordell, wo wir zu Hause sind.

François Villon
Übers. Martin Löpelmann

Kalter Kai – diesseits

Die Sonne sinkt. Ein alter Dampfer heult
Ein Hafenlied mit 26 Strophen.
Den Horizont hat jemand eingebeult.
Ein Schornstein raucht. Infolge eingebauter Ofen!

Die Sonne sinkt, ein Horn macht tut.
Zwei Fische sterben eingekorbt im Hafen.
Zwei Mädchen winken wem und sind ihm gut.
Und nebenbei sucht einer nebenbei zu schlafen.

Die Sonne sinkt. Der Mann hat Geld.
Zwei Mädchen winken, und es kostet eine Träne.
Der Mann hat Geld! Der Mann hat Geld!!
                    Die Träne fällt.
Rot-grünes Licht und schwarze, stumme Kähne.

Die Nacht wird weit, und weit tut weh.
Und wer allein schläft, kann dabei nicht schlafen.
Die Mädchen lächeln, und der Mann sagt: He!
Die Nacht ist weit und irgendwer auf See.
Man geht. Es weht kein Wind im Hafen.
Nur jenes Lächeln bleibt. Und schweigt. Oh Kai, o. k.!

Thierry

Der Athlet

Und der Athlet tritt auf und staunen kannste,
Wie er ein Brett mit seiner Faust zerhaut.
Er geht einher mit einem ungeheuren Wanste
Und feistem Arm und Nacken schweißbetaut.

Und kurze Hosen schlottern um die Beinchen,
Sie sind zu dünnen Stöckchen deformiert.
Prunkende Seide seine Füßchen ziert.
Ach, sind die niedlich! Wie zwei rosa Schweinchen.

Jakob von Hoddis

Der Bettelvogt

Ich war noch so jung und war doch schon arm,
Kein Geld hatt' ich gar nicht, daß Gott sich erbarm'!
So nahm ich meinen Stab und meinen Bettelsack
Und pfiff das Vaterunser den lieben langen Tag.

Und als ich kam vor Heidelberg hinan,
Da packten mich die Bettelvögte gleich hinten und vorne an,
Der eine packt mich hinten, der andre packt mich vorn.
Ei, ihr verfluchte Bettelvögt', so laßt mich ungeschor'n!

Und als ich kam vor'n Bettelvogt sein Haus,
Da schaut der alte Spitzbub zum Fenster heraus,
Ich dreh' mich gleich herum und seh' nach seiner Frau:
»Ei, du verfluchter Bettelvogt, wie schön ist deine Frau!«

Der Bettelvogt, der faßt einen grimmen Zorn,
Er läßt mich ja setzen im tiefen, tiefen Turm,
In den tiefen, tiefen Turm bei Wasser und bei Brot.
Ei, du verfluchter Bettelvogt, krieg' du die schwerste Not.

Und wenn der Bettelvogt gestorben erst ist,
Man sollt' ihn nicht begraben wie 'nen andern Christ,
Lebendig ihn begraben bei Wasser und bei Brot,
Wie mich der alte Bettelvogt begraben ohne Not.

Ihr Brüder, seid nun lustig, der Bettelvogt ist tot,
Er hängt schon im Galgen ganz schwer und voller Not,
In der verwichnen Woch' am Dienstag um halber neun,
Da haben sie'n gehangen in Galgen fest hinein.

Er hätt' die schöne Frau beinahe umgebracht,
Weil sie mich armen Lumpen freundlich angelacht.
In der vergangenen Woch', da sah er noch hinaus,
Und heute bin ich bei ihr in seinem Haus.

18. Jh.
Verfasser unbekannt

Ein Weib

Sie hatten sich beide so herzlich lieb,
Spitzbübin war sie, er war ein Dieb;
Wenn er Schelmenstreiche machte,
Sie warf sich aufs Bett und lachte.

Der Tag verging in Freud' und Lust.
Des Nachts lag sie an seiner Brust.
Als man ins Gefängnis ihn brachte,
Sie stand am Fenster und lachte.

Er ließ ihr sagen: »O komm zu mir,
Ich sehne mich so sehr nach dir,

Ich rufe nach dir, ich schmachte —«
Sie schüttelt' das Haupt und lachte.

Um sechse des Morgens ward er gehenkt,
Um sieben ward er ins Grab gesenkt;
Sie aber schon um achte
Trank roten Wein und lachte.

Heinrich Heine

Der alte Vagabund

Auf einen Stab gestützt
Humple ich umher wie ein Krüppel;
Früher machte ich ohne Anstrengungen
Die Gebetsübungen mit.
Damals war mein Stamm zahlreich wie die Sterne,
Heute sind keine 10 Mann mehr vorhanden!
Ich verließ meinen Stamm und meine Verwandten,
Ich verschmähte Obolei.
Tünche wäscht man ab,
Die Hautfarbe kann man nicht wechseln.

In die Fremde gewandert
Verlor ich Ansehn und Namen.
Mir widerstrebende Sitten erlern' ich,
Weil Gott es so wollte.
Alle Weiber, die heute mit Seidenfäden sich schmücken,
Hab ich vor Zeiten beschenkt,
Weil es der Teufel so wollte.

Somali-Lied Ostafrika
Übers. A. W. Schleicher

Der Clochard

Ich hatte alle Stunden ausgewrungen.
Ich hatte eine Woche kalt bezwungen.
Ich hatte das geschafft, was Menschen müssen,
Und saß auf einer Bank im Ungewissen.
    Und vor mir plätscherte die Seine von Paris,
    Die meine Seele nicht zur Ruhe kommen ließ.

Ich blieb auf dieser Bank nicht lang alleine,
Da stank es neben mir nach schlechtem Weine,

Und ein Gespräch begann, das unvergessen,
In dieser Mondnacht, da wir dort gesessen.
    Und vor mir plätscherte die Seine von Paris,
    Die meine Seele nicht zur Ruhe kommen ließ.

Ich fragte so aus meiner Perspektive:
Warum ergreifen Sie nicht Initiative?
Mit Geldverdienen sollten Sie beginnen
Und sich auf etwas Nützliches besinnen.
    Und vor mir plätscherte die Seine von Paris,
    Die meine Seele nicht zur Ruhe kommen ließ.

Er lächelte: Was soll ich damit machen?
Sie brauchen endlich neue saubere Sachen.
Er trank ein Schlückchen Wein und fragte heiter:
Und wie geht die Geschichte denn dann weiter?
    Und vor mir plätscherte die Seine von Paris,
    Die meine Seele nicht zur Ruhe kommen ließ.

Ich meinte, eine warme Wohnung kaufen,
Statt unter diesen Brücken nur zu saufen.
Da hat er einen Pfeiler angesehen
Und nur gefragt: Wie soll's dann weitergehen?
    Und vor mir plätscherte die Seine von Paris,
    Die meine Seele nicht zur Ruhe kommen ließ.

Sie könnten Geld für böse Zeiten sammeln
Und brauchten nicht als alter Mann zu gammeln.
Er schaute mich mit leeren Augen an:
Und dann, oh mon Dieu, was mach ich dann?
    Und vor mir plätscherte die Seine von Paris,
    Die meine Seele nicht zur Ruhe kommen ließ.

Ich stotterte: Warum nicht promenieren,
Auf einer Bank am Flusse meditieren?
Da endlich wußte ich, wie dumm ich war.
Das tu' ich ja schon jetzt, kam's vom Clochard.
    Und vor mir plätscherte die Seine von Paris,
    Die meine Seele nicht zur Ruhe kommen ließ.

Ingeborg Goebel

Käptn Byebye

Käptn Byebye aus Shanghai
War ein Lumpenstrumpf,
Den kannten sie alle im Hafen.

Der watete durch den dicksten Sumpf.
Mit jedem Stück ging er schlafen.
Die rote Lampe vor der Bar
Die knallte er entzwei,
Und alles, was ihm sympathisch war,
Das hielt er tagelang frei.
Doch wollte ihm einer irgendwas
Und das gefiel ihm nicht sehr,
Dann zog er ganz einfach sein Messer raus
Und beendete den Verkehr.
          Das kam vom Gin, der saß ihm im Blut,
          Der gab ihm auch den Rest.
          Aber sonst war er von Herzen gut
          Und fromm und bibelfest.

Käptn Byebye aus Shanghai
War ein Rabenaas.
Und hatte er Weiber geladen,
Fast immer beim zehnten, zwölften Glas,
Da schrie er nach ihren Waden.
Da mußte jede auf den Tisch.
Sie mußte einfach drauf.
Und er saß da mit einem Wisch
Und rief sie namentlich auf.
Gefiel ihm an einer irgendwas,
Dann pfiff er sie zu sich her
Und jagte die andern zur Messe raus
Und beendete den Verkehr.
          Das kam vom Gin, der saß ihm im Blut,
          Der gab ihm auch den Rest.
          Aber sonst war er von Herzen gut
          Und fromm und bibelfest.

Käptn Byebye aus Shanghai
War ein Satanskloß.
Im Pazifik ist er geblieben.
Doch ließ er noch eine Flasche los,
Die wurde an Land getrieben.
Ein Wisch lag drin und darauf stand:
Mein Kahn wird nicht mehr flott.
Ich liege besoffen unterm Tisch
Und ringe mit meinem Gott.
Ich habe keine Weiber an Bord.
Die letzte Buddel ist leer.
Und weil mir jetzt alles zum Hals raushängt,
Drum beende ich den Verkehr.

Das kam vom Gin, der saß ihm im Blut,
Der gab ihm auch den Rest.
Aber sonst war er von Herzen gut
Und fromm und bibelfest.

Fritz Grasshoff

Nachgelassener Zettel an den Logiskameraden

Du schliefst so schön, drum zog ich Leine,
Und hab dich nicht erst aufgeweckt,
Die fünfzehn Mark im Kasten war'n wohl deine?
Ich hab sie vorsichtshalber eingesteckt.

Such, wenn du aufsteht, nicht erst deine Hose.
Ich war erstaunt, wie sie mir paßt.
Und denk an meine Zwangspsychose,
Wenn du auch kein Jakett mehr hast.

Daß ich nach Köln will, war gelogen.
Ich geh nach Dings. Doch sei darüber still.
Der Adressat ist unbekannt verzogen,
Falls die Behörde etwas von mir will.

Leb wohl, ich hab sehr gut genächtigt,
Doch hierzubleiben hätte keinen Sinn.
Ich will nicht, daß man mich verdächtigt,
Solange ich noch greifbar bin.

Werner Finck

Das alte Steinkreuz am Neuen Markt

Berlin-Cölln war die Stadt genannt
Und tat viel Lärm verbreiten,
Da lebte mal ein Musikant,
In sagenhaften Zeiten.
Der rührte s o sein Saitenspiel,
Daß Alles auf die Kniee fiel
Vor lauter Seligkeiten.

Doch leider hat der Musikant
Zu viel Bourgogne genossen;
Das schuf ihm manchen Höllenbrand,
Warf ihn in manche Gossen.

Ein greulich Laster trat hinzu:
Er lästert Gott und Himmelsruh
Mit seinen Teufelsglossen.

Einst, als die Welt ihm schwankend schien,
Er war halt stark im Trane,
Stieg er den Turm von Sankt Marien
Hinauf im Söffelwahne.
        Und auf der Plattform oben, quiek,
        Geigt er die weltlichste Musik
        Dem guten Kirchenhahne.

Ach, das war wahrlich kein Choral,
Das waren Tanz und Weisen,
Und üppige Lieder, die dem Baal
Gefallen und ihn preisen.
        Und schaudernd hört der Kikeriki
        Die grauenhafte Blasphemie
        Und möchte stracks verreisen.

Die Bürger unten bleiben stehn
Und traun kaum ihren Ohren,
Begreifen nicht, wie konnts geschehn,
Und murren und rumoren.
        Und jeder sieht schon, daß er fällt,
        Sich Schädel und Genick zerschellt,
        Und hält ihn für verloren.

Gottvater hat es auch gehört,
Und denkt: Mein Musikante,
Du bist zwar sehr vom Wein betört
Und torkelst an der Kante,
        Du bist ein liederliches Vieh,
        Doch bist und bleibst du ein Genie,
        Das ist das Amüsante.

Drum gönn ich eine Lehre dir;
Du wirst sie, hoff ich, nutzen!
Das zweite Mal, mein Herr Pläsier,
Darfst du nicht wieder trutzen!
        Nun paß mal auf: Jetzt sag ich eins
        Und zwei und drei, und nochmal eins,
        Dann wird der Sand dich putzen.

Und Purzel-Purzel-Purzelbaum,
Kopf, Arm, Bein, ohne Pause,
Wie Ikaros, durch Wind und Raum,
Gehts abwärts mit Gesause.

Und schwapp, da liegt der Fiedelhans,
Ist nüchtern wie ne Stoppelgans,
Steht auf und — geht nach Hause.

Das Volk schreit: Ein Miraculum!
Und tut den Platz anstieren,
Und dreht sich rechts und links herum
Und kann es nicht kapieren.
   Und stiftet, während Domgeläuts,
   Da wo er fiel, ein steinern Kreuz,
   Den Teufel zu vexieren.

Der Musikant hat niemals nie
Den Weinkrug mehr gehoben,
Probierte täglich sein Genie,
Um Gott den Herrn zu loben.
   Ob er zuweilen doch einmal,
   Wer kann das wissen, den Pokal
   Ansetzte? Nur zum Proben?

Detlev von Liliencron

Die Hungersnot

Wir haben im Felde gestanden:
Kein Bissen Brot vorhanden,
's war große Hungersnot.

Wir ließen den Kaiser bitten,
Er möcht uns doch erretten
Mit einem Bissen Brot.

Der Kaiser täte schicken
Um dreißig Silberstücke
Für achtzigtausend Mann.

Die Stücklein waren geschnitten
Als wie die halben Glieder,
Die an dem Finger sind.

Wir haben's nicht selber gegessen,
Wir haben's den Pferden gelassen,
's war große Hungersnot.

Die Wurzeln aus der Erden
Hab'n wir uns ausgegraben,
Ist unsre Speis gewest.

Den Tau wohl von den Blumen
Hab'n wir uns abgenommen,
Ist unser Trank gewest.

Wenn das mein Vater wüßte,
Dazu mein liebes Geschwister,
Sie würd'n mir schicken Brot,

Dazu ein weißes Hemde
Vor meinem letzten Ende,
Weil ich jetzt sterben muß;

Dazu einen Krug mit Wasser,
Draus ich mich könnte waschen
Vor meinem letzten End! —

Es sind 'er noch zwei geblieben,
Die hab'n den Brief geschrieben
Von der großen Hungersnot.

Aus dem Dreißigjährigen Krieg
Verfasser unbekannt

Das Essen

Ein Mensch beim Essen ist ein gut Gesicht,
Wenn er nichts denkt und nur die Kiefer mahlen,
Die Zähne malmen und die Blicke strahlen
Von einem sonderbaren Urweltlicht.

Vorspeisen sind wie Segel über Buchten,
Schlank und zum Hafen schnellend
       in erregter Fahrt,
Indes die schweren Fleischgerichte wuchten
Gewaltig über Wiesen von Gemüsen zart.

Welch ein entzücktes Spiel zu hohen Festen
Erlesener Bissen Liebreiz zu erflehen,
Und welche Lust: sich mächtig voll zu mästen
Satt und mit Saft gefüllt vom Hals
       bis zu den Zeh'n.

Fischfleisch ist weiß und heilig oder rosen,
Und manchmal rauchgebeizt und lauchgewürzt.
Auch kleine Fische gibts in blanken Dosen,
Die man wie Schnäpse jach hinunterstürzt.

Wildbret: Du Perle Cumberlands, von edler Fäule,
Und nackter Horden roh gebratner Fraß!
Wohl dem, der Schneehuhn oder Rentierkeule
(Gespickt, mit Sahne) hoch im Norden aß.

Beefsteak tartare ist fast so stark an Gnade
Wie ein am Grill gebratnes Lendenstück,
Und viele Götter leben im Salate,
Saftrot und samenkerngeschwellt das Weib Tomate,
Und grünes Kraut im Frühling ist ein kühles Glück.

Wenn du Kartoffeln oder Spargel ißt,
Schmeckst du den Sand der Felder und den
                       Wurzelsegen,
Des Himmels Hitze und den großen Regen,
Die kühlen Wasser und den warmen Mist.

Laßt mich hier schweigen vom Besoffensein,
Vom tiefsten, tödlichsten Hinübergleiten,
Vom hellsten, wachsten Indieweiterreiten,
Die Welt ist groß und unser Wort ist klein.

Laßt mich schweigen von dem Blutgericht
Geheimster Liebe in verrauschten Zeiten —
Laßt mich nur essen, dankbar und bescheiden —
Ein Mensch beim Essen ist ein gut Gesicht.

Carl Zuckmayer

Zum Tanz

Schachtelmann will tanzen gehn,
Läßt die Schachtelkiepe stehn,
Glaserhans geht mit,
Wichst die Schuh mit Kitt:
Rüber — nüber
Nasenstüber,
Einmal vor und dann zurück,
Ach je länger, desto lieber,
Ach, die schöne Tanzmusik!

Schachtelmann hat einen Sohn,
Will auch tanzen gehn,
Näht ins Wams den Wochenlohn,
Sieht die Glasertochter stehn,

Wichst die Schuh mit Kitt,
Glasergret geht mit:
Rüber — nüber
Nasenstüber,
Nun zu viert und dann zurück,
Ach je länger, desto lieber,
Ach, die schöne Tanzmusik!

Wie sie sind nach Haus gegangen,
War die Kiepe fort.
In dem Wald die Vögel sangen
Leises Liebeswort.
Schachtelmann schaut dumm sich um,
Glaserhans tuts auch,
Sehn sie beide starr und stumm,
Zweie unterm Strauch:
Rüber — nüber
Nastenstüber,
Scherz und Kuß und Blick,
Ach je länger, desto lieber,
Ach, die schöne Tanzmusik!

Friedrich Bischoff

Fasching

Mir zur Rechten, mir zur Linken
Nackter Schultern Glanz im Saal.
Ach, die guten Sitten sinken
Und es sinkt, ach, die Moral.

Nackte Beinchen, nackte Hüften,
Kaum ein Fähnchen, kaum ein Kleid,
Unter Kölnisch Wasser-Düften
Transpiriert die Sinnlichkeit.

Der Genießer, lauernd lüstern
In der Ecke, lächelt still.
Aus dezent gedämpftem Düstern
Lachen Frauen kreisch und schrill.

Von Musik und Liebe trunken
Rhythmisch zuckt der rote Saal.
Ach, die Sitten sind gesunken
Und gesunken die Moral.

Mit erhobnem Zeigefinger
Bleiben die Philister stehn,
Trinken ihren Überkinger
Und — vergessen wegzugehn ...

Günther Böhme

Die rote Nase

Setzt Euch zu mir um's Faß herum
Mit hochgefülltem Glase;
Mir ziemt wohl das Präsidium,
Das zeigt die rote Nase.

Glaubt, solche Nase ist was wert,
Man muß sie teuer zahlen,
Wem solche Nase zugehört,
Der darf damit schon prahlen.

Man braucht, so wahr ich ehrlich bin,
Dazu viel Tausend Trauben,
Ein ganzer Weinberg steckt darin,
Man sollt' es gar nicht glauben!

Drum prangt sie auch so wunderschön,
Ein Meteor im Dunkel,
Man glaubt Rubin, Smaragd zu sehn,
Brillanten und Karfunkel.

Wir brauchen, gehen wir nach Haus,
Nicht Mondenlicht noch Sterne;
Die rote Nase zieht voraus
Und dient uns zur Laterne.

Wie ängstlich schaut der Wirt herein,
Das Prachtstück macht ihm Sorgen;
Dann ach! die Nase ist nicht mein,
Der Wirt mußt' sie mir borgen!

Wilhelm August Wohlbrück

Nächtliche Schatten

Was willst du blasser Gesell
Neben mir,
Links und rechts
Läufst du mit
Immer im gleichen Schritt

Vom Schein der Straßenlampen getrieben.
Wo bist du geblieben
Mal links, mal rechts
Ich in der Mitte
Der Dritte.
Verfolgst du mich
Oder folg ich dir
Schattentier?
Lautlos gleitest du weiter
Wirst lang und länger und breiter
Bis du verläufst
Im grauen Dunkel der Straße
Wirst eine scheußliche Masse
Mit winzigem Kopf.
Bist du ein Wesen
Ein zweites Ich
Das Aufschluß gibt
Über alles Hintergründige
Listige, Sündige
Gut oder Böse?
Dämonenhaft
gleitest du lautlos ins Weite
Schatten an meiner Seite
Mal links, mal rechts.

Urplötzlich bleib ich allein
Vergeblich such ich dein Sein.
Über mir
Die hochhängende Ampel, das Licht
Hat dich getötet, gestürzt ins Nichts.
Und doch
Wird immer wieder mir bang,
Der graue Schatten wartet nicht lang
Untrennbar wie das Böse vom Guten
Muß er weiter, muß er sich sputen
Denn immerwährend im Vorwärtsschreiten
Werden die Schatten mich weiter begleiten
Mal links, mal rechts,
Mal links, mal rechts.

Walter F. Fichelscher

Grimm- und Grützlied

Über meine Schiebermütze
Setzt der Tag den goldnen Stander;
Hab ich Grimm und hab ich Grütze,
Da ist Gutes beieinander.

Rasch verblasener Gefühle
Heute Hoffen, morgen Tief:
Das ist Mai auf meine Mühle,
Lunte an den Bürgerbrief.

Zög uns nicht der Wanst zurück,
Glaubt nur, was wir steigen könnten!
Schön, mit fliegenden Talenten
In das ungestalte Glück!

Der sich so zur Last erkeckt,
Hat sich bald für Wind verschwendet;
Wenn der Herbst die Sträucher pfändet,
Wird das Bettuch abgeleckt.

Einer zahlt in barem Spaß:
Haare lassen, Federn raffen —
Ach, mein Fell und keine Waffen!
Ach, dein Rock und kein Verlaß!

Siebenschöne, Tausendteure,
Weich und aller Lügen wert,
Wo ich noch mein Herz befeure,
Wird das Licht schon umgekehrt.

Lirum-Larum-Löffelsteiß,
Wie erschlichen, so zerfahren —
Daß ich diesen Witz bewahre,
Mach ich mir im Dunkeln weiß.

Peter Rühmkorf

Auf dem Heimweg

Grad aus dem Wirtshaus nun
Komm' ich heraus,
Straße, wie wunderlich
Siehst du mir aus!
Rechter Hand, linker Hand,
Beides vertauscht: —
Straße, ich merke wohl,
Du bist berauscht.

Was für ein schief Gesicht
Mond, machst denn du?

Ein Auge hat er auf,
Eins hat er zu.
Du wirst betrunken sein,
Das seh' ich hell;
Schäme dich, schäme dich,
Alter Gesell!

Und die Laternen erst,
Was muß ich seh'n!
Die können alle nicht
Grade mehr steh'n;
Wackeln und fackeln die
Kreuz und die Quer,
Scheinen betrunken mir
Allesamt schwer.

Alles im Sturme rings,
Großes und klein,
Wag' ich darunter mich,
Nüchtern allein?
Das scheint bedenklich mir,
Ein Wagestück! —
Da geh' ich lieber ins
Wirtshaus zurück.

Heinrich von Mühler

Sie stritten sich beim Wein herum,
    Was das nun wieder wäre;
Das mit dem Darwin
            wär gar zu dumm
    Und wider die menschliche Ehre.

Sie tranken manchen Humpen aus,
    Sie stolperten aus den Türen,
Sie grunzten vernehmlich
            und kamen zu Haus
    Gekrochen auf allen vieren.

Wilhelm Busch

Bar

Ein Prunk-Salon, wie eine Schiffskajüte.
Man sitzt in Club-Fauteuils bei Sekt und Drinks.
Die schmalsten Mädchen tragen Riesenhüte
Und lächeln sanft, wie Mädchen Maeterlincks.

An der Portière zaudern blasse Frauen;
Wie fallen ihre Mäntel blumenzart!
Es glimmen unter sehr geschminkten Brauen
Gazellenblicke rätselhafter Art.

Sie treten näher gleich verirrten Rehen — —
Doch nichts Erdenkliches ist ihnen fremd.
Sie sind all right vom Kopf bis zu den Zehen,
Ihr blondes Haar ist in die Stirn gekämmt.

Der Oberkellner eilt mit grünen Flaschen,
Und rote Geiger (welch Effekt im Bild!)
Erhitzen sich am Tanze der Apachen,
Da werden alle Frauenmienen wild.

Liane tanzt — und gibt die jungen Glieder,
Die sehr gepflegten, jedem Wagnis hin.
Sie biegt und rankt sich und entschmiegt sich wieder
Und ist ein Tier und eine Königin.

Es gährt Apachenblut in diesen Damen . . .
Doch ist Liane dann vom Rausch erwacht
Und blieb, als reiche Kavaliere kamen,
Natürlich nur noch aufs Geschäft bedacht.

Ferdinand Hardekopf

Der himmlische Vagant

Ich bin gemartert von Gewissensbissen,
Daß ich noch nichts auf dieser Welt getan.
Mit ein paar Flüchen, ein paar Mädchenküssen,
Da hört es auf, da fängt es an.
Ich aber fühle Strom mich unter Flüssen,
Doch flösse ich bergauf und himmelan —
Das Aug, das ich zum guten Werk erhoben,
Es darf nur einer Dirne Brüste loben.

Wie oft, wenn ich mit den Kumpanen zechte,
Klang eine Trommel dumpf, die Buße bot.
Ich warf mich hin, auf daß mich einer brächte,
Und stelle einsam mich ins Abendrot.
Der aber klapperte mit Würfeln, und die schlechte
Gesellschaft fürcht ich, wenn Gelächter droht —
Ich bin so müde meiner Spielerein
Und möchte Mensch mal unter Menschen sein.

Doch niemand ist, der meinen Worten traute.
Es wird mein Leichnam erst auf Lorbeer ruhn.
Ich reiße von der Wand die dunkle Laute,
Um doch in Tönen eine Tat zu tun.
Das Lied ist aus. Der grüne Morgen graute.
Im Hofe bellt der Hund; es kräht das Huhn.
Und während alle rings zum Tag erwachen,
Entschlaf ich trunken unter Wein — und Lachen.

Klabund

Johny

Wenn ich einen Penny habe, Johny,
Hast Du auch einen Penny, Johny!

Und geteilt
Schmeckt trockenes Brot süßer.

Haben wir nicht zusammen unter den Brücken gelegen?
War die Nacht nicht schwarz
Waren die schwarzen Nächte und die heulenden Winde nicht
                    unsere gemeinsame Decke?

Und die über uns hindonnerten, im Pullman, Johny, —
Licht und weißgedeckte Tische,
Und Schüsseln und Gläser und Flaschen eine Auswahl,
Und Lachen,
Während uns die Zähne klapperten.
Das wollen wir nicht vergessen, Johny!

Wir haben zusammen auf den Rahen gelegen
Und die Segel gerefft,
Und die Segel waren hart gefroren.
Die Fäuste schlugen wir uns blutig.
Wildes Rauschen war um uns,
Und die großen Städte waren weit.
Aber schön war es, Johny!

Wir haben Kohlen gefahren
Oder Weizen
Oder es war Salpeter.

Wir haben das Schiff in den Hafen gebracht,
Und das war schön, Johny!
Aber daß die hellen Städte keinen Platz für uns haben,

Daß im Pullman kein Tisch für uns gedeckt wird,
Das ist nicht recht, Johny!

Geteilt schmeckt trockenes Brot süßer,
Zusammen trägt die Last sich leichter.
Zusammen am Boden liegen, das allein macht noch nicht stärker.

Doch im Unrecht
Schulter an Schulter stehn,
Dem Feind die Stirne zeigen,
Das, Johny,
Ist schon der Marsch in den Sieg!

Wenn der Marsch auch lang ist,
Wenn die ersten auch fallen,
Es ist doch der Marsch in den Sieg!

Deshalb, Johny,
Ist mein Penny auch dein Penny.
Ist mein Fluch auch dein Fluch.

Deshalb, Johny,
Ist dein Händedruck ein Händedruck, der zu erwidern ist,
Ist die Hälfte deiner Jacke, die du in finsterer Nacht über mich
                    hinbreitest,
Wärmer als die Daunendecke im City Hotel!

Wir sind auf dem Marsch, Johny!
Und wenn ich stürze,
Blicke dich nicht um.
Wenn ich stürze,
Marschiere weiter!

Theodor Plievier

Madame Goulou

Madame Goulou ist tätowiert
Vom Ausschnitt bis zum Spann.
Und jeder, der sie engagiert,
Sieht sich die Bilder an.

Die Nachttischlampe bei Goulou
Brennt bis zum Morgengrau,
Und keinem falln die Augen zu,
So spannend ist die Schau.

Doch wenn der Gast — man ahnt es kaum —
Nichts weiter mehr entdeckt,
Dann zeigt sie ihm den Zwischenraum.
Das ist der Knalleffekt!

Fritz Grasshoff

Kunkelsuse

Kunkelsuse,
Pralle Bluse,
Vorne hui
Und hinten pfui.
Schiefe Hacken,
Dreck im Nacken.
Geht sie schippen,
Geht sie schnippen —
Immer hat sie rote Lippen.

Kunkelsuse,
Pralle Bluse,
Vorne hui
Und hinten pfui.
In der Küche,
Auf dem Striche,
Macht sie reine,
Zieht sie Leine —
Immer zeigt sie ihre Beine.

Kunkelsuse,
Pralle Bluse,
Vorne hui
Und hinten pfui.
Bei Musikern
Und Budikern
In der Stampe
Sitzt die Schlampe,
Gießt sich einen auf die Lampe.

Kunkelsuse,
Pralle Bluse,
Vorne hui
Und hinten pfui.
Jedem Kerle
Folgt die Perle
In die Kletten,
In die Betten —
Und dann will sie Zigaretten.

Fritz Grasshoff

Auf ein Stück Tüte notier ich:

Berlin, Paris, Casablanca,
Gewiß auch in Melbourne-City,
Etliche Tausend Welten
Pro Straße, street und rue!

Die Lichter verlöschen und blitzen
Unerwartet wieder an.
Was wohnt für ein Mensch zum Beispiel
Am nächsten dem St. Stephan?

Besehen durch seinen Charakter
Hat sicher auch er Recht.
Möglicherweise ist jede
Seele irgendwie echt.

›Tanker zerbricht auf hoher See!‹
›Bergleute verschüttet!‹ ruft ein Mann.
An jeder Zeitung, die er absetzt,
Hat er einen halben Pfennig dran!

Arnim Juhre

Die Wasserleiche

Am Landwehrkanal ein Menschenhaufen,
Aus weiter Großstadt zusammengelaufen,
Und schrilles Geschrei, verworrene Rufe! —
Auf der nassen untersten Treppenstufe
Schlammüberzogenes Steingeviert:
Das Auge der müßigen Gaffer stiert
Mit dem teilnahmslosen widrigen Blick
Der feilen Neugier an fremdem Geschick.
Da unten aber, dem Wasser entrissen,
Die dürftigen Kleider zerlumpt und zerschlissen,
Von dem stinkigen, dumpfen Gewässer durchnetzt,
Von gierigen Fischen zerfressen, zerfetzt,
Das Antlitz gedunsen und grün und blaß,
Die Haare durchzogen von Schlamm und Gras,
Liegt starr ein armes Menschenkind,
Ein Menschenkind, wie wir alle sind.
Wie einst sie gewesen,
Ich kann es nicht seh'n —
Mein Gott, im Verwesen
Ist niemand schön!

Ob Elend sie in den Tod getrieben,
Ob Schwäche der Seele, ob sündiges Lieben,
Was schert mich das; ich seh', wie fest
Die Hand sie auf das Herz gepreßt,
Seh' nur, wie diese Hand geballt,
Die Nägel in das Fleisch gekrallt;
Da weiß ich genug! Solch' Zeichen schreibt
Das Schicksal nur, das zum Tode treibt,
Wenn nach marternden, qualvollen Kampfesstunden
Die letzte Hoffnung dem Menschen geschwunden. —
Ich seh' erschüttert auf das Weib,
Auf den unförmig wassergedunsenen Leib
Und denke: »Du Ärmste, gepeitscht und gehetzt,
Dein ganzes Leben vom Glücke gemieden,
Im Tode nun endlich hast du erst jetzt
Den langersehnten Frieden — — Frieden.« —
Und neben mir Frau Schulze spricht:
»Ersäufen, nee, det tu' ich mir nich,
Ick verjifte mir lieber stille zu Haus,
Da seh' ick nich nachher so eklig aus.«
Nun wird die Leiche beiseite geschafft.
Es fallen im Pöbel, der teilnahmslos gafft,
Viel Witzworte, grausam-gemeine.
Ein Bursche, des seltenen Schauspiels froh,
Ein Schusterjunge, pfeift frech und roh:
»Fischerin du kleine . . .!«

Friedrich Braumann

Die Trompete von Alabama

Ay Ay Ay
Dröhnt die Trompete von Alabama,
Dröhnt für schwarze und weiße Männer.
Ay Ay Ay
Dröhnt die Trompete des Niggers Jim.
Dröhnt für die Baumwollpflücker und Dirnen,
Für die Schuhputzerjungs an den Ecken der Wallstreet,
Für die Boys in den Liften bei Woolworth und Ford,
Dröhnt für die Straßenkehrer Chikagos.
Ay Ay Ay
Dröhnt die Trompete von Alabama.

Jetzt singt in Harlem Paul Robeson,
Singt von Harlem bis Louisiana,
Singt vom Missouri, vom Kongo, vom Nil.

Singt für die schwarzen Kinder der Erde,
Singt für die Sklaven mit wunden Schultern,
Singt für die Mädchen in fremden Betten
Das Lied der Freiheit — das Lied der Ketten,
Singt jetzt der Nigger Father Divine.

Ay Ay Ay
Dröhnt die Trompete von Alabama.

George Forestier

Ballade der Gehenkten

Ihr Menschenkinder, die ihr nach uns lebt,
Verhärtet eure Herzen nicht zu Stein;
Wenn ihr uns Armen euer Mitleid gebt,
Wird Gott dereinst auch euch die Schuld verzeihn.
Fünf, sechs, so hängen wir hier Bein an Bein.
Das Fleisch, das wir gar sehr uns angegessen,
Ist lange schon verfault und abgefressen,
Zu Asch' und Staub wird das Gebein zerfallen.
Mit Ernst wollt unser großes Leid ermessen;
So betet: Gott verzeih uns Sündern allen!

Wenn wir euch Brüder nennen, nehmt's nicht krumm,
Ward auch der Tod durch Richtspruch uns verhängt.
Ihr wißt ja alle doch, wie ich, warum
Nicht alle Menschen die Vernunft stets lenkt.
So bittet denn — wir sind ja nun gehenkt —
Mariens Sohn, er möge uns vergeben,
In Gnaden halten und auch Schutz uns geben
Vorm Höllenfeuer und des Teufels Krallen.
Nichts quält uns mehr, vorbei ist unser Leben.
So betet: Gott verzeih uns Sündern allen!

Bald trieft ein Regenguß an uns herab,
Bald schwärzt die Sonne uns und dörrt uns hart;
Die Augen höhlten Elster uns und Rab'
Und zausten Augenbrauen uns und Bart.
Und nimmer, nimmer uns die Ruhe ward.
Im Reigen schwenken wir uns hin und wider,
Zerlöchert wie ein Fingerhut die Glieder,
So treibt der Wind sein Spiel ganz nach Gefallen.
In unsrer Bruderschaft laßt euch nicht nieder.
So betet: Gott verzeih uns Sündern allen!

Geleite

Fürst Jesus, du kannst alles ja doch machen,
Verschon' uns gnädig vor der Hölle Rachen!
Verfahre denn, wie dir es mag gefallen!
Ihr Menschen, hier verstummt denn Spott und Lachen.
So betet: Gott verzeih uns Sündern allen!

François Villon
Übers. Martin Löpelmann

Das graurotgrüne Großstadtlied

Rote Münder, die aus grauen Schatten glühn,
Girren einen süßen Schwindel.
Und der Mond grinst goldiggrün
Durch das Nebelbündel.

Graue Straßen, rote Dächer,
Mittendrin mal grün ein Licht.
Heimwärts gröhlt ein später Zecher
Mit verknittertem Gesicht.

Grauer Stein und rotes Blut —
Morgen früh ist alles gut.
Morgen weht ein grünes Blatt
Über einer grauen Stadt.

Wolfgang Borchert

Der Lärm der Kneipen und der Kot der Bürgersteige,
In schwarzer Luft Platanenkrüppel, kahle Zweige;
Der Omnibus, der schief auf seinen Rädern sitzt
Und eisenknirschend wie ein Sturm den Schlamm hochspritzt
Und grün und rot läßt seine Augen rollen;
Die Arbeiter, die rauchend zur Versammlung trollen,
Die Pfeife keck dem Schutzmann ins Gesicht gestreckt;
Zerstampfter Asphalt und die Gullys flutbedeckt,
Dachtriefen, Pflasterglitsch und feuchte kalte Wände,
Das ist mein Weg, — das Paradies kommt dann am Ende.

Paul Verlaine
Übers. Martin Löpelmann

Totenlied

Die Nacht ist tief und still wie das Tal,
Drin frierende Seelen gehn.
Ihr ferner, ihr kalter, demantener Strahl
Verebbt in schwärzlichen Höhn —
Wohl tausendmal und tausendmal
Und schweigt und läßt es geschehen.
Es lächelt das ferne, unendliche Heer:
Wie weise die Toten sind —
Die Toten sind weise, sie lieben nicht mehr,
Die Toten sind weise, sie hassen nicht mehr!
Sie jagen nicht mehr auf feurigem Rad,
Sie säen nicht mehr die brennende Saat
In die Leiber der Frauen hinein.
Und es geht ein Wind — ein fremder Wind:
Du arme weinende Seele mein —
        wie weise die Toten sind!

Hans Fritz von Zwehl

Für Adam war nichts not

Für Adam war nichts not als etwas Krume,
War's Asche, war es Lehm, um ihn zu baun —
Da stehn wir Meister, Greise heut und Fraun
In toter Landschaft nun ohn Gras noch Blume,

In toter Erbschaft ohne Ehr noch Ruhme
Die Augenlider schwer von soviel Graun,
Und Kinder sehn auf uns, die uns vertraun
Für Adam war nichts not als etwas Krume —

So laßt aus Asch und Staub uns Menschen kneten,
Aus Staub der Irrfahrt und der Reue Aschen
Menschen der Innenkehr, der Bruderschaft.

Belebt vom Odem unsrer Lebenskraft,
Durch unsre Tränen rein von Schuld gewaschen,
Soll'n sie die alte Erde neu betreten.

Veronika Erdmann

Huldigung an den Wein

Da wir schon nicht mehr nüchtern sind,
So laßt uns doch verweilen.
Der Morgen kommt viel zu geschwind.
Bis dahin soll der Wein, mein Kind,
Noch manchen Kummer heilen.

Das wird wohl nicht von Dauer sein
Und kann nicht ewig währen,
Und Morgen ist's wie Traum und Schein . . .
Was kümmert's uns! Jetzt soll der Wein
Die Stunde uns verklären!

Und nichts von Zwietracht und Gezänk,
Davon wir sonst wohl haben!
Des Spruches bleibe eingedenk:
Der edle Tropfen ist Geschenk,
Das uns die Götter gaben.

Ein Tor, wer das mit Lärm entweiht,
Ein Narr, wer nicht empfindet,
Wie hier die reinste Seligkeit,
Geworfen in die Flucht der Zeit,
Uns an die Sterne bindet.

Drum, wenn wir schon nicht nüchtern sind,
So laßt uns doch verweilen.
Der Morgen kommt viel zu geschwind.
Bis dahin muß der Wein, mein Kind,
Noch manchen Kummer heilen.

Und wär es auch den einen nur:
Daß Dauer nicht beschieden,
Dem Glück nicht, das uns Treue schwur,
Dem Rausch nicht, der durchs Herz uns fuhr . . .
So sei'n wir's denn zufrieden,

Daß wir, und wär's nur augenblicks
Und nur, um's zu verlieren,
Den Schimmer milderen Geschicks,
Den Saum stets neu erhofften Glücks
Nicht fassen, doch — berühren.

Günther Böhme

KLEINE FISCHE?

Regenschauer

Vom grauverhängten Himmel stürzt der Regen
Auf Felder, Gärten, Häuser und Asphalt,
Und Pfützen wachsen auf zerfurchten Wegen,
Wie Fischleib glänzt das Pflaster aus Basalt.

Das laue Wasser tropft von allen Blättern,
Die Zweige sind gekrümmt wie Raubtierklaun.
Bresthaft zerzaust von vielen Ungewettern
Scheint jeder Baum ein altersschwacher Faun.

Die Eisenbahn schiebt sich wie eine Schnecke
Auf den Geleisen vorwärts durch das Grau.
Signale flimmern — buntgetönte Flecke,
Doch seltsam abgezirkelt und genau.

Ein Windstoß reißt die Wolken schnell in Fetzen.
Noch einmal jagt ein Schauer um das Haus.
Dann ist es still. Es wimmelt auf den Plätzen.
Ein Tropfen fällt in eine Pfütze und ruht aus.

Hellmut Kleffel

Vorschlag

Heute Nacht,
Wenn der Mond hervorkommt,
Mache ich ihn zu Geld.

Doch tät's mir leid,
Wenn's die Leute erführen,
Der Mond ist nämlich
Ein alter Familienschatz.

Nicolàs Guillén
Übertr. Janheinz Jahn

Urwesen

Von hinten bin ich, wie von vorn,
Ein kleines, kugliges Plasmakorn.
Mir ist so wohl, mir ist so mollig,
Nur weiß ich wirklich nicht, was soll ich?

Arno Holz

Die Tante winkt, die Tante lacht:
He, Fritz, komm mal herein!
Sieh, welch ein hübsches Brüderlein
Der gute Storch in letzter Nacht
Ganz heimlich der Mama gebracht.
Ei ja, das wird dich freun!
Der Fritz, der sagte kurz und grob:
Ich hol' 'n dicken Stein
Und schmeiß ihn an den Kopp!

Wilhelm Busch

Klymene vor Gericht

Klymenen war das Bäuchelchen geschwollen,
Dies störete der guten Nymphe Ruh.
Der Ruf davon war überall erschollen,
Man führte sie der Themis Tempel zu.
Hier schob sie nun die ganze Schuld Apollen,
Dem Schäfer des Admetus, in die Schuh.
»Du hättest«, sprach die Göttin, »schreien sollen!
Gestehe mir die Wahrheit: schrieest du?« –
»Ach!« seufzte sie, »ich habe schreien wollen,
Allein, ich kam vor Lachen nicht dazu!«

Johann Nikolaus Götz

Hänschen Schlau

»Es ist doch sonderbar bestellt«,
Sprach Hänschen Schlau zu Vetter Fritzen,
»Daß nur die Reichen in der Welt
Das meiste Geld besitzen.«

Gotthold Ephraim Lessing

Die Ameisen

In Hamburg lebten zwei Ameisen,
Die wollten nach Australien reisen.
Bei Altona auf der Chaussee
Da taten ihnen die Beine weh,
Und da verzichteten sie weise
Dann auf den letzten Teil der Reise.

Joachim Ringelnatz

Der Lattenzaun

Es war einmal ein Lattenzaun,
Mit Zwischenraum, hindurchzuschaun.

Ein Architekt, der dieses sah,
Stand eines Abends plötzlich da —

Und nahm den Zwischenraum heraus
Und baute draus ein großes Haus.

Der Zaun indessen stand ganz dumm
Mit Latten ohne was herum.

Ein Anblick, gräßlich und gemein.
Drum zog ihn der Senat auch ein.

Der Architekt jedoch entfloh
Nach Afri- od- Ameriko.

Christian Morgenstern

Der abgedankte Mandarin

Ich bin ein altes abgebranntes Holz,
Dem eine kleine Flamme einst entsprühte.
Seitdem der Phosphor mir am Haupte schmolz,
Fragt niemand mehr danach, wie schön ich glühte.
Die Spitze nur, obgleich jetzt schwarz und rauh,
Färbt noch die Brauen einer schönen Frau.

Martin Löpelmann

Der Hase und die Katze

Eine Katze und ein älterer Hase
Wanderten einst die gleiche Straße.
Bald schlossen Freundschaft im grünen Revier
Der Hase und das Katzentier,
Und es beschlossen die wackeren beiden,
Vereint zu tragen der Wanderschaft Leiden.

So sind sie denn an ein Wirtshaus geraten,
Da hing ein Schild: »Frischer Hasenbraten!«
Kaum hatten die beiden dies gelesen,
Hui! Ist da der Hase am Laufen gewesen!
Zehn Spannen nahm er mit jedem Satze!
— — — — — — — A b e r e r s t d i e K a t z e !

Gustav Hochstetter

Flausen

Mensch, mein Urteil will nicht frech sein,
Und ich übe gern Geduld;
Neunmal Pech mag neunmal Pech sein —
Aber zehnmal Pech ist Schuld.

Alfred Kerr

Japanische Sinnsprüche

Demut wandelt oft an
Ein Herz, das angstvoll erzittert.
Nenne den Donner nur dann
»H e r r Donner«, wenn es g e w i t t e r t !

Viele Anstrengungen gibt es,
Die vergeblich sind.
In den Maschen eines Netzes
Sammelt sich kein Wind.

Rabenschnabelschnupfen

Die Raben haben Schnabelschnupfen
Und scheinen gar nicht wohl zu sein.
In Tücher mit und ohne Tupfen
Verpacken sie sich sorgsam ein.

Die Sache ist durchaus bedenklich,
Wie man hier leider, leider sieht.
Und auch die Kinder scheinen kränklich
Und von erkältetem Gemüt.

O, schont euch, hütet euch zu hupfen
Und bleibt im Neste weich gewiegt,
Daß ihr zum Rabenschnabelschnupfen
Nicht auch das Krallenrheuma kriegt!

Manfred Kyber

Die Mondkurre

In der Himmelssee
Muß man sich placken,
Damit es sich lohnt
Bei der Sternfischerei.

Orion heißt mein Boot,
Mars ist mein Topplicht,
Die Venus mein Lot,
Meine Kurre der Mond.

Die Mondkurre soll
Zum Teufel versacken!
Es tagt, und ich hab nicht
Einen Fingerhut voll.

Hans Leip

Zoologie

Wir trafen uns am A f f e n h a u s e ,
So hatten wir es ausgemacht,
Als sie nach einer kleinen Pause
Mich unzweideutig angelacht.

Drauf gingen wir zum S e e h u n d s b e c k e n ,
Wo ich mit zartem Wink begann,
Ihr meine Neigung zu entdecken —
Hundsnasekalt sah sie mich an.

Alsbald geschahs am L ö w e n z w i n g e r ,
Daß mich ergriff ein Löwenmut.

Ich drückte zärtlich ihre Finger
Und fragte sie: Bist du mir gut?

Sie wandte sich von mir mit Schweigen
Und kehrte nach dem F i s c h t e i c h um.
Wie lieb ich mich auch mochte zeigen,
Sie blieb gleich einem Fische stumm.

Doch als wir vor dem H o r n v i e h standen
Und sie den großen Ochsen sah,
Kam alle Scheu ihr schnell abhanden
Und freudig gab sie mir ihr Ja.

Strix otus

Krähenschrift

Die Krähen schreiben ihre Hieroglyphen
In den Abendhimmel, in den bleichen:
Wunderliche, schnörkelhafte Zeichen,
Tun geheimnisvoll mit ihren schiefen
Schwarzen Flügen.

Was sie schreiben, ob es uns betrifft?
Wer es deuten könnte, wär ein weiser Mann.
Ach, der Anblick nur muß uns genügen!

Hilflos sind wir vor der schwarzen Schrift
An der bleichen Himmelswand,
Wie ein Kind, das noch nicht lesen kann
Und das Bild verkehrt hält in der Hand.

Georg Britting

Einsamkeit

Tief unten in farbiger Meeresflut,
In der Muschel verschlossenem Hause
Die Perle, die unschätzbare, ruht,
Hört nichts von der Wogen Gebrause.

O glückliches Los, so traulich allein
In tiefster Stille begraben.
Ich sprach: »Ich möchte die Perle sein!«
Sie sprach: »Ich möchte sie haben!«

Martin Drucker

Der Mittelpunkt der Welt

In Poppau steht ein alter Stein:
Dort soll der Erde Mitte sein.
In Poppau hält man das für wahr,
Und mir scheint es nicht sonderbar:
Ein jedes Nest, das kleinste, hält
Sich für den Mittelpunkt der Welt.

Georg Bötticher

Der kleine Sparer

Eichhörnchen jagt im grünen Laube
Der Haselbüsche, bis im Staube
Ein Berg von Nüssen vor ihm liegt.
Soviel es nämlich davon kriegt,
Sucht's jetzt im Herbst noch einzuwecken,
Das heißt, ins Erdloch zu verstecken
Als Vorrat für die Zeit der Not.
Sonst wär's bis März wahrscheinlich tot!
Noch eh' die Winterstürme blasen,
Hat's fast vier Zentner unterm Rasen
Und fühlt sich als gemachter Mann,
Dem gar nichts mehr passieren kann.
Weist Bettlern schon die Tür im Traume:
»Der Vorrat unter jenem Baume
Ist nur für mich da! Merkt euch das!
Wer tüchtig ist, der hat auch was!«
Es ahnt nicht, daß ihm längst zwei Dohlen
Die Nüsse alle weggestohlen!
Doch scheint dies wohl ganz allgemein
Des kleinen Sparers Los zu sein.

Ernst Klotz

Dämmerung

Wer hat im Treppenhaus gerufen,
Wer saß am Fensterbrett und blickte stumm?
Mein Traum, das Pony mit den sanften Hufen,
Erschrak so sehr und warf den Kopf herum.

Die Zeit befiehlt, im Zimmer wach zu liegen.
Die Nacht ist wieder heimwehkrank.

Sie spricht zu mir: Die Fledermäuse fliegen
Und stürzen manchmal auf das Blech der Fensterbank.

Vielleicht schon früh, im Morgengrauen,
Grüßt mich das Lied vom Ararat:
Ein armer Engel wird in meine Stube schauen,
Der auch im Treppenhaus gerufen hat.

Günter Bruno Fuchs

Im Park

Ein ganz kleines Reh stand am ganz kleinen Baum
Still und verklärt wie im Traum.
Das war des Nachts elf Uhr zwei.
Und dann kam ich um vier
Morgens wieder vorbei,
Und da träumte noch immer das Tier.
Nun schlich ich mich leise — ich atmete kaum —
Gegen den Wind an den Baum
Und gab dem Reh einen ganz kleinen Stips.
Und da war es aus Gips.

Joachim Ringelnatz

Einer Jungfrau

Der Jungfrau hier wollt euer Mitleid schenken:
O Pein!
Die schläft zum erstenmal, so weit wir denken —
Allein.

Max Kalbeck

Von der Freude

»Sage«, sprach ich, »holde Freude,
Sage doch, was fliehst du so?
Hat man dich, so fliehst du wieder!
Niemals wird man deiner froh.«

»Danke«, sprach sie, »dem Verhängnis!
Alle Götter lieben mich;
Wenn ich ohne Flügel wäre,
Sie behielten mich für sich.«

Johann Nikolaus Götz

Prähistorische Ballade

Ein Ichthyosaur sich wälzte am schlammigen, mulstrigen Sumpf.
Ihm war in der Tiefe der Seele so säuerlich, saurisch und dumpf;
So dämlich, so zäh und so traurig, so schwer und so bleiern
                    und stumpf.
Er stürzte sich in das Moorbad mit plätscherndem, tappigem
                    Pflumpf.
Da sah er der Ichthyosaurin, so zart und so rund und so schlank,
Ins schmachtende Eidechsenauge: da ward er vor Liebe so krank.
Da zog es ihn hin zu der Holden durchs klebrige Urweltgemüs,
Da ward aus dem Ichthyosauren der zärtlichste Ichthyosüß.

                                        Friedrich Theodor Vischer

Seit ich überzeugt bin,
Daß Wirklichkeit
In keiner Weise wirklich ist,
Wie könnte ich annehmen,
Daß Träume Träume sind!

                                        Saigyo Hoshi
                    Übers. a. d. Englischen Wolfgang Laade

Der Pessimist

Warum ihr bloß den Ehstand lobt?
Wo, Teufel, ist die Harmonie?
Er, heißt es, hat »sich ausgetobt«,
Und jetzt — tobt sie.

                                        Rudolf Presber

Was kann der Mensch denn sonst noch tun?
Vielleicht mal nichts und einfach ruhn.

                                        Martin Kessel

Das Ergebnis

Zu London auf der Brücke stand
Ein Mann parat, hinabzuspringen;
Doch hinderte ihn ein Passant
Mit klugem Wort, sich umzubringen:
»Man weiß, daß Zeit so manches heilt,

Wir sollten ihren Fall deswegen,
Statt daß man so was übereilt,
Ein paar Minuten überlegen.«

Sie setzten sich auf eine Bank
Und sprachen zehn Minuten lang,
Und als die elfte angefangen,
Da gingen sie mit festem Schritte
Und Arm in Arm zur Brückenmitte
Und sprangen.

Gerhart Herrmann Mostar

Der Skrupulöse

Ich stelle vor: Professor Klafter,
Gewissenhafter Wissenschafter.
Für unerschütterlich bekannt,
Erforschte er ein Tropenland,
Samt seiner Braut, die er vermißte,
Als sie ihn eines Nachts nicht küßte.
Es hatte, meldeten Berater,
Gefressen sie ein Alligater.
Der Forscher lächelte subtil.
Ihr meint, sprach er, ein Krokodil.

Ogden Nash

Die arme kleine Idee

Es war einmal eine kleine Idee,
Ein armes, schmächtiges Wesen —,
Da kamen drei Dichter des Wegs, o weh!
Und haben sie aufgelesen.
Der eine macht' einen Spruch daraus —
Das hielt die kleine Idee noch aus;
Der zweite eine Ballade —
Da wurde sie schwach und malade;
Der dritte wollt' sie verwenden
Zu einem Roman in zwei Bänden —
Dem starb sie unter den Händen.

Otto Sommerstorff

Klage

Schlaffe Lider, welke Wangen,
Graue, dünngesäte Haare
Bilden schon seit Adams Zeiten
Das Gefolg' der reifern Jahre.

Alle diese Herbsteszeichen
Will ich ohne Murren tragen;
Nur das eine trifft mich härter
Als ein Dutzend Altersplagen:

Daß die Frauen, die mir hold sind,
Immer weniger auf Erden,
Während jetzt die Ehemänner
Immer liebenswürd'ger werden.

S. Fritz

Surrealistischer Vierzeiler

Gestern trat ein Fräulein an mein Bette
Und behauptete, die Märchenfee zu sein,
Und sie fragte mich, ob ich drei Wünsche hätte,
Und ich sagte — um sie reinzulegen! — Nein!

Werner Finck

Das Infusorium

War einst ein Infusorium —
Es war das größte um und um
In seinem Wassertropfen;
Es saß und dachte: »Wer gleicht mir?
Was bin ich für ein riesig' Tier!
Ich bin so groß! — So weit man sieht,
Erschaut man meinesgleichen nicht!«
Kam eine Maus an diesen Ort —
Die hatte Durst und trank sofort
Den ganzen Wassertropfen
Mitsamt den Infusorien all —
Fünfhunderttausend auf einmal.
Gar mancher Mensch ist so ein Tor
Wie dieses brave Infusor!

Heinrich Seidel

Philanthropisch

Ein nervöser Mensch auf einer Wiese
Wäre besser ohne sie daran;
Darum seh er, wie er ohne diese
(meistens mindestens) leben kann.

Kaum, daß er gelegt sich auf die Gräser,
Naht der Ameis, Heuschreck, Mück und Wurm.
Naht der Tausendfuß und Ohrenbläser,
Und die Hummel ruft zum Sturm.

Ein nervöser Mensch auf einer Wiese
Tut drum besser, wieder aufzustehn
Und dafür in andre Paradiese
(beispielshalber: weg) zu gehn.

Christian Morgenstern

Ode an die Natur

Die Wellen wogen auf und nieder,
Das Kornfeld wogt im Sommerwind,
Es wogt der Jungfrau pralles Mieder,
Warum auch nicht, wer w o g t gewinnt.

Franz Kunzendorf

Die Eintagsfliege

Im Jahr des Heils, am achten Mai,
Ward sie geboren früh um drei.
Die Kinder-, Schul- und Jugendzeit
Bis zur vollkomm'nen Mündigkeit
Beanspruchte zwei volle Stunden.
Kaum war sie reif zum Flug befunden,
Begann nach allgemeiner Mode
Bei ihr die Sturm- und Drangperiode;
Die währte, bis es zehn Uhr war.
Die Sonne schien so warm und klar
Und weckte ihren Liebessinn:
Sie tollte, wirbelte dahin
In Glut durch Wälder, Tal und Flur
Bis gegen eindreiviertel Uhr
Und hat dabei den Keim gegeben

Zu manchem neuen Eintagsleben.
Um zwei Uhr trat schon Ruhe ein; —
Den Schwestern, welche erst um neun
Geboren, gab sie gute Lehren
Und kam zu Würden und zu Ehren.

Das währte bis um fünf; — danach
Ward sie allmählich altersschwach.

Voll war die siebente Stunde kaum,
Da fiel sie tot herab vom Baum —
Und hat in diesem Tag erfahren,
Was unsereins in siebzig Jahren.

Alois Wohlgemuth

Mopsenleben

Es sitzen Möpse gern auf Mauerecken,
Die sich ins Straßenbild hinaus erstrecken,
Um von sotanen vorteilhaften Posten
Die bunte Welt gemächlich auszukosten.
O Mensch, lieg vor dir selber auf der Lauer,
Sonst bist du auch ein Mops nur auf der Mauer.

Christian Morgenstern

Polemik

Der Erste hat das Haar gespalten
Und einen Vortrag darüber gehalten;
Der Zweite fügt es neu zusammen
Und muß die Ansicht des Ersten verdammen;
Im Buche des Dritten kann man lesen
Es sei nicht das richtige Haar gewesen.

Ludwig Fulda

Trauerweiden

Mitleid erregend trauern Trauerweiden.
Wie tief sie unter ihrem Leiden leiden!
Doch tönt der Name ganz bescheiden an,
Daß man sich auch an Trauer — weiden kann.

Robert Faesi

Vogelfrei

Das Leben hängt mir zum Halse heraus,
Doch der Tod noch nicht mir herein.
Das führt zu Verkrampfung tagein und -aus
Mit zyklopischer Seelenpein.

Was kann man da machen? Die Augen zu
Und getan, als wäre man tot?
Ein Strick um den Hals gäbe endlich Ruh,
Oder Arsenik aufs Butterbrot?

Ach Kinder, mit Strick und Giftmischerei
Hab ich schlechte Erfahrung gemacht.
Mein Fall ist verloren, denn vogelfrei
Bin dem Leben ich zugedacht.

Albert Vigoleis Thelen

Wenn die Vöglein sich gepaart

Wenn die Vöglein sich gepaart,
Dürfen sie gleich nisten,
Ohne Sorg', auf welche Art
Sie sich werden fristen.
Ach, daß auch der Menschen zwei
Also könnten wohnen
Wie die Vöglein frank und frei
In den Laubeskronen!
Brauchte mit der Liebsten ja
Nur ein kleines Nestchen,
Doch kein Nahrungszweig ist nah,
Der mir böt' ein Ästchen.

Friedrich Rückert

Tänzerin mit Laute

Sie war so schlank wie eine Wünschelrute
Und tanzte wie ein Lichtreflex im Krug —
Bis endlich sie aus leichtem Übermute
Mit spitzen Fingern in die Laute schlug.

Und während sie die feinsten Weisen fand
Von Liebenden, die küssend Liebe künden,
Schnitt sie mein Herz entzwei mit ihrer rechten Hand
Und zählte mit der linken meine Sünden.

An-Nahli
Übers. Janheinz Jahn

Liturgie im Hinterhof

Wir suchen dich am Fensterbrett,
Wo der Kanarienvogel singt,
Wir suchen dich im Laubenhaus
Im grünen Viereck nebenan,
Im goldnen Hundeblumenstrauß.

Wir suchen dich und hoffen nur
Auf Nachricht, wann du kommen wirst,
Und daß du dich im Treppenflur,
Im Dunkeln nicht verirrst.

Wir hoffen diesen Winter noch,
Du kämst vielleicht als Kohlenmann
Und zündetest im Ofenloch
Ein Feuer an.

Günter Bruno Fuchs

Hautleiden

Oft führ' man gern aus seiner Haut,
Doch, wie man forschend um sich schaut,
Erblickt man ringsum lauter Häute,
In die zu fahren auch nicht freute.
Hätt' sich auch einer selbst erspürt
Als Narr, wo ihn die Haut anrührt,
Er bleibt, nach flüchtigem Besinnen,
Doch lieber in der Seinen drinnen!

Eugen Roth

Guter Rat

Mach dir das Leben ja nicht sauer
Und renne ruhig gegen die Mauer
Mit deinem Kopf; hast du nur Glück;
So weicht die Mauer vor dir zurück.

Friedrich Hebbel .

Morgenandacht

Es windet mir ein frischer Ost
Ein bläulich Band um meine Nase.
Ein Brief kam mit der Morgenpost
Und weht mir Blumen in die Vase.

Das wird fürwahr ein schöner Tag.
Mein Herz erfüllt ein frohes Ahnen
Mit Wachtelsang und Finkenschlag.
Am Himmel flattern goldne Fahnen.

Die Lerche schwingt sich zum Zenit.
Der See glänzt morgendlich gerötet.
Vor einem Gänseblümchen kniet
Im Gras ein Elefant — und betet.

Fred Endrikat

Der weiße Tod

Der müde Prinz warnt vor dem Gletscherspalt.
Der Milliardär verdaut die Table d'hôte.
Der Konsul spricht vom Unterwasserboot.
Der Opernstar, am Flügel, nachtigallt.

FREDS Finger sind am Halse von Miss Maud.
Er scherzt dabei; Sie lacht in weichem Alt.
Schon ist das Perlenband in Freds Gewalt,
Da dröhnt Lawinensturz: der weiße Tod!

Die Eingeschlossnen brechen in die Knie.
Freds kühle Ruhe mildert das Entsetzen,
Er unterhält sie durch Salon-Magie.

Fred, mit Lyddit, sprengt gleich den Schnee zu Fetzen.
Von Maud umarmt verläßt er Chamonix.
(In Wien wird Aronsohn die Perlen schätzen.)

Ludwig Rubiner

Bescheidung

Zum Besondern ging das Allgemeine
Täglich sieben Stunde in die Lehre,

Weil es auch gern was Besondres wäre,
Sei's auch nur (wie oft) zum schönern Scheine.

Der Versuch gelang sogar.
Und so ward es was Besondres zwar,
Doch ganz unvermeidlich war
Das Besondere nun allgemein.
Hatte somit aufgehört zu sein . . .
Beide fühlten lähmendes Entsetzen,
Wie es ihnen in die Glieder kroch,
Beide war'n Sowohl-als auch und Weder-noch.
Weitere Folgen sind nicht abzuschätzen.

Um auch denen, die nur schwer verstehn
(Sagen wir: im allgemeinen) zu erklären:
Wenn wir alle was Besondres wären,
Wäre nichts Besondres mehr zu sehn.
Alles würde, allgemein, Besondres sein,
Dieses aber würde als gemein
Allgemein — und auch mit Recht — empfunden.
Bleibt die Bitte an Vernünftige zu richten,
Künftig auf Besondres zu verzichten.

Andrer Ausweg ward noch nicht gefunden.

Günther Böhme

Grabschrift

Hier liegt ein Ehemann
In wohlverdienter Ruh',
Erst schloß er eines, dann
Das andre Auge zu.

Max Kalbeck

Sprichwort-Schwindel

Das Sprichwort »Kleider machen Leute«
Ist eine glatte Blasphemie,
Die besten Schneider machen heute
Aus einem Hohlkopf kein Genie.

Sein Dasein muß der Mensch gestalten
Durch Hirn — und nicht durch Stoff und Zwirn,
Und nie ersetzen Bügelfalten
Die Falten einer Denkerstirn!

Richard Bars

Der einsame Prediger

Ein Prediger, der nicht viel Beifall fand,
Traf jemand, der ihm wohl bekannt.
Und fragte freundlich, wie's geschähe,
Daß er fast niemals ihn in seiner Kirche sähe?
»Ich hab'«, sprach jener lachend, »selten Zeit,
Auch stör' ich Sie nicht gern in Ihrer Einsamkeit.« —

Wilhelm August Wohlbrück

Matrosenlied

In Algier sind die Mädchen schwarz,
Was macht denn das, mein Kind?
Wenn sie nur sonst
An Kopf und Herz und . . .
Schatz, das andre weißt du schon,
Auch zu gebrauchen sind.

Sie sind wie Schokolade schwarz,
Und beißt mal einer an,
So spürt er gleich
An Kopf und Herz und . . .
Schatz, das andre weißt du schon,
Was so ein Mädel kann.

In Hamburg sind die Mädchen weiß
Und auch in Kiel, hurra!
Blau ist das Auge, blond das Haar und . . .
Schatz, das andre weißt du schon,
G'rad wie in Afrika.

Klabund

Selbstgeständnis

Ich bin meiner Mutter einzig Kind,
Und weil die andern ausblieben sind —
Was weiß ich, wieviel, die sechs oder sieben —
Ist eben alles an mir hängen blieben.
Ich hab müssen die Liebe, die Treue, die Güte
Für ein ganz Halbdutzend allein aufessen,
Ich wills mein Lebtag nicht vergessen.
Es hätte mir aber noch wohl mögen frommen,
Hätt ich nur auch Schläg' für sechse bekommen.

Eduard Mörike

Drei Altdeutsche

1.
Den Jungfern fehlt es nie an Knaben,
Die mehr Goldgulden als Flöhe haben.

2.
Junge Weiber und alte Weine
Machen den Männern krumme Beine.

3.
Lieber ein Strohsack und zu zwein
Als ein Daunenbett und allein.

Arno Holz

Moral

Was heißt, bei Licht besehen,
Den Menschen die Moral?
Zwei scheuen das Vergehen
Und hundert den Skandal.

Franz Herold

Würzburgerisch

Wenn ich mich an dei' Bäckle streich
Und deine feine Tätzle küss',
So ist kei Fleckle mehr so weich
Wie's Plätzle bei meim Frätzle.

Und hinterm Hemd dei Brüstle, no,
Dran tapp ich voll Gelüstle,
Wieg sie wie Träuble in der Hand,
Und lab' mich dran, wie Moses froh,
Als er kam zum gelobten Land
Verdurstet aus dem Wüstle.

Max Dauthendey

Vergebens wird die rohe Hand
Am Schönen sich vergreifen,
Man kann den einen Diamant
Nur mit dem andern schleifen.

Friedrich Bodenstedt

Das Publikum

Das Publikum, das ist ein Mann,
Der alles weiß und gar nichts kann;
Das Publikum, das ist ein Weib,
Das nichts verlangt als Zeitvertreib;
Das Publikum, das ist ein Kind,
Heut' so und morgen so gesinnt;

Das Publikum ist eine Magd,
Die stets ob ihrer Herrschaft klagt;
Das Publikum, das ist ein Knecht,
Der, was sein Herr tut, findet recht;
Das Publikum sind alle Leut',
Drum ist es dumm und auch gescheit.
Ich hoffe, das nimmt keiner krumm,
Denn einer ist kein Publikum.

Ludwig Robert

Die Verwandlung

Es wundert dich, daß ein so garstig Ding,
Als eine Raupe ist, zum schönsten Schmetterling
In wenig Wochen wird; — mich wundert's nicht;
Denn wiss', auch manche Schöne kriecht
Als Raupe morgens aus dem Bette
Und kömmt als Schmetterling von der Toilette.

Aloys Blumauer

Arie auf die Kümmelsuppe

Kümmelsuppe! Du mein Leben!
    Du mein Labsal auf der Welt!
Dir, dir bin ich stets ergeben,
    Weil mir dein Geschmack gefällt.
Schade um das Weltgetümmel
    Und das Schmausen unsrer Stadt?
Hab ich Wasser, Brot und Kümmel,
    Supp ich mich mit Freuden satt.

Bin ich von Geburt kein Schwabe,
    Dessentwegen supp ich doch.
Wenn ich nur zu suppen habe,
    Weiter brauch ich keinen Koch.

Austern, Lachse, Frösche, Schnecken
    Sind für andre, nicht für mich.
Speisen, die zu künstlich schmecken,
    Sind der Nahrung hinderlich.

Suppen sind ein leichtes Essen,
    Das den Beutel nicht beschwert.
Hat man auch gleich viel gegessen,
    Hat man doch nicht viel verzehrt.
Kann ich nur den Löffel heben,
    So befracht ich ihn recht gut;
Darf ich doch kein Fuhrlohn geben,
    Weil's die Hand umsonst mir tut.

Weil ich noch das Leben habe,
    Supp ich meine Schüssel leer.
Bei den Vätern in dem Grabe
    Suppt man ohnedem nicht mehr.
Kann ich keine Schätze heben,
    Ach, so supp ich doch mit Lust.
Kümmelsuppen sind mein Leben
    Und das Labsal meiner Brust.

Daniel Stoppe

Das Perlhuhn

Das Perlhuhn zählt: eins, zwei, drei, vier . . .
Was zählt es wohl, das gute Tier,
Dort unter den dunklen Erlen?

Es zählt, von Wissensdrang gejückt,
(Die es sowohl wie uns entzückt):
Die Anzahl seiner Perlen.

Christian Morgenstern

Stachelferkels Abendgebet

Müde bin ich, geh zur Ruh,
Schließ die Schweineäuglein zu.
Über meinem Bettelein
Wacht das Muttistachelschwein.

Kommt der böse Feind und will mich heischen,
Wird es ihn zerstachelschweinefleischen.
Niemand störet mich in meiner Ruh.
·Gute Nacht! Bis morgen in der Fruh.

Fred Endrikat

Eisblume

Du bist aus anderm Stoff gemacht
Und auch vergänglicher als alle,
Bist nicht gewachsen, bist erdacht,
Du, Tochter einer Winternacht,
Doch so, daß ich dir gern verfalle.

Du bleibst nicht zehn Sekunden heil,
Wenn ich nur etwas an dir reibe.
Du hast an keinem Ruhme teil
Wie Blumen sonst und bist nicht feil, —
Gedicht an meiner Fensterscheibe.

Doch was dich auch geschaffen hat
Mit Farben nicht noch Blüte
Und ohne Duft und ohne Blatt —:
Was ginge wohl an deiner statt
Gleich seltsam zu Gemüte?

Du bist mir Hecke, Dorn und Strauch,
Ein Rosenstrauß und Nelken
Und, wenn ich will, von Primeln auch.
Und will ich nicht, genügt ein Hauch,
Dich sanft dahinzuwelken.

Das tut dir gar nicht weh, ich weiß,
Und kann auch sonst nicht kränken.
Ich würd dich gerne zum Beweis
Der Freundschaft (wärst du nicht aus Eis)
In einem Topf verschenken.

Günther Böhme

An meine Pfeife

Zehn Zentimeter vor der Nase
Qualmt's, wölkt's und zischt.
Nach zehn Minuten, die ich still verblase,
Kocht's, brodelt's und verlischt.

Krüll ist so gut wie Feinschnitt zu gebrauchen,
Das macht es nicht.
Nur sollst du Pfeife möglichst in Pantoffeln rauchen
Und nie bei Neonlicht.

Die Zigaretten sind doch für Nervöse —
Die werden's meist noch mehr . . .
Die Pfeifen — gleich in welcher Größe
Und ob aus Meerschaum oder aus Bruyere —
Die Pfeifen sind für Träumer und Phantasten,
Ja denen tun sie gut . . .
Zigarren wieder sind für andre Kasten
Und passen eigentlich allein zum steifen Hut.
Das nur so nebenbei.
          Ob ich sie stopfe
Mit spitzen Fingern und Tabak,
Ob ich die graue Asche aus ihr klopfe
(Wer da von Stinken spricht, hat nicht Geschmack),
Ob ich's mit Draht und Sorgfalt sauber mache,
Das gute, alte, eingerauchte Stück,
Ob ich die linde Glut in ihm entfache —
Stets ist's ein feierlicher Augenblick
Und mit viel Liebe und Gefühl verbunden —
Auch wenn ihr lacht . . .
Was wißt ihr schon von den verträumten Stunden,
Die wir zwei beide ganz allein verbracht!

Dem einen — mir — ward's um das Herze wärmer,
Dem andern — ihr — um Kopf und Hals.
Pro Woche werd' ich um zweifünfzig ärmer,
Doch um so manche Träume reicher jedenfalls.

Drum fragt mich bitte nicht, wozu?
Und fragt mich nicht nach Gründen.
Auch ihr . . . auch du und du und du
Sprichst nicht sehr gern von deinen Schwächen, deinen Sünden.

Vorbei, vorüber . . . laß es fliegen,
Zerstäubt zu blauem Dunst.
Genossen ward's in tiefen Lungenzügen —
Auch das ist eine Kunst.
Zumal wenn schon der rauhe Raucherhusten
Vernehmlich schmerzt
Und ausgespiene Lungenkrusten
Beweisen, wie du dich schon innen angeschwärzt.

Da könntest du beinah vernünftig werden,
Du spürst des Lasters Last . . .

Die Phantasie malt künftige Beschwerden,
Doch — leugnet die, die du schon hast.
Das macht es leichter, alles zu verschieben
Und nicht so rasch Enthaltsamkeit zu üben
Und so zu tun, als ob nichts wär'.
Denn das zu lassen, was wir lieben,
Fällt schwer.

Günther Böhme

Schöne Damen

Im Smoking,
            wie ein Ober,
rasiert,
        wie mit dem Hobel,
in der Großen Oper,
flaniere ich nobel.
In der Paus,
            im Vestibüle,
welche Frauen, wieviel Schönheit!
Mich entwaffnen die Gefühle —
Mit der Welt
            bin ich versöhnt heut.
Eine Vase
        ihre Taille.
Ihre Lippen
            ein Geblüm.
Ihre Nägel
        aus Emaille.
Und ihr Atem
            ein Parfüm.
Ums Aug —
        violetter
Fond,
    wie auf Wachs.
Seidne Schulterblätter —
fein rosa wie Lachs.
Fallend
        von oben
mit Schick
        und Kunst,
langwallende
            Roben —
zu vornehm
        für uns.

Ohren
          drehn Brillantgehänge.
Busen schaukeln unterm Latz.
Platz
          dem Perlenbandgepränge
macht
          der Hermelinbesatz.
Flaum,
          der wie im Traum
                              erschien.
Selbst ein Walroß,
                    alt und fett,
trägt nur
          eitel Crêpe de Chine,
nur ein Wölkchen
                    aus Georgette.
Flitterglanz
          und Spangengold!
Durchsichtskleid
                    von Schopf bis Schuh.
Ach,
          wer denn verlangen wollt
auch noch —
                    einen Kopf dazu . . .

                              Wladimir Majakowski
                              Übers. Hugo Huppert

LICHT UND SCHATTEN
DES LEBENS

Empfindung

Durch die blauen Nächte werd ich gehn
Über stille Felder, und ich werde träumen.
Süße Frische wird um meine Füße wehn
Und des Windes Spiel wird meine Schläfen säumen.

Und ich werde schweigen, werde nur noch fühlen.
Endlos groß wird meiner Seele Liebe sein.
Glücklich wandern werd ich zu den fernsten Zielen,
So als wär, wie eine Frau, die Erde mein.

Jean-Arthur Rimbaud
Übers. Günther Böhme

Ein kleiner Engel zerschneidet die Zeit

Hinter den Wolken, irgendwo weit,
Sitzt ein kleiner Engel und zerschneidet die Zeit
Mit einer großen Schere,
Als wenn's eine Zeitung wäre.
Er schnickert in die Kreuz und die Quer
Ganz einfach so vor sich her,
Wie es ihm grad in den Sinn kommt,
Und wo seine Schere hinkommt.
Was bleibt von der Zeit? Was bleibt dir und mir?
Was bleibt, was bleibt uns Allen?
Viele kleine Schnitzel Papier,
Die in Gottes Papierkorb fallen . . .

Hinter den Wolken, irgendwo weit,
Sitzt ein kleiner Engel und zerschneidet die Zeit
Mit einer großen Schere.
Er zerschneidet das Glück, er zerschneidet das Leid,
Er zerschneidet die ganze Ewigkeit,
Als wenn sie aus Pappe wäre . . .

Siegfried von Vegesack

In der Traumstadt

In der Traumstadt ist ein Lächeln stehn geblieben;
Niemand weiß, wem es gehört.
Und ein Polizist hat es schon dreimal aufgeschrieben,
Weil es den Verkehr, dort wo es stehn geblieben, stört.

Und das Lächeln weiß auch nicht, wem es gegolten;
Immer müder lächelnd steht es da,
Kaum beachtet, und gescholten
Und geschubst und weggedrängt, wenn ja.

Langsam schleicht es sich von hinnen;
Doch auf einmal wird es licht verklärt
Und dann geht es ganz nach innen —
Und du weißt, wem es gegolten und gehört.

Peter Paul Althaus

Das Lied, genannt »Zur selben Stunde«

Während ich hier bin,
Wär ich gern da und dort.
Indes ich bei dir bin,
Wär ich gern fort.
Zehn Frauen möcht ich sein,
Zehnfach Ich selbst auf der Welt.
In Rom und im Ritz und
Im Beduinenzelt.
Zehn Frauen möcht ich sein,
Zehn Frauen zur gleichen Zeit.
Im Krönungsmantel.
Und auch ganz ohne Kleid.
An deinem Munde,
Und zur selben Stunde
In fernem Land
An einem andern Munde.
Und während ich dort wär,
Wär ich auch hier.
Und während ich fort wär,
Wär ich bei dir.

Während ich dich küsse,
Stürzt ein glühender Stein durch die Nacht.
Und küß ich den andern,
Sterben tausend Mann in der Schlacht.

Bei jedem Wimpernschlag
Geschehen Geburt und Tod.
Ist hier Nacht, ist woanders Tag.
Und so viele Lippen sind rot.
Zehn Frauen möcht ich sein,
In Treue gehüllt und Betrug.
Zehn Frauen möcht ich sein,
Und noch immer wär's nicht genug.
An deinem Munde,
Und zur selben Stunde
In fernem Land
An einem andern Munde.
Während ich da bin,
Bin ich auch dort.
Während ich dir nah bin,
Bin ich weit fort.
Wenn ich dich umarme,
Umarm ich dann nur dich?
Hältst du mich im Arme,
Umarmst du wirklich mich?
Man ist in sich verbannt
Und gefangen für alle Zeit.
Im Krönungsmantel.
Und auch ganz ohne Kleid.
Mit dunklem Flügelschlag
Zieh'n stumm die Wünsche dahin.
Ist hier Nacht, ist woanders Tag.
Sag mir doch, wo ich bin!
An deinem Munde,
Und zur selben Stunde
In fernem Land
An einem andern Munde?
Während ich dich liebe,
Schreibt einer sein erstes Gedicht.
Während ich dich liebe,
Liebst du mich nicht.

Erich Kästner

Mein Tanzlied

Aus mir braust finstre Tanzmusik,
Meine Seele kracht in tausend Stücken;
Der Teufel holt sich mein Mißgeschick
Um es ans brandige Herz zu drücken.

Die Rosen fliegen mir aus dem Haar
Und mein Leben saust nach allen Seiten,
So tanz ich schon seit 100 Jahr,
Seit meiner ersten Ewigkeiten.

Else Lasker-Schüler

Bollowumba

Bollowumba ward geboren
In der Wüste vor dem Meere,
Und ein Affe stand daneben,
Der verging vor lauter Ehre.

Bollowumba aber spielte
Schaukelpferdchen mit den Brüsten.
Während vor ihr aufmarschierten
Sonne, Mond und gelbe Küsten.

Und sie tanzt und trollt spazieren,
Läßt im Mund die Winde heulen.
Sei gegrüßt, du Morgenröte,
Beim Gesang der Memnonsäulen!

Bollowumba, ach, ich träume
Deines Wuchses Litaneien —
Klugen Sinns dir auf den Schultern
Sitzt ein Rat von Papageien.

In den Höhlen bei den Löwen
Feiern dich die mächtigen Pranken,
Bollowumba, dir zu Füßen
Rollt mein Herz mit den Gedanken.

Alles kannst du, herrlich Nackte,
Mit den Zehen kannst du klimpern,
Und das Licht, das süß geweckte,
Fängst du mit verspielten Wimpern.

Kühl im Schatten ruht die Liebe,
Rauschend kühl am Katarakte.
Bollowumba, deine Pulse
Schlagen groß und warm im Takte.

Martin Kessel

Ansichtskarten

Alte Mühle bei Melide.
Kartenschreiben ist mir fast,
Gruß aus Gersau. Abendfriede.
Fast so wie der Föhn verhaßt,
Südportal der Kathedrale.
Und ich pfeife gerne auf die
Ansicht von der Biennale.
Ansichtskarte-Poesie.
Bauernhochzeit in Kastilien.
Aber manchmal schreibt man doch
Fischermädchen auf Sizilien.
Kartengrüße, noch und noch;
Bildnis einer jungen Dame.
Denn die Ansicht, die man hat,
Blick auf Olten (Flugaufnahme).
Steht auf einem andern Blatt.
An der Alster. Turm von Pisa.
Immerhin wird offenbar,
Monte Carlo. Mona Lisa.
Daß man auch im Ausland war!

Fridolin Tschudi

Der Volkston

So lebt man nun sein Leben hin
In grauem Alltagskleid.
Und trachtet nur nach Geldgewinn
Und bringt es doch nicht weit . . .
Nur's Nötigste, wenn viel gelingt,
Man grade noch erwirbt.
Man trinkt und ißt und ißt und trinkt
Und lebt und strebt und stirbt.

Ich weiß nicht, wozu man denn lebt
In all dem Schlamm und Dreck!
Ich weiß nicht, wozu man denn strebt
Ganz ohne Ziel und Zweck . . .
Ich klebe noch am selben Ort,
Komm nicht vom Alltag frei.
Trübselig fließt mein Dasein fort
In ewgem Einerlei . . .

Ich bin doch nur ein Alltagskind,
Bespritzt vom Alltagskot.
Als Blut in meinen Adern rinnt
Der liebe gute Tod . . .
So bring' ich nun mein Leben hin
In grauem Alltagskleid.
Und wenn ich einst gestorben bin,
Kein Hahn mehr nach mir schreit.

Alfred Lichtenstein

Reiselied

Wieviel Zimmer schlossen schon mich ein,
Meine Geister, meine Träumerei'n!
Hängt mein Herzschlag, meine Lebensspur
Noch im Raum als unsichtbare Uhr?
Hören Fremde nachts geheim sie ticken?

Wer besitzt denn Tisch und Stuhl und Schrank?
Selbst das Bett dient keinem lebelang.
Doch an manchem Ort sah ich bei Nacht
Scharf im Mondstrahl, halb nur aufgewacht,
Meinen eignen Tod am Bette sitzen.

Unser Fahrplan geht von Stern zu Stern.
Übersiedeln, immer tu' ich's gern.
Hinter mir der Besen fegt durchs Haus,
Kehrt den Traum, den Puls, den Atem aus.
Und man staubt mein Leben aus dem Fenster.

Wieder sitz' ich, reisend, in dem Zug,
Der sooft schon durch die Nacht mich trug.
Schwankend, gleitend, wie ich schlummre ein,
Ist es mir, als sei der Schlaf allein
Unser Vaterhaus darin zu wohnen.

Franz Werfel

Am Himmelstor

Mir träumt', ich komm' ans Himmelstor
Und finde dich, du Süße!
Du saßest bei dem Quell davor
Und wuschest dir die Füße.

) 144 (

Du wuschest, wuschest ohne Rast
Den blendend weißen Schimmer,
Begannst mit wunderlicher Hast
Dein Werk von neuem immer.

Ich frug: »Was badest du dich hier
Mit tränennassen Wangen?«
Du sprachst: »Weil ich im Staub mit dir,
So tief im Staub gegangen.«

Conrad Ferdinand Meyer

Bratäpfel

Die drei schönsten von der Hürde
Nimm, so hebt das Braten an,
Apfelbraten — nach der Würde:
Kaiser, König, Edelmann.

Steck die gelben in die Röhre,
Gib dem Ofen den zur Hut —
Wenn ich Windessausen höre,
Schmeckt November noch so gut.

Jetzt gewartet. Unterdessen
Magst du in die Wolken sehn;
Freilich sollst du nicht vergessen,
Ein- und zweimal umzudrehn.

Bräunt das Goldne, schmilzt das Weiße?
Und was funkelt rot mich an?
Welcher ist's, der Kaiser heiße,
König wer und Edelmann?

Nur ein Weilchen noch, ihr lieben
Fleißigen . . . da habt ihr scheints
Beide Tafeln schön beschrieben,
Zweimalzwei und Einmaleins.

Hier am Westchen hundert Maschen
Ernsthaft rechts und links gestrickt.
Wohl . . . doch jetzt beiseit die Taschen,
Her zum Ofen, hingeblickt!

Seht ihr's nicht mit Mund und Händen?
Duftets nicht in Aug und Ohr?

Wie, daß wir den Zauber fänden
Heimlich hier im Zauberrohr?

Wie, daß man im Zubereiten
Eine Winterabendwelt
Alle Tag- und Jahreszeiten
Unversehns in Händen hält!

Heißer Saft will niederträufeln,
Und wer soll nun Kaiser sein?
Auch noch Zucker willst du häufeln?
Nimm den Apfel, er ist dein!

Albrecht Goes

Die Hafentore

Da kamen wir bei Nacht von Land
Zu den drei Hafentoren.
Das eine ging nach Tulifant,
Das andere nach Schön-Brabant,
Das dritte zu den Mohren.

In Tulifant, du weißt Bescheid,
Da blüht die Seidenweide.
Das Über-, Ober-, Unterkleid
Zu jeder Nacht- und Tageszeit
Ist Seide, Seide, Seide.

In Schön-Brabant gehn, welch ein Traum,
Die Mädchen ganz in Spitzen.
Das rischelrascht wie Wogenschaum,
Und manchmal sieht man's durch den Saum
Wie Morgensonne blitzen.

Doch bei den Mohren geht man nackt,
Das scheint mir weit bequemer.
Da tanzt man jetzt den Katertakt,
Und sonntags wird man angelackt.
Den Lack kriegt man beim Krämer.

Und kommen wir bei Nacht von Land,
Was heißt hier, Zeit verloren.
So laßt uns denn gen Tulifant
Und ebenso nach Schön-Brabant
Und gleichfalls zu den Mohren!

Hans Leip

Schon sterben?

I

In den fahrigen Nächten, im grenzenlosen
Grauen werden die Nerven nicht kirre.
Sie zerren zuckend, nach den Narkosen,
Sie tappen tobend in der Irre.

Du meinst zu sterben; — aus das Spiel?
Was ist dies Ganze? (ach: was war es?)
Es war sehr nichtig — und war so viel.
Ein Elendes . . . und Wunderbares.

Doch der Sinn im Irrsinn sichtet und siebt:
Der Sinn sucht den Sinn des seltsamen Falles:
Was hast du am schwindenden Leben geliebt?

Alles. Alles.

II

Das täglichste Dasein — mit ungewissen
Beseligungen und Ärgernissen.
Mit Kinkerlitzchen, Besorgungsgängen.
Mit Kientoppdunkel, Asphaltgesängen.
Mit Kinderlärm und süßen Plagen.
Mit Anschlagsäulen, Trambahnwagen
Und Warenhäusern an Nachmittagen
(Samt Rolltreppen, Lichthöfen, Steigen, Stiegen,
Verkaufstischkröten und Einpacksfliegen).

Alles . . . !

Mit Februardunkel und feuchten Gesichtern.
Mit Botschaftsbällen, Kempinski-Lichtern.
Mit Passau (geselchte Augenweide!)
Mit Bozen (lichtes Trauergeschmeide)
Mit Sommern in Schleswig auf Hallig und Heide.
Mit Rahelsland und Josaphat,
Mit der thronlos thronenden Davidstadt.
Mit Yankeelust am Pazifischen Meer.
Mit gallischer Sprache: mit »Quai Voltaire«.
Mit Zeitgenossen, zarten und rohen.
Mit Albert Einstein, dem Einzigen, Hohen.
Mit Beethovens hehrem Berserkerkrach.
Mit dem Orpheusvorspiel von Offenbach.
Mit deutschen Sätzen, durchfugt, durchfunkt
Im heiligen Kampf mit dem Doppelpunkt.

Mit allem, was lieb und was infam,
Mit Essen und Trinken, Hunger und Durst,
Mit Pflichten und widerwärtigem Kram —
(Aber das ist wurst);
Wichtig nur: daß man kein totes Tier ist
(Mit Leichenflecken und fahl wie Kalk,
Gallertäugig, ein lebloser Balg) —
Wichtig, daß man atmet und hier ist.

III

Und ob du im Dasein murrst und knurrst:
Gegen dies Eine bleibt alles wurst:
Einen Kuß kriegen ... oder einen Stoß,
Ein leichtes ... oder ein lausiges Los,
Mit guten, mit bösen Mächten im Bund sein
(Der Unterschied ist nicht groß) — —
Aber nur leben und gesund sein!

IV

Man soll leben und gesund sein.

Alfred Kerr

Mein Tod

Ich glaub: am ersten Tage, wo ich tot,
Bin ich so zornig über dies Geschehen,
Daß mir die Wellen quellendwarm und rot
Noch stundenlang durch tote Wangen gehen!

Doch endlich muß wohl selbst dies heiße Herz
Im Feuerbette kalte Asche werden,
Und daß es b r e n n e , sei sein erster Schmerz
Und seine letzte Seligkeit auf Erden!

Freiherr Börries von Münchhausen

Gegenwart

Jetzt noch laßt uns fröhlich sein,
Da die Stunde lacht!
Hauch des Todes schließt den Reihn
Wohl noch vor der Nacht.

Schnell ist unsre Zeit verflossen;
Toren, die sie nicht genossen!
Jetzt noch laßt uns fröhlich sein,
Da die Stunde lacht!

Heute weht uns Leben an
In dem Sonnenstrahl;
Übermorgen ordnet man
Unser Leichenmahl.
Eilt, den Kelch noch auszuleeren,
Ehe sich die Fackeln kehren!
Heute weht uns Leben an
In dem Sonnenstrahl.

Eh noch dort die Sterne glühn,
Ruft vielleicht Freund Hein;
Freunde, dann begrüßet ihn
Mit dem schönsten Reihn.
Freude nährt der Seele Stärke
Zu des Lebens schwerstem Werke.
Eh noch dort die Sterne glühn,
Ruft vielleicht Freund Hein.

Heiter lächelnd küsse dann
Uns der Genius!
Führ uns durch die dunkle Bahn
Mit der Liebe Gruß!
Wenn wir jenseit wieder leben,
Wird der Vater Freude geben.
Heiter lächelnd küsse dann
Uns der Genius!

Johann Gottfried Seume

Heimweg

Dämmert mein Garten?
Rauscht schon der Fluß?
Noch glüht mein Leben
Von deinem Kuß,

Noch trinkt mein Auge,
Von dir erhellt,
Nur dich, nur deinen Baum
Im Bann der Welt.

Vom Himmel atmet
Des Mondes Traum,
Bleich webt eine Wolke,
Grün schmilzt ihr Saum.

Das Wasser führt Schollen
Herab aus der Nacht,
Es trägt jede Scholle
Von Licht schwere Fracht.

Eine Harfe von Drähten
Summt in der Allee,
Spuren von Rädern
Glänzen im Schnee,

Glänzen und deuten
Heilig zu dir zurück —
Ich weiß, daß du noch wachst
Tief, tief im Glück.

Der Schirm deiner Lampe
Färbt dich wie Wein,
Du hauchst in das Eis
Deines Fensters hinein,

Deine Augen träumen
Herüber zum Fluß —
Du bist nur noch Leben
Von meinem Kuß.

Hans Carossa

Der Kuß

Es regnet — doch sie merkt es kaum,
Weil noch ihr Herz vor Glück erzittert:
Im Kuß versank die Welt im Traum.
Ihr Kleid ist naß und ganz zerknittert

Und so verächtlich hochgeschoben,
Als wären ihre Knie für alle da.
Ein Regentropfen, der zu Nichts zerstoben,
Der hat gesehn, was niemand sonst noch sah.

So tief hat sie noch nie gefühlt —
So sinnlos selig müssen Tiere sein!
Ihr Haar ist wie zu einem Heiligenschein zerwühlt —
Laternen spinnen sich drin ein.

Wolfgang Borchert

Warmer Sommertag

Von fern brummt eine Dreschmaschine,
Es könnte auch ein Flieger sein.
Von Zeit zu Zeit brummt eine Biene.
Am stillsten ist der Sonnenschein.

Die Wolken haben keine Bleibe.
Wenn eine mitten drüber geht,
Wird aus der Sonne eine Scheibe,
Das schadet ihrer Majestät.

Die Tierchen rings erfüllt Ekstase,
Sind sie auch wie die Flöhchen klein;
Und liegt ein Mensch wie du im Grase,
Dann beißen sie diskret hinein.

Und ein paar Kühe vor der Hecke
Turnieren mit dem Hinterleib.
Man weiß nicht recht, zu welchem Zwecke,
Vermutlich auch zum Zeitvertreib.

Werner Finck

Abends

Abends gehn die Liebespaare
Langsam durch das Feld,
Frauen lösen ihre Haare,
Händler zählen Geld,
Bürger lesen bang das Neuste
In dem Abendblatt,
Kinder ballen kleine Fäuste,
Schlafen tief und satt.
Jeder tut das einzig Wahre,
Folgt erhabner Pflicht,
Säugling, Bürger, Liebespaare —

Und ich selber nicht?
Doch! Auch meiner Abendtaten,
Deren Sklav' ich bin,
Kann der Weltgeist nicht entraten,
Sie auch haben Sinn.
Und so geh ich auf und nieder,
Tanze innerlich,
Summe dumme Gassenlieder,
Lobe Gott und mich,
Trinke Wein und phantasiere,
Daß ich Pascha wär,
Fühle Sorgen an der Niere,
Lächle, trinke mehr,
Sage ja zu meinem Herzen
(Morgens geht es nicht),
Spinne aus vergangenen Schmerzen
Spielend ein Gedicht,
Sehe Mond und Sterne kreisen,
Ahne ihren Sinn,
Fühle mich mit ihnen reisen
Einerlei wohin.

Hermann Hesse

Wie bin ich heute selig

Ich pfeife schon den ganzen Morgen
Und döse vor mich hin.
Die Sonne ist in Regenluft verborgen —
Doch irgendwas erheitert meinen Sinn.

Die Menschen sehen heute anders aus,
Das Zeitungsmädchen hüpft so niedlich, —
Die lange Straße, Haus an Haus,
So regengrau — und schläfert doch so friedlich.

Was gestern hier lärmte, roh unf fuselkehlig,
Das ist heute alles stumm. —
Wie bin ich heute selig —
Und weiß doch nicht warum —

Ihr lieben Leute, ich schalt euch: unausstehlich,
Fluchte manchmal, schalt euch: schlecht und dumm,
Vergebt mir heute, ich bin so selig
Und weiß doch nicht warum.

Gerrit Engelke

Der Gärtner

Gärtner sein, die Blumen pflegen,
Daß sie wachsen und gedeihn;
Nicht nur des Ertrages wegen
Ihnen der Betreuer sein.

Stets, wenn in der grünen Fülle
Unsichtbar die Reife wirkt,
Ruht sein Blick auf jeder Hülle,
Die noch ein Geheimnis birgt.

Kaum vermag er zu erwarten,
Daß die Blüte sich ihm zeigt
Und aus seinem Wundergarten
Tausendfaches Leuchten steigt.

Farben, Duften, fast ein Singen
Nehmen ihn beglückend ein.
Freude über dies Gelingen!
Solch ein Gärtner möcht' ich sein.

Günther Roennefahrt

Südfrüchte

Die Kokosnuß, einst affenkühn umklettert,
Die maskenstarre, borstenzöpfige,
Sehnt sich nach ihren meerumblauten Inseln,
Von hellem Vogelschrei umschmettert.

Dem Sphinxenkopf der Ananas,
Von Dunkelhäutigen gepflückt,
Wächst ein Gebüsch wie grünes Gras —
Von fremden Rhythmen jäh entzückt.

Die bernsteinfarbenen Bananen,
Die säbelbeinigen, sie träumen
Nun im Verein mit Feigen, deren Ahnen
Des Orients geheimnisreiche Wüsten säumen.

Die kleinen Monde praller Apfelsinen,
Sie lauschen dem Geschwätze schlanker Datteln:
Von Haremstänzerinnen mit Brokatpantinen
Auf weißen Dromedaren, die sie silbern satteln.

In diese Heimwehträume der Exoten
Platzt plötzlich ganz gewöhnlich und frivol
Das plumpe Lachen über freche Zoten
Von einem simplen Wirsingkohl!

Wolfgang Borchert

Spuren im Schnee

Vogelspuren sind im frischen Schnee
Wie chinesisch hingetuschte Hieroglyphen;
Aber nicht einmal ein Li Taipe
Oder sonst ein Mensch vermochten je,
Sie zu übersetzen und den Text zu prüfen.

Ein Gedicht ist jeder leise Schritt,
Kalligraphisch fein und einwandfrei geschrieben,
Und man nimmt, gerührt von dem Sanskrit,
Die beglückende Erkenntnis mit,
Daß wir selbst die Spatzen als Poeten lieben.

Menschen hinterlassen oft in der Natur
Eine lyrisch keineswegs so zarte Spur.

Fridolin Tschudi

Die Vielgeliebte

Meiner Vielgeliebten gleich
Ist kein Mädchen in dem Reich;
Eine bess're Beute
Macht kein Fürst; drum trag' ich sie
Auf den Händen, lasse nie
Sie von meiner Seite.

Früh', eh' noch der Morgen graut,
Hängt die Liebliche vertraut
Schon an meinem Munde;
O wie brennt sie heiß für mich!
Wer ist froher denn als ich
Auf dem Erdenrunde?

Dieses süße Lippenspiel
Wird mir nimmermehr zuviel;
Und in langen Zügen

Schlürf' ich gierig manche Stund'
Aus dem schön geformten Mund
Labung und Vergnügen.

Manches Silberkettchen wand
Meine pflegerische Hand,
Manches Band von Seiden
Um den schönen Hals; es muß,
Wer sie sieht, mir den Genuß
Dieser Holden neiden.

Schwirrt der Sorgen düst'rer Schwarm
Mir vor Augen, drückt der Harm
Meine Seele nieder:
O dann fühl' ich ihren Wert;
Denn aus ihrem Munde kehrt
Ruh' und Friede wieder.

Abends bei dem Mondenschein
Lieg' ich oft mit ihr allein
Hingestreckt im Grase;
Manches Mädchen, jung und schön,
Rümpft dann im Vorübergehn
Über sie die Nase.

Mancher reiche Muselmann
Schafft sich deren viele an,
Liebt sie alle treue;
Wird von einer heut' beseelt,
Und am andern Morgen wählt
Er sich eine neue.

Laß, o Schicksal, sie mir nur!
Sie ist mir von der Natur
Eine süße Gabe.
Feste, Gunst der großen Herrn,
Tanz und Spiel verlaß' ich gern,
Wenn ich sie nur habe.

Wenn man schmählich von ihr spricht,
Tu ich, als bemerkt' ich's nicht,
Ob ich's gleich begreife;
Mag sie auch verschmähet sein,
Sie bleibt dennoch immer mein: —
Meine Tabakspfeife!

Von einem Unbekannten
Ende des 18. Jh.

Chiffren

Wer weiß denn mehr als immer nur das Zeichen:
Den Flor von Tränen und den Rosenhauch —
Vielleicht den Schmelz von Lippen, die sich reichen,
Und an den Himmeln eine Spur von Rauch.

Wer deutet dir das Dröhnen dieser Stunde
Und jenen Vogelflug am Himmel hin —
Unter dem Rouge das Mal der Glücks-Sekunde,
Den Fünfundsechzigjahres-Reingewinn.

Versuch dich doch an einer kleinen Chiffre:
Die Augenschatten, auf der Stirn die Schneise
In einem Anämiegesicht. Entziffre!
Was du entzifferst, sind Textilienpreise.

Nur selten hebt der Gott im Spiel den Schleier
Um einen Zoll — ein Blitz — und er versengt
Dein Angesicht. Die Stirn verkohlt im Feuer.
Und auch die Chiffren sind nun zugehängt.

Wer weiß denn mehr als immer nur das Zeichen:
Den Flor von Tränen und den Rosenhauch —
Vielleicht den Schmelz von Lippen, die sich reichen,
Und an den Himmeln eine Spur von Rauch.

Albert Arnold Scholl

Magisches Rezept

Nimm einen alten Suppentopf,
Den halt du neunmal übern Kopf,
Dann stelle ihn cum spiritu
Auf einem Birnholzfeuer zu,
Gib etwas Glaubersalz hinein
Und sieben zarte Hühnerbein,
Dieselben ganz vom Fleisch geputzt
(weil das arcanum sonst nicht nutzt),
Dazu gestoßnes Hasenherz
Samt dreizehn Haar vom Ochsensterz,
Bockmist ein Lot, in Milch verrührt,
Drei Apfelkern pulverisiert,
Alsdann zum Schluß noch einen Schuß
— Das würzt! — boletus badius.
Dies koche, eh die Sonn aufgeht

Und wenn kein Stern am Himmel steht.
Dabei sprichst du die Wendewort:
Was ferne ist, sei hier am Ort,
Was außen ist, das geh hinein,
Was innen ist, soll außen sein.
Durch dies dein rosenfarbnes Blut,
Das ist für siebzig Fieber gut.

Es bleibt dies Mittel sehr probat
Für jeden, der den Glauben hat,
Und half, so hör ich, olim schon
Dem weiland König Salomon.
Erfinden kannst du solches nicht.
Ich schrieb's Rezept bei Mondenlicht
An meines Hundes frühem Grab
Aus einem alten Hausbuch ab,
Und weil ich ein Kalenderchrist,
Der ohne dies ganz hilflos ist,
Und füglich will, daß jedermann
Wie ich sich also nützen kann,
So hab ichs fleißig hergesetzt,
Damit es dir den Gaumen letzt.
Und hilft es nicht, was schadt es schon:
Mach alleweg Gebrauch davon.

Josef Weinheber

Letzte Fahrt

An meinem Todestag — ich werd ihn nicht erleben —
Da soll es mittags rote Grütze geben,
Mit einer fetten, weißen Sahnenschicht . . .
Von wegen: Leibgericht.

Mein Kind, der Ludolf, bohrt sich kleine Dinger
Aus seiner Nase — niemand haut ihm auf die Finger.
Er strahlt, als einziger, im Trauerhaus.
Und ich lieg da und denk: »Ach, polk dich aus!«

Dann tragen Männer mich vors Haus hinunter.
Nun faßt der Karlchen die Blondine unter,
Die mir zuletzt noch dies und jenes lieh . . .
Sie findet: Trauer kleidet sie.

Der Zug ruckt an. Und alle Damen,
Die jemals, wenn was fehlte, zu mir kamen:

Vollzählig sind sie heut noch einmal da . . .
Und vorne rollt Papa.

Da fährt die erste, die ich damals ohne
Die leiseste Erfahrung küßte; die Matrone
Sitzt schlicht im Fond, mit kleinem Trauerhut.
Altmodisch war sie — aber sie war gut.

Und Lotte! Lottchen mit dem kleinen Jungen!
Briefträger jetzt! Wie ist mir der gelungen?
Ich sah ihn nie. Doch wo er immer schritt:
Mein Postscheck ging durch sechzehn Jahre mit.

Auf rotem samtnen Kissen, im Spaliere,
Da tragen feierlich zwei Reichswehroffiziere
Die Orden durch die ganze Stadt,
Die mir mein Kaiser einst verliehen hat.

Und hinterm Sarg mit seinen Silberputten,
Da schreiten zwoundzwanzig Nutten —
Sie schluchzen innig und mit viel System.
Ich war zuletzt als Kunde sehr bequem . . .

Das Ganze halt! Jetzt wird es dionysisch!
Nun singt ein Chor: ich lächle metaphysisch.
Wie wird die schwarzgestrichne Kiste groß!
Ich schweige tief.
Und bin mich endlich los.

Kurt Tucholsky

Ein Kubikkilometer genügt

Ein Mathematiker hat behauptet,
Daß es allmählich an der Zeit sei,
Eine stabile Kiste zu bauen,
Die tausend Meter lang, hoch und breit sei.

In diesem einen Kubikkilometer
Hätten, schrieb er im wichtigsten Satz,
Sämtliche heute lebenden Menschen
(Das sind zirka zwei Milliarden!) Platz!

Man könnte also die ganze Menschheit
In eine Kiste steigen heißen
Und diese, vielleicht in den Kordilleren,
In einen der tiefsten Abgründe schmeißen.

Da lägen wir dann, fast unbemerkbar,
Als würfelförmiges Paket.
Und Gras könnte über die Menschheit wachsen.
Und Sand würde daraufgeweht.

Kreischend zögen die Geier Kreise.
Die riesigen Städte stünden leer.
Die Menschheit läg in den Kordilleren.
Das wüßte dann aber keiner mehr.

Erich Kästner

Impressionen im April

Vom Eise befreit, sagt Goethe, sind die Bäche.
Der letzte März schickt uns in den April.
Er unterzieht die Erdenoberfläche
Mit letzten Spritzern einer letzten Wäsche.
Kein Zweifel, daß der Kurs sich ändern will.

Der Winter emigriert in ferne Alpen.
Wir wissen nun: es kommt, was kommen muß:
Der Lenz, das Glück, die Veilchen und die Schwalben.
Die Welt kriegt wieder Farbe. Meinethalben.
Ich kriege sicher wieder Hexenschuß.

Doch wo die Sonn' das Notenpult bestiegen,
Probt ein gefiederter Gesangverein.
Mein Wellensittich schnappt bereits nach Fliegen.
Das Leben macht schon wieder Spaßvergnügen.
Nun müßte auch der Mensch vernünftig sein!

Der Mensch ist nämlich von Natur nicht böse.
Er ist es meistens nur befehlsgemäß.
Er stirbt durchaus nicht gern im Kampfgetöse.
Er liebt das Leben und die Lebensgröße
Und keinen Stiefelabsatz im Gesäß.

Hört ihr's? Schneeglöckchen fangen an zu läuten.
Die Bäume haben wieder Oberlicht.
Dachdecker hämmern auf den Wohngebäuden.
Wir selbst versehen uns mit neuen Bräuten.
Na bitte: ist das Frühling oder nicht?

Hanns Max Hackenberger

Umstände

Unvorhergesehene Umstände trafen, weil obwaltend,
Herrn S. und Fräulein B., arglos sich unterhaltend,
So daß, bei den gegebenen, Fräulein B. im Februar,
Wie sie Herrn S. eröffnete, in anderen war.
Gewisse erschwerende traten hinzu:
Herr S. — er verschwieg es beim ersten Rendezvous —
Bereits verehelicht, mit Kind, dazu katholisch,
Fräulein B. erpresserisch, bösartig-diabolisch,
Und so erstach, beim Camping, S. die B.
Jedoch der Anwalt bat in seinem Plädoyer,
Den Umständen Rechnung zu tragen (müde, zeltend,
Katholisch etc.) und machte mildernde geltend.

Freigesprochen, lebt jetzt S. trotz der fraglichen,
So las man, in recht guten, behaglichen.

Otto-Heinrich Kühner

Der Wind wirft Wolken in die Helle
Durchwirbelt Hain und Hecken.
Im Pflanzgebiete der Parzelle
Verquicken sich die Quecken.

Der Kuckuck ruft. Der Maulwurf stößt.
Der Star vertreibt die Spatzen.
Die Blüten haben sich entblößt
Und sind dabei zu platzen.

Im weiten Luftrevier entspinnt sich
Ein taumelndes Vergnügen
Und in dem Erdreiche besinnt sich
Der Engerling auf's Fliegen.

Der Schneck sitzt knappermüde, satt
Verschleimt in dem Gehäuse.
Es melken unterm zarten Blatt
Die Ameisen die Läuse.

Die Mücken tanzen Ringelreihn
In windgetriebnen Säulen.
Es hinterläßt ein Stelldichein
Der Heckenrose Beulen.

Der Mensch kann dem nicht widerstehn,
Es reißt ihn einfach mit.
Die Absicht gibt ihm aus Versehn
Die Daseinsform zu dritt.

Der große Pan sitzt im Gelände,
Gebräunt wie ein Mulatte.
Ein Fotograf dreht an der Blende
Und fängt ihn auf der Platte.

Hilmar Büchner

Dies wird ein Sommertag uns schenken

Dies wird, ich fühl's, ein Sommertag uns schenken:
Die Sonne, groß, Gesellin meiner Freude,
Wird ihren Glanz auf dich herunterlenken,
Auf deine Schönheit zwischen Samt und Seide.

Der Himmel wird ganz blau sein und erschauern
Wie eines prächtigen Zeltes lange Falten
Und mit uns die Erwartung überdauern,
Die unser beider Stirnen blaß gehalten.

Und wird es Nacht, umbuhlt ein Lufthauch dich
Und wird an deinen Schleiern sich vergreifen.
Der Lufthauch nur? Eh Stern an Stern erblich,
Wird die Erwartung zur Erfüllung reifen.

Paul Verlaine
Übers. Fritz Diettrich

Vollblut

Dicht geklammert auf rauchende Rücken
Nieder auf spritzende Mähnen sich bücken,
Baden in heißen Fontänen der Nüstern,
Nach ihren heißesten Strömen lüstern,
Drunten Gewölk und Gewitter der Hufe,
Hinten unmächtig zerflatternde Rufe
Flehender Winde, zerrissener Stille,
Vor mir die Weite, in mir der Wille —

Himmel was soll nur dein Sonnenwagen,
Solange noch über die ewige Erde
Heißblütige Pferde
Mich und mein wogendes Herze tragen.

Rudolf G. Binding

Die Beiden

Sie trug den Becher in der Hand
— Ihr Kinn und Mund glich seinem Rand —,
So leicht und sicher war ihr Gang,
Kein Tropfen aus dem Becher sprang.

So leicht und fest war seine Hand:
Er ritt auf einem jungen Pferde,
Und mit nachlässiger Gebärde
Erzwang er, daß es zitternd stand.

Jedoch, wenn er aus ihrer Hand
Den leichten Becher nehmen sollte,
So war es beiden allzu schwer:
Dann beide bebten sie so sehr,
Daß keine Hand die andre fand
Und dunkler Wein am Boden rollte.

Hugo von Hofmannsthal

Ihr Dach stieß fast bis an die Sterne

Ihr Dach stieß fast bis an die Sterne
Vom Hof her stampfte die Fabrik,
Es war die richtige Mietskaserne
Mit Flur- und Leiermannsmusik!
Im Keller nistete die Ratte,
Parterre gabs Branntwein, Grog und Bier,
Und bis ins fünfte Stockwerk hatte
Das Vorstadtelend sein Quartier.

Dort saß er nachts vor seinem Lichte
— Duck nieder, nieder, wilder Hohn! —
Und fieberte und schrieb Gedichte,
Ein Träumer, ein verlorner Sohn!
Sein Stübchen konnte grade fassen
Ein Tischchen und ein schmales Bett;
Er war so arm und so verlassen,
Wie jener Gott aus Nazareth!

Doch pfiff auch dreist die feile Dirne,
Die Welt, ihn aus: Er ist verrückt!
Ihm hatte leuchtend auf die Stirne

Der Genius seinen Kuß gedrückt.
Und wenn vom holden Wahnsinn trunken
Er zitternd Vers an Vers gereiht,
Dann schien auf ewig ihm versunken
Die Welt und ihre Nüchternheit.

In Fetzen hing ihm seine Bluse,
Sein Nachbar lieh ihm trocknes Brot,
Er aber stammelte: O Muse!
Und wußte nichts von seiner Not.
Er saß nur still vor seinem Lichte,
Allnächtlich, wenn der Tag entflohn,
Und fieberte und schrieb Gedichte,
Ein Träumer, ein verlorner Sohn!

Arno Holz

Leben nach Vierzig

Man weiß zuviel vom Leben.
Man kennt das Ende schon
Des Stückes, das gegeben.
Es fehlt die Illusion.

Der Schleier ist zergangen,
Der auf den Dingen lag
Und der sie sanft umfangen
Wie Licht im Frühlingshag.

Viel Sturm blies um die Schläfen.
Nun prüft das Auge kühl.
Man schaut nach stillen Häfen
Und meidet das Gewühl.

Wohl hört man noch Pans Flöte.
Doch zähmt das Herz — Verstand.
Und neu entdeckt man Goethe
Und sieht ein neues Land.

Das Leben: aufgeschlagen —
Halb ausgelesnes Buch.
Ein Duft aus jungen Tagen
Weht noch wie Heugeruch.

Kurt R. Neubert

Oller Mann

Ein alter Mann ist stets ein fremder Mann.
Er spricht von alten, längst vergangnen Zeiten,
Von Toten und verschollenen Begebenheiten . . .
   Wir denken: »Was geht uns das an —?«

In unser Zeitdorf ist er zugereist,
Stammt aber aus ganz andern Jahresländern,
Mit andern Leuten, andern Taggewändern,
   Von denen du nichts weißt.

Sein Geist nimmt das für eine ganze Welt,
Was ihn umgab, als seine Säfte rannen;
Wenn er an Liebe denkt, denkt er an die,
         die längst von dannen.
   Für uns ist er kein Held.

Ein alter Held ist nur ein alter Mann.
Wie uns die Jahre trennen —!
Erfahrung war umsonst. Die Menschen starten
         für das Rennen,
   Und jeder fängt für sich von vorne an.

Für uns ist er ein Mann von irgendwo.
Ihm fehlt sein Zeitland, wo die Seinen waren,
Er spricht nicht unsre Sprache, hat ein fremd Gebaren .
Und wenn wir einmal alt sind und bei Jahren —:
   Dann sind wir grade so.

Kurt Tucholsky

Tausendmal – – –

Tausendmal bist du vorbeigegangen,
Und ein Glück hat wo für dich geblüht.
Tausendmal bist du vorbeigegangen,
Und ein Herz hat still für dich geglüht.

Tausendmal bist du vorbeigegangen,
Und mit deinem Lächeln, deinem Wort
Hätt' ein Märchen für dich angefangen,
Doch du gingst so stumm und eilig fort.

Tausendmal bist du vorbeigegangen,
Und vielleicht hat dich ein Mensch gebraucht.
Und dein Zuspruch hätte schon dem Bangen
Wieder Hoffnung in sein Herz gehaucht.

Tausendmal bist du vorbeigegangen,
Und die Chance hast du nicht gesehn.
Tausendmal bist du vorbeigegangen,
Und so wirst du tausendmal noch gehn.

Manches kann noch tiefen Sinn erlangen,
Und es scheint noch unwichtig und klein.
Tausendmal bist du vorbeigegangen,
Doch es kann einmal dein Schicksal sein.

Kurt R. Neubert

Kleiner Verschiebebahnhof

Bürger, packt ein;
wir dürfen wieder verreisen.
Eine Sternfahrt ins Blaue.
Aus dem Prospekt: »Wer diesmal
nicht Sterne sieht, hat es sich
selbst zuzuschreiben.« Das läßt
man doch nicht auf sich sitzen!
Zwanzig vor Null. Hopp, hopp,
ein bißchen Beeilung, die Herrn
Rekruten; die Lok steht schon
unter Dampf. Wehrdienstverwei-
gerer werden gebeten, sich nicht
aus dem Fenster zu lehnen. Bitte
benutzen Sie auch unsere deutschen
Kulturgüter-Wagen. Sie brauchen
auf nichts zu verzichten; selbst
Ihr Alpenveilchen darf mit. Und
nicht zu vergessen natürlich das
abendländische Erbe: Die neue
Quadriga; der Münzschatz an
Erhardt-Medaillen; unser aller
Böcklin; die Plastiken Thoraks,
sowie l'Inconnue de la Seine.
Zurücktreten! Es rollen soeben
die vaterländisch gestrichnen
Sonderwaggons mit der Aufschrift
ATOMARES heran. Bautz, Bautz, die
Coupées rücken alle ein wenig
näher zusammen beim Koppeln;
fröstelnde Schafe. Und nun ist es
soweit, und das Mundharmonika-Duo
der Bahnhofsverwaltung stimmt die

Eroica an. Bitte nehmen Sie Platz;
wir fahren auch dann fahrplangetreu,
wenn der Zugführer ausfällt.

Wolfdietrich Schnurre

Im Herbst-Regen

Ist's denn wirklich grau in grau,
Wenn es draußen regnet?
Sieh', aus dunklem Wolkenbau
Gott die Fluren segnet.

Sieh' das Pfützenkringelspiel
Springt auf allen Wegen
Und am Waldrand steht ein Reh —
Kleines Reh im Regen.

Blätter fallen goldenschwer,
Will mein Herz sich regen?
Friert, als wär es auch ein Reh —
Kleines Reh im Regen.

Carola Staiger-Gersbacher

Versuch es

Stell dich mitten in den Regen,
Glaub an seinen Tropfensegen —
Spinn dich in das Rauschen ein
Und versuche gut zu sein!

Stell dich mitten in den Wind,
Glaub an ihn und sei ein Kind —
Laß den Sturm in dich hinein
Und versuche gut zu sein!

Stell dich mitten in das Feuer,
Liebe dieses Ungeheuer
In des Herzens rotem Wein —
Und versuche gut zu sein!

Wolfgang Borchert

Rinderlegende

Die Rinder sind vom Schöpfer ausersehen
Zu Trägern der Versöhnung durch die Welt.
Sie geben Milch und lassen gern geschehen,
Daß man sie nimmt und ganz für sich behält.

Ihr Blick ist braun und tief wie große Teiche
Im Sumpf, durch den sie stampfen voller Müh',
Nicht viele Tiere sind dem Himmelreiche
So nah wie Ochsen, Kälber oder Küh'.

Und als das Kind geboren ward im Stalle,
War Ochs und Kuh dabei, damit es warm
Für Kind und Mutter sei, und wiegten alle
Die Häupter, wie sie's wiegte auf dem Arm.

Und wenn die Kreatur von Wasser, Luft und Erde
Sich einst dem Paradiese naht am Jüngsten Tag,
Geht in der Mitte ruhig die Rinderherde
Wie sie's zu aller Zeit auf Erden pflag.

So geht das Zebu auf dem gelben Acker,
Und unterm Acker geht die Wurzelmaus,
Und auf dem Zebu geht der Madenhacker,
Und auf dem Madenhacker geht die Laus.

Carl Zuckmayer

Alter Mann

Mit altem Mann geht's wunderlich:
Hat viel gelernt, muß viel verlernen.
Ihm ist, als wollt sein eigen Ich
Sich leis aus ihm entfernen.

Des Abschiednehmens lichte Zeit
Verzehrt das flockichte Gewimmel;
In goldner Wölbung hoch und weit
Blaut über ihm der Himmel.

Noch weist zu Füßen ihm die Flur,
Als wär's durch Spiegel des Geschehens,
Die alt-vertraute Zauberspur
Des Kommens und des Gehens.

Die alt-vertraute Zauberspur,
Trotz allen Haderns, Zorns und Grämens
Geliebt — warum? —, und ist doch nur
Die Spur des Abschiednehmens.

O Abschiednehmen, goldne Zeit,
Gern bin ich deines Winks gewärtig,
Vom Ziel des Weges nicht mehr weit
Und dennoch reisefertig!

Mir altem Mann geht's wunderlich,
Hab viel verlernt, muß Neues lernen:
's ist an der Zeit: befreunde dich
Der Nacht und ihren Sternen.

Rudolf Alexander Schröder

Einer Freundin zum sechzigsten Geburtstag

Du pflückst nun Trauben, denn es ist Oktober,
Der Herbst ist reich.
Schwer sind die Körbe, angefüllt die Schober,
Die Schränke voll Linnen weich.

Wie still das Haus! Die Arbeit ward gelinder,
Als sonst der Brauch.
Erwachsen sind die Kinder, Kindeskinder
Umblühen dich bald wohl auch.

Ein frühes Feuer knistert im Kamine,
Der Abend fiel;
Da summt ums Haupt dir zart wie eine Biene
Erinnerungsspiel.

Hats nicht geklopft? Wer sind die späten Gäste?
Herein zum Tor!
Kennst du uns nicht? Wir wünschen Glück zum Feste,
Wir singen dir Lieder vor.

Von alter Freundschaft, Hoffnung, Kurzweil, Plagen,
Mondschein und Föhn,
Von bunten, tollen, stürmisch jungen Tagen, —
War es nicht schön?

Ricarda Huch

An meinen Schatten

Ich kam so nicht weiter, da ging ich zurück.
Ich sagte: begleite mich noch ein Stück.
Wohin denn? fragte mein Schatten mich leise.
Ach, gehn wir zunächst ein wenig im Kreise.
Gehn wir zum Beispiel ums Eck mal herum
Oder dort um den Kiosk, wär auch nicht dumm,
Und machen wir's so, daß wir gar nicht bedenken,
Wohin unsere nächsten Schritte uns lenken.
Vielleicht kommst inzwischen an mir du vorbei,
Mein lieber Schatten, dann sag ich: ei, ei!
Es rutscht ja so mancher von vorn nach hinten
Und ist wieder da, während andere verschwinden.
Dann gehn wir vielleicht auch einmal nach Haus
Und setzen uns dort und sprechen uns aus.

Ja, führt das denn weiter? Es wäre mir peinlich,
Dir einfach zu antworten: augenscheinlich!
So laß ich es lieber, ob kalt oder heiß.
Wir müssen's versuchen, da liegt der Beweis.
Doch sag ich mir: besser, als daß ich's erfechte,
Sucht und findet von selbst sich das Rechte,
Nicht von allein, gewiß nicht, doch so,
Daß wie der Quell es entspringt irgendwo,
Daß es uns lockt und uns heimlich durchgeistet,
Wobei die Geduld uns Hilfsstellung leistet.

So jedenfalls tat ich. So ging ich zurück
Und kam doch voran ein beträchtliches Stück
Und fand das Gesuchte und stand auf der Schwelle.
Aus tiefster Versenkung geriet ich ins Helle.
Zum Schluß, um auch das noch zu deuten mit an,
Fand ich die Jugend wieder im Mann,
Ich meine die herzhaft ursprüngliche Wonne,
Den Mut, der da schöpft aus dem Brennpunkt
  der Sonne,
Die da täglich erscheint und die Zukunft verheißt.
Doch gab ich auch etwas von mir, wie du weißt,
Sozusagen den Pfiff, die Musik, die Methode,
Ich gab, was ich bin, was mir stand zu Gebote.

Nun geh, lieber Schatten! Und bin ich mal dumm,
So erinnere mich dran und komm mal herum,
Von hinten nach vorn oder wieder zurück
Und dann sag: ach, begleite mich noch ein Stück!

Und dann gehn wir zu zweit und suchen das Dritte:
Den springenden Punkt, die entscheidende Mitte.

Martin Kessel

Der Nutzen des Nichts

Dreißig Speichen treffen sich in der Nabe.
Da, wo sie nicht sind, ist der Nutzen der Nabe.

Knete Ton und bilde daraus Gefäße.
Da, wo er nicht ist, liegt der Gefäße Gebrauch.

Brich in die Wände Fenster und Tür dem Hause.
Durch das Nichts darin wird es ein brauchbares Haus.

Also: daß etwas da ist, bedeutet Gewinn.
Aber das Nichts daran macht ihn nutzbar.

Lao Tse
Übers. Gundert

Der Vogel

Du bist vom Wind erlöste Ackerkrume,
Du bist ein Kind von Fisch und Blume.
Aus allem aufgehoben,
Bist du der Wunsch der Seele,
Daß sie im tollsten Toben
Sich nicht mehr quäle.
Du bist vom Stern geboren
In einer großen Nacht.
Pan hat sein Herz verloren
Und dich daraus gemacht!

Wolfgang Borchert

Erst alt, dann jung

Mein Kind, du bist schon furchtbar alt,
Die Welt ist längst dein Aufenthalt.

Vor sieben Jahren gänzlich fremd
Ist sie vertraut dir wie dein Hemd.

Es kommt dir schon natürlich vor,
Daß du zur Decke wächst empor,

Und daß das Wasser abwärts rinnt,
Und daß die Spinne Fäden spinnt,

Und daß der Würfel eckig sei,
Und eins und eins gerade zwei.

Dies alles scheint dir selbstverständlich;
Doch lerne mehr, — so lernst du endlich,

Daß alles dieses ganz und gar
Erstaunlich ist und wunderbar,

Und wunderbarer nichts, als just,
Daß du dir dieser Welt bewußt.

Und sie — vertraut dir wie dein Hemd —
Wird dir ganz sachte wieder fremd;

Mit siebzig kommst du, alter Tor,
Dir drin als grüner Neuling vor.

Robert Faesi

Kinderlied

Wo wohnt der liebe Gott?
Im Graben, im Graben!
Was macht er da?
Er bringt den Fischlein
's Schwimmen bei,
Damit sie auch was haben.

Wo wohnt der liebe Gott?
Im Stalle, im Stalle!
Was macht er da?
Er bringt dem Kalb
das Springen bei,
Damit es niemals falle.

Wo wohnt der liebe Gott?
Im Fliederbusch am Rasen!
Was macht er da?
Er bringt ihm wohl
das Duften bei
Für unsre Menschennasen.

Wolfgang Borchert

Maienregen

Blaßrosa Apfelblüten leise schnein
Durchs Fenster auf den Schreibtisch mir herein.

Und unten tollt mein blonder, wilder Bube,
Der weite Garten ward zur Kinderstube.

Was winters nur in Bilderbüchern stand,
Das lenzt und glänzt auf dem verjüngten Land.

Was Wintersehnsucht war aus Märchenträumen,
Grüßt heute grün an Busch und lichten Bäumen.

Und wie sich Vers an Vers mir leichter reiht,
Denk ich an eine längst vergangne Zeit,

Da meines Sohnes Stimme noch nicht laut war
Im Garten, und ich einzig dir vertraut war,

Du liebe Frau. Durch unsern Abendgang
Das Herz im rosenroten Zweitakt sprang.

Nun schwingt dazwischen noch ein dritter Ton mit,
Drein klingt und singt und springt dein kleiner Sohn mit.

Den uns der Mai als Frühlingsgott gebracht.
Weißt du noch jene helle Mondennacht?

Du weinst? Sieh wie die Abendsonne segnet,
Durch die es goldenglühend, sprühend regnet.

Renn in den Maienregen nur hinein,
Mein Sohn, so wirst du bald schon größer sein.

»Es regnet —
Gott segnet.«

Alfred Richard Meyer

Tiefenpsychologie

Professor P., ein Psychotherapeut,
Behandelte (streng nach der Lehre von S. Freud)
Jahrelang systematisch einen Deut
Mittels Hypnose, Suggestion und Analyse,
Auch durch Stimulierung der Wachstumsdrüse,
Und schuf aus dem Deut (gemäß den Freudschen
Überwertigkeitskomplexen) einen Deutschen.

Jetzt sucht er, wie er das, was er angefacht,
Wieder rückgängig macht.

Vertraut mit derartigen Phänomenen,
Analysierte er auch einen Schizophrenen,
Den schon seit langem der Zwiespalt quälte, ein
›Gestandener Mann‹ wie ›gesetzter Herr‹ zu sein.
Er erkannte schon bald nach eingehender Analyse,
Unter Beobachtung auch des Gesäßes und der Füße,
Daß jener Mann — ein Makler — bis zuletzt
Trotz Stehvermögens sich immer durchgesetzt.

Otto-Heinrich Kühner

Niemals wieder

Niemals wieder will ich
Eines Menschen Antlitz verlachen.
Niemals wieder will ich
Eines Menschen Wesen richten.
Wohl gibt es Kannibalenstirnen,
Wohl gibt es Kuppleraugen,
Wohl gibt es Vielfraßlippen.

Aber plötzlich —
Aus der dumpfen Rede
Des leichthin Gerichteten
Aus einem hilflosen Schulterzucken
Wehte mir zarter Lindenduft
Unserer fernen seligen Heimat,
Und ich bereute gerissenes Urteil.

Noch im schlampigsten Antlitz
Harret das Göttliche seiner Entfaltung.

Die gierigen Herzen greifen nach Kot —
Aber in jedem geborenen Menschen
Ist mir die Heimkunft des Heilands verheißen!

Franz Werfel

Die beiden Feste

Korf und Palmström geben je ein Fest.

Dieser lädt die ganze Welt zu Gaste:
Doch allein zum Zwecke, daß sie — faste!

Einen Tag lang sich mit nichts belaste!
Und ein — Antihungersnotfonds ist der Rest.

Korf hingegen wandert zu den Armen,
Zu den Krüppeln und den leider Schlimmen
Und versucht sie alle so zu stimmen,
Daß sie einen Tag lang nicht ergrimmen,
Daß in ihnen anhebt aufzuglimmen
Ein jedweden »Feind« umfassendes — Erbarmen.

Beide lassen so die Menschen schenken
Statt genießen, und sie meinen: freuen
Könnten Wesen (die nun einmal — d e n k e n)
Sich allein an solchen gänzlich neuen
Festen.

Christian Morgenstern

Wunderliche Welt

Geht alles sein' Gang:
Du kannst's nicht zwingen —
Die Welt voll Gesang:
Du magst nicht singen.

Die Welt voller Blut
Und Not und Schmerzen:
Und dir ist's so gut
Und lustig im Herzen . . .

In der Todesgefahr
Stehst fest, unerschüttert;
Ein pfeifender Star —
Und die Seel dir erzittert . . .

Als ein herzloser Wicht
stehst am Grab deiner Liebe
Und dann strömt dein Gesicht
Spät, im heitern Getriebe . . .

Fallen tausend und mehr,
Denkst du an keinen . . .
Ein Vogelnest, leer,
Das rührt dich zum Weinen.

Ist ein Tag recht schön blau
Zu wagen, zu werben —
In dir ist's grau,
Du bist traurig zum Sterben . . .

Geht alles, wie's will.
Du kannst's nicht fassen.
Mußt es ganz still
Gewähren lassen.

Bist ganz allein
In deiner Herznot.
Trink deinen Lust-Wein
Und iß dein Schmerz-Brot.

Winkt dir ein Mund,
Magst du ihn küssen.
Kommt deine Stund,
Wirst weinen müssen.

Und kommt die letzt',
Ist's nicht die erste,
Vielleicht ist jetzt
Grad deine schwerste.

Eugen Roth

Gebet

Du, der über allem wacht,
Leicht die Erde rollt in Händen:
Diesen Tag laß leise enden,
Gib mir eine gute Nacht!

Gott, du weißt, was ich ertrug.
Niemals bat ich dich um Gnaden,
Ging mit meinem Leid beladen,
War mir selber stark genug.

Doch laß heut mit meiner Last
Nah mich deinen Füßen betten,
Um dies Stäubchen Glück zu retten,
Das du mir gegeben hast.

Eugen Roth

Liebeslied

Wie soll ich meine Seele halten, daß
Sie nicht an deine rührt? Wie soll ich sie
Hinheben über dich zu andern Dingen?
Ach gerne möcht ich sie bei irgendwas
Verlorenem im Dunkel unterbringen,
An einer fremden stillen Stelle, die
Nicht weiterschwingt, wenn deine Tiefen schwingen
Doch alles, was uns anrührt, dich und mich,
Nimmt uns zusammen wie ein Bogenstrich,
Der aus zwei Saiten eine Stimme zieht.
Auf welches Instrument sind wir gespannt?
Und welcher Spieler hat uns in der Hand?
O süßes Lied.

Rainer Maria Rilke

Sommerbrauch

Den verjährten Sommerbrauch
Übt ein Schalk in Busch und Hecken,
Will wie sonst den Wandrer necken:
»Kuckuck, Kuckuck« ruft der Gauch.

Trugprophete, hast's verfehlt!
Schweige nur mit deinen Tücken:
Ich hab Jahre hinterm Rücken
Mehr, als dein Kalender zählt.

Schon verflog er sich im Hag,
Über mir schwebt Lerchentriller;
Doch vom Baume pfeift es schriller:
Meisen, Star und Finkenschlag.

Winters hab ich sie genährt,
Pickten Mohnsaat, Hanf und Brocken,
Halb genäschig, halb erschrocken,
Und nun geben sie Konzert.

Zwar verschmäht die Nachtigall
Meinen Berg; doch vor den Schaden
Tritt die Amsel mit Rouladen,
Fioritur und Flötenschall.

Der smaragdne Sonnenglanz
Lacht auf blühendem Gezweige,

Purpurfrühling säumt die Steige,
    Jede Wiese trägt den Kranz.

    Brech ich euch? Es wär mir leid,
Mein, ich hab genug im Garten.
Mögt ihr nur der Sichel warten:
    Unterweilen nutzt die Zeit,

    Öffnet euer Herbergshaus,
Um der Hummeln und der Bienen
Leckre Tafel zu bedienen;
    Schenkt den Sommervögeln aus.

    Ja, sie kamen! Rot und blau,
Demant-, Gold- und Silberfunken,
Taumelt's an und schlürft versunken,
    Schillerfalter, Schwälblein, Pfau,

    Ordensband und Admiral,
Fuchs und Bläuling, groß und kleine,
Sonnt die trunkene Gemeine,
    Vielbenannt und ohne Zahl,

    Das brokatne Schuppenvlies.
Welt, wir sind heut guter Dinge:
Blumen, Vögel, Schmetterlinge
    Erben noch vom Paradies!

Rudolf Alexander Schröder

Mutterns Hände

Hast uns Stulln jeschnitten
Un Kaffee jekocht
        Un de Töppe rübajeschohm —
Hast jewischt und jenäht
Und jemacht und jedreht . . .
        Alles mit deine Hände.

Hast de Milch zujedeckt,
Uns Bobons zujesteckt
        Un Zeitungen ausjetragen —
Hast die Hemden jezählt
Und Kartoffeln jeschält . . .
        Alles mit deine Hände.

Hast uns manches Mal
Bei jroßen Schkandal
    Auch'n Katzenkopp jejeben.
Hast uns hochjebracht.
Wir wahn Sticker acht.
Sechse sind noch am Leben,
    Alles mit deine Hände.

Heiß warn se un kalt.
Nu sind se alt.
    Nu bist du bald am Ende.
Da stehn wa nu hier,
Und denn komm wir bei dir
    Und streicheln deine Hände.

Kurt Tucholsky

Die Meise

Könnte ich dir sagen, kleine Meise,
Wie ich dir so wohl gesonnen bin!
Lockend vor dem Fenster liegt die Speise,
Doch du Ängstliche wagst dich nicht hin.

Und wie oft du hurtig angeflogen,
Zitternd zwischen Bängnis und Begehr,
Jedesmal hats dich zurückgebogen
Und gezwungen doch zur Wiederkehr.

Immer wohl im winzigen Flügelleibe
Wird das Herz dir vor Erschrecken kalt,
Siehst du durch die unbegriffne Scheibe
Düster meine riesige Gestalt.

Jetzt! Im Fluge griffest du die Beute,
Birgst sie flink im Zweigicht und Genist.
Wüßtest du, daß ich die Nahrung streute,
Ohne Feindschaft, ohne Hinterlist,

Daß du Gerngeschenktes fortgetragen,
Fürchtig wie gestohlenen Gewinn —
Kleine Meise, könnte ich dir sagen,
Wie ich dir so wohl gesonnen bin!

Ach, es bangte dir vor keinem Zorne,
Kämest wie der fromme Hund zum Herrn,

Selig schmausest du von fettem Korne
Und der Sonnenblume süßem Kern.

Ließest dich auf meiner Schulter nieder,
Und die Krume nähmst du mir vom Mund,
Kehrtest traulich alle Morgen wieder,
Und wir schlössen einen langen Bund.

Ihr in Wipfeln und in grauen Nestern,
Ruhelose zwischen Flucht und Schmaus,
Kleine Meisen, meine scheuen Schwestern,
Wie getreu sprecht ihr mich selber aus!

Allenthalben ist mein Tisch gerichtet,
Weißes Brot und schwarzer Wein im Krug,
Süß und Bitter war mir zugeschichtet,
Und der große Wirt ist ohne Trug.

Ach, es bangte mir vor keinem Grimme
Und mich drückte keine Kümmernis,
Ach, verstünde ich nur seiner Stimme
Stille Ladung: Nimm getrost und iß.

Werner Bergengruen

Der alte Brunnen

Lösch aus dein Licht und schlaf! Das immer wache
Geplätscher nur des alten Brunnens tönt.
Wer aber Gast war unter meinem Dache,
Hat sich stets bald an diesen Ton gewöhnt.
Zwar kann es einmal sein, wenn du schon mitten
Im Traume bist, daß Unruh geht ums Haus,
Der Kies beim Brunnen knirscht von harten Tritten,
Das helle Plätschern setzt auf einmal aus,
Und du erwachst, — dann mußt du nicht erschrecken!
Die Sterne stehn vollzählig überm Land,
Und nur ein Wandrer trat ans Marmorbecken,
Der schöpft vom Brunnen mit der hohlen Hand.
Er geht gleich weiter. Und nun rauscht's wie immer.
O freue dich! Du bleibst nicht einsam hier.
Viel Wandrer gehen fern im Sternenschimmer,
Und mancher noch ist auf dem Weg zu dir.

Hans Carossa

Der Nachsommer ist schnell verklungen,
Verklungen wie ein Lied in Moll.
Die Dörfer in den Niederungen
Sind trächtig und erlebnisvoll.

Die Scheunen duften nach dem Drusche,
Vom Baume fällt die letzte Frucht,
Reißt sich vom Strauche und vom Busche
Und Stürme fahren in die Bucht.

Beflügelt löst die Zeit die Sohlen,
In Stroh hüllt Rosen man und Born,
Und draußen von umbrausten Molen
Heult tagelang das Nebelhorn.

Die Fenster werden abgedichtet,
Im Lampenscheine liegt ein Buch,
Sofern man nicht darauf verzichtet
Erscheint der Nachbar zu Besuch.

Hilmar Büchner

Pfeifen

Klavier und Geige, die ich wahrlich schätze,
Ich konnte mich mit ihnen kaum befassen;
Mir hat bis jetzt des Lebens rasche Hetze
Nur zu der Kunst des Pfeifens Zeit gelassen.

Zwar darf ich mich noch keinen Meister nennen,
Lang ist die Kunst, und kurz ist unser Leben.
Doch alle, die des Pfeifens Kunst nicht kennen,
Bedaure ich. Mir hat sie viel gegeben.

Drum hab ich längst mir innigst vorgenommen,
In dieser Kunst von Grad zu Grad zu reifen,
Und hoffe endlich noch dahin zu kommen,
Auf mich, auf euch, auf alle Welt zu pfeifen.

Hermann Hesse

Letzte Worte eines Sterbenden

Nackt ward ich zur Welt geboren,
Nackt scharrt man in's Grab mich ein:
Also hab' ich durch mein Sein
Nichts gewonnen, nichts verloren.

Aloys Blumauer

Die Stubenfliege

Sie raschelt leise wie Papier
Auf meiner Fensterscheibe.
Zwei volle Tage ist sie hier,
Und mich erbarmt das arme Tier,
Drum sage ich ihm: Bleibe!

Ich spüre, wie uns Sympathie
Mit einem Mal verbindet,
Weil angesichts der Agonie
In jedem Menschen irgendwie
Der Größenwahn verschwindet.

Die Rollen sind nunmehr vertauscht:
Ich bin der kleine Brummer,
Der auf sein letztes Stündchen lauscht
Und, von der Müdigkeit berauscht,
Sich wiegt in sanftem Schlummer.

Ob Mensch, ob Fliege, einerlei:
Die Zeit ist kurz bemessen;
Wir sind im Jahr zweitausendzwei
Gestorben und vergessen!

Fridolin Tschudi

Hymne

O wie so oft
Hab' ich ein Zeichen erhofft,
Zogen
Sterne den schimmernden Bogen
Durch die himmlische Leere,
Durch die himmlische Tiefe,
Daß ich der irdischen Schwere
Endlich auf immer entschliefe.
Aber der Morgen
Löschte die Sterne aus,
Weckte die Sorgen,
Weckte des Herzens Haus,
Und des Alltäglichen Macht
Zwang die Ahnung der Nacht!

O wie so viel
Nahte der Sehnsucht das Ziel,

Sanken
Dürstende, müde Gedanken
Hin an brennender Schwelle,
Selig kühlender Ferne.
Ach, da stürzte zum Herzen die Welle
Und das lachende Licht in die finstern Sterne!
Aber die Ebbe
Kehrte, die Flut wich,
Heißer die Steppe
Umgürtet mit Glut mich,
Und den brennenden Pfeil
Mahnte das fliehende Ziel zur Eil'!

O wie so tief
Oft aus den Wogen mich's rief,
Fielen,
Um nach den Sternen zu zielen,
Tränen zu spiegelnden Seen,
Die zwischen blumigen Wiesen,
Augen der Erde, aufsehen,
Himmlische Kinder zu grüßen.
Aber die Fläche
Ringelt, das Bild bricht;
Bittere Bäche
Rinnet so wild nicht!
Freudig ja springet ein Fisch,
Und ich mord' ihn, decke den Tisch!

O wie so rein
Wächst in der Schönheit der Schein,
Scheint sie aus Einfalt und einet
Recht in der lauteren Klarheit
Strahlen der himmlischen Güte
Zum sehenden sichtbaren Auge der Wahrheit,
Das da schaffet und selbst ist die Frucht und die Blüte.
Aber die Dichter
Machen die Glieder zum Leib gern,
Schneiden Gesichter
In einen Kirschkern
Traurig und lachend; o gebe
Lieber der Erde ihn, daß er lebe
Blütenvoll,

Früchtevoll
Dir und Deinen himmlischen Segen
Gebe
Auf irdischen Wegen!

Clemens Brentano

INS GÄSTEBUCH ZU SCHREIBEN

Meine Wahl

Ich liebe mir den heitern Mann
Am meisten unter meinen Gästen:
Wer sich nicht selbst zum besten haben kann,
Der ist gewiß nicht von den Besten.

Johann Wolfgang v. Goethe

Gott gibt die Nüsse,
Aber er beißt sie nicht auf.

Johann Wolfgang v. Goethe

Gastmahl des Lebens

Am Ende hat's fast jeder satt;
Nur, was geschmeckt am besten hat,
Äß man noch gern, das Leibgericht —
Doch nachgereicht wird leider nicht.

Eugen Roth

An Grob

O wünsche dir, mein lieber Grob,
Doch nie ein Seelenmikroskop.
Und schliff' es einer noch so fein,
Dein Seelchen würde doch so klein,
Wie eine Mad' im Käse sein.

Christian Friedrich Daniel Schubart

Radieschen

Ein kleines Radieschen, gewaschen, geputzt;
Mit Kerbelschnitten zum Röschen gestutzt,

Fühlt mit Salat sich und Kräutern verziert,
Auf einer silbernen Platte serviert,

Umgeben von Austern und Krabbengelees
Als Mittelpunkt eines Gala-Diners.

Doch als ihm im Laufe des Abends klar,
Daß es statt Mittelpunkt — Beilage war,

Da wurde vor Ärger es rot im Gesicht
Und mochte die ganze Gesellschaft nicht.

Es war jetzt sogar darüber verschnupft,
Daß man's überhaupt einmal ausgerupft.

Sie wundern sich nun, warum und wieso?
— — — Die kleinen Radieschen sind immer so!

Heinz Behrend

Bäume

Im Böhmerwald, im Harz, in den Vogesen
Sind ihrer viele, die ich noch nicht sah
Und nimmer sehen werde. Doch ihr Wesen
Ist mir im Baum vor meinem Fenster nah.

Noch steht der Wald, den ich als Kind bewundert,
Und scheint nicht älter, als er damals schien.
Mich ändert jedes Jahr. Und dies Jahrhundert
Wird mich begraben irgendwo bei Wien.

Vielleicht schon morgen unter Rauch und Trümmern,
Ganz ohne Abschied, ohne Grabgeschenk.
Das wird die Welt der Bäume nicht bekümmern,
Sie ist nicht meinesgleichen eingedenk.

Wer bin ich dann? — Ich habe kein Vermächtnis,
Das meinen Namen hier unsterblich macht.
Doch wär ich gern in eines Baums Gedächtnis,
So wie ich seinesgleichen gern gedacht.

Ihr alle, die ihr meine Liebe hattet:
Ich hab die Bäume fast wie euch geliebt.
O wär mir stets für euch ein Trost gestattet,
Wie ihn der Schatten eines Baumes gibt.

Franz Kiessling

Der Kuß

Ist ein Kuß ein Muß,
Ist's kein Genuß!
Ist's freie Wahl,
Dann — allemal.

Verfasser unbekannt

Lach ein wenig

Lach ein wenig und sei gut,
Bist doch sonst vernünftig,
Wenn dir Frohsinn wehe tut —
Will ihn meiden künftig.

Zieh mir an ein schwarz Gewand,
Leb im Zölibate,
Nehm den Rosenkranz zur Hand,
Werde ein Abbate.

Seh' dich um und um, nicht an,
Liebe, trotzige Blonde.
Such dir du dann einen Mann
Meinethalb im Monde.

Josef Weinheber

Von der doppelten Armut

Die Not kommt selten separat.
Gleich fehlt's an a l l e n Sachen.
Kurzum: Wer nichts zu beißen hat,
Der hat auch nichts zu lachen.

Max Alfred Becker

Publikum

Das Publikum ist eine einfache Frau,
Bourgeoishaft, eitel und wichtig,
Und folgt man, wenn sie spricht, genau,
So spricht sie nicht 'mal richtig;
Eine einfache Frau, doch rosig und frisch,
Und ihre Juwelen blitzen,
Und sie lacht und führt einen guten Tisch,
Und es möchte sie jeder besitzen.

Theodor Fontane

Die Heckenrose

Eine schlanke Heckenrose
Schaukelt lustig in dem Wind;
Freute sich, das fleckenlose,
Rosig zarte Sonnenkind.

Hat geduftet und gesungen:
»Blühe hier für jedermann,
Alle, alle hübschen Jungen
Lachen mich am Strauche an.«

Eine dicke Hagebutte,
Tiefgekränkt und voll Verdrieß,
War es, die aus roter Kutte
Also sich vernehmen ließ:

»Wart ein Weilchen, meine Teure,
Und dann bist du Spatzenspott.
Dick und voll Zitronensäure
Wirst du bestenfalls Kompott!«

Rudolf Presber

Nur ein Mund

Gott gab uns nur einen Mund,
Weil zwei Mäuler ungesund.
Mit dem einen Munde schon
Schwatzt zuviel der Erdensohn.

Hat er jetzt ein Maul voll Brei,
Muß er schweigen unterdessen;
Hätte er der Mäuler zwei,
Löge er sogar beim Fressen.

Heinrich Heine

Überall

Überall ist Wunderland.
Überall ist Leben.
Bei meiner Tante im Strumpfenband
Wie irgendwie daneben.

Überall ist Dunkelheit.
Kinder werden Väter.
Fünf Minuten später
Stirbt sich was für einige Zeit.
Überall ist Ewigkeit.

Wenn du einen Schneck behauchst,
Schrumpft er ins Gehäuse.
Wenn du ihn in Kognak tauchst,
Sieht er weiße Mäuse.

Joachim Ringelnatz

Aus einer großen Gesellschaft heraus
Ging einst ein Gelehrter nach Haus.
Man fragte: »Wie seid Ihr zufrieden gewesen?« —
»Wären's Bücher«, sagt er, »ich würd' sie nicht lesen!«

Johann Wolfgang v. Goethe

Manager

Beklagenswert, wer sich verschworen,
Er hab noch niemals Zeit v e r l o r e n.
Bekenn er lieber, unumwunden:
Er hab noch niemals Zeit g e f u n d e n.

Eugen Roth

Lebensrechnung

Leicht ändern wir die Einzelposten —
Im ganzen nie die Lebenskosten.
Wir zahlen drauf, genau genommen,
Grad, wo wir billig weggekommen.

Eugen Roth

Sie war ein Blümlein

Sie war ein Blümlein, hübsch und fein,
Hell aufgeblüht im Sonnenschein.
Er war ein junger Schmetterling,
Der selig an der Blume hing.
Oft kam ein Bienlein mit Gebrumm
Und nascht und säuselt da herum;
Oft kroch ein Käfer kribbelkrab
Am hübschen Blümlein auf und ab.
Ach Gott, wie das dem Schmetterling
So schmerzlich durch die Seele ging.
Doch was am meisten ihn entsetzt,
Das allerschlimmste kam zuletzt:
Ein alter Esel fraß die ganze
Von ihm so heiß geliebte Pflanze.

Wilhelm Busch

Scheintote

Lang lebt noch, rüstig und betagt
Manch einer, den man totgesagt.
Doch nicht so leicht mehr hochzukriegen
Ist einer, den man totgeschwiegen.

Eugen Roth

Festklang

Läßt du nicht Geige und Klavier
Aufs neue stimmen zu jedem Feste?
Viel besser wär's (und ich rat es dir),
Du ließest stimmen die Gäste.

Bei richt'gem Takt ein falscher Ton,
Danach läßt sich immer noch tanzen;
Ein taktloser Gast jedoch bringt schon
Ins ganze Haus Dissonanzen.

Richard Schmidt-Cabanis

Das Glück

Das Glück bevorzugt in der Welt
Zu gern die dümmsten Kerle:
Sie haben sich billige Austern bestellt
Und finden die echte Perle.

Rudolf Presber

Das Huhn und der Karpfen

Auf einer Meierei,
Da war einmal ein braves Huhn,
Das legte, wie die Hühner tun,
An jedem Tag ein Ei,
Und kakelte, mirakelte, spektakelte,
Als ob's ein Wunder sei.

Es war ein Teich dabei,
Darin ein braver Karpfen saß
Und stillvergnügt sein Futter fraß,
Der hörte das Geschrei:
Wie's kakelte, mirakelte, spektakelte,
Als ob's ein Wunder sei.

Da sprach der Karpfen: »Ei!
Alljährlich leg' ich 'ne Million
Und rühm' mich des mit keinem Ton.
Wenn ich um j e d e s Ei
So kakelte, mirakelte, spektakelte —
Was gäb's für ein Geschrei!«

Heinrich Seidel

Der Träge

Ist wer zum Glücke selbst zu faul,
Was der verdient? Ich denke — Prügel.
Gebratene Tauben fliegen ihm ins Maul,
Er stöhnt: »Mir steht der Sinn
nicht nach Geflügel!«

Rudolf Presber

Venus von Milo

Wie einst die Medizäerin
Bist, Ärmste, du jetzt in der Mode
Und stehst in Gips, Porzlan und Zinn
Auf Schreibtisch, Ofen und Kommode.

Die Suppe dampft, Geplauder tönt,
Gezänk und schnödes Kindsgeschrei;
An das Gerümpel längst gewöhnt,
Schaust du an allem still vorbei.

Wie durch den Glanz des Tempeltors
Sieht man dich in die Ferne lauschen,
Und in der Muschel deines Ohrs
Hörst du azurne Wogen rauschen!

Gottfried Keller

Selbstbewußtsein

Also lehrt der Hase seinem Kind:
»Zum Beweise, daß wir edler sind
Als die Löwen, merke dir das eine:
Hasen haben Schonzeit, Löwen — keine.«

Fr. v. Königsbrunn-Schaup

Ein Aber dabei

Es wäre schön, was Gut's zu kauen,
Müßte man es nur nicht auch verdauen;
Es wäre herrlich, genug zu trinken,
Tät' einem nur nicht Kopf und Knie sinken;

Hinüber zu schießen, das wären Possen,
Würde nur nicht wieder herübergeschossen;
Und jedes Mädchen wär' gern bequem,
Wenn nur eine andre ins Kindbett käm'.

Johann Wolfgang v. Goethe

Zwischen meinen Wänden

Ich danke dir: Ich bin ein Kind geblieben,
Ward äußerlich auch meine Schwarte rauh.

Zu viele Sachen weiß ich zu genau
Und lernte mehr und mehr die Wände lieben.

Doch zwischen Wänden, wenn die Phantasie
Ein kleines Glück so glücklich zu erfassen
Imstande ist, daß wir uns sagen: Nie
Uns selber lieben! Nie das andre hassen!
Nur einsam sein! — —
Spricht oft mein Innerstes zu solcher Weisheit: Nein!

Denn all mein Sinnen lauscht, ob fremde Hände
Jetzt etwa klopfen werden an mein einsam Wände,
Und wenn's geschähe, rief es laut: Herein!!!

Joachim Ringelnatz

Die Wühlmaus

Die Wühlmaus nagt von einer Wurzel
Das W hinfort, bis an die -urzel.
Sie nagt dann an der hintern Stell
Auch von der -urzel noch das l.
Die Wühlmaus nagt und nagt, o weh,
Auch von der -urze- noch das e.
Sie nagt die Wurzel klein und kurz,
Bis aus der -urze- wird ein -urz--.

Die Wühlmaus ohne Rast und Ruh
Nagt von dem -urz-- auch noch das u.
Der Rest ist schwer zu reimen jetzt,
Es bleibt zurück nur noch ein --rz--.
Nun steht dies --rz-- im Wald allein.
Die Wühlmäuse sind so gemein.

Fred Endrikat

Immer dasselbe

Die Raupe kriecht und frißt, spinnt sich zur Puppe ein,
Bald fliegt der Schmetterling im hellen Sonnenschein,
Nippt Blumenstaub und liebt, legt Eier auch indessen,
Und Raupen werden draus, zu kriechen und zu fressen —
So geht's in einem fort, schon seit den Schöpfungswochen:
Es wird ohn' Unterlaß gefressen und — gekrochen!

Ed. v. Bauernfeld

Was auch geschieht!

Was auch immer geschieht:
Nie dürft ihr so tief sinken,
Von dem Kakao, durch den man euch zieht,
Auch noch zu trinken!

Erich Kästner

Spielregeln

Bist du einer Nonne begegnet
Oder einem Schimmel?
Hat das Glück dich gesegnet,
Hölle oder Himmel?

Du hast in vielen Stunden
Dir ein System erdacht!
Hat's dir Gewinn gebracht?
Hast du das Rezept gefunden?

Jedes System scheint gut!
Wir brauchen Glauben und Mut.
Dennoch lenkt unsre Pfade
Durch das Chaos aus Hirn und Blut
Einzig das Glück und die Gnade.

Eric Singer

Hinz und Kunz

Hinz. Was doch die Großen Alles essen!
       Gar Vogelnester, eins zehn Taler wert.

Kunz. Was? Nester? Hab' ich doch gehört,
         Daß manche Land und Leute fressen.
Hinz. Kann sein! Kann sein Gevattersmann!
         Bei Nestern fingen die dann an.

Gotthold Ephraim Lessing

Pflicht des Gastes

Du bist auf dieser Welt nur Gast
Auf eine kurze Zahl von Tagen;
Wird dirs so schwer, dich also zu betragen,
Daß du nicht andern Gästen wirst zur Last?

Johannes Trojan

Conversation

Wer war die Schönste auf dem Balle?
Weß schöne Frau kam jüngst zu Falle?
Das beste Pferd in welchem Stalle?
Das meiste Geld in welcher Kralle? —
Die vorher schliefen, horchen Alle.

Carmen Sylva

Würd es mir fehlen, würd ich's vermissen

Heute früh, nach gut durchschlafener Nacht,
Bin ich wieder aufgewacht.
Ich setzte mich an den Frühstückstisch,
Der Kaffee war warm, die Semmel war frisch,
Ich habe die Morgenzeitung gelesen,
(Es sind wieder Avancements gewesen).

Ich trat ans Fenster, ich sah hinunter,
Es trabte wieder, es klingelte munter,
Eine Schürze (beim Schlächter) hing über dem Stuhle,
Kleine Mädchen gingen nach der Schule —
Alles war freundlich, alles war nett,
Aber wenn ich weitergeschlafen hätt'
Und tät von alledem nichts wissen,
Würd es mir fehlen, würd ich's vermissen?

Theodor Fontane

Frecher Bengel

Ich bin ein kleiner Junge,
Ich bin ein großer Lump.
Ich habe eine Zunge
Und keinen Strump.

Ihr braucht mir keinen schenken,
Dann reiß ich mir kein Loch,
Ihr könnt euch ruhig denken:
Jottedoch.

Ich denk von euch dasselbe.
Ich kuck euch durch den Lack.
Ich spuck euch durchs Gewölbe.
Pack!

Richard Dehmel

Die Welt ist nicht aus Brei und Mus geschaffen,
Deswegen haltet euch nicht wie Schlaraffen;
Harte Bissen gibt es zu kauen:
Wir müssen erwürgen oder sie verdauen.

Johann Wolfgang v. Goethe

Aus der Praxis

Dies ist nämlich das Problem:
Zwingst du deinen breiten Rücken,
Sich zu krümmen und zu bücken?
— Nützlich ist's, doch unbequem.

Oder, lieber Menschensohn:
Stemmst du dich mit deinem Rücken
Durch Obstakula und Tücken?
— Manchmal hast du was davon.

Oder aber, Numro drei:
Brauchst du den besagten Rücken,
Dich symbolisch auszudrücken?
— Wenn du's kannst, so bleib dabei.

Dr. Owlglaß

Tausendguldenkraut

Überdrüssig meiner Schulden
Will ich ein paar Tausend-Gulden-
Kräuter in den Garten pflanzen.
Jahr um Jahr will ich den ganzen
Guldenschatz zusammenlegen,
Kunst und Wissenschaften pflegen
Und zum Kummer meiner Erben
Einst als Kräuterkrösus sterben.

Karl Heinrich Waggerl

Leben ohne Eitelkeit

Sieh, mein Außenbild ist fügsam,
Sieh, mein Haben, so genügsam,
Achtet wohl des Gleichgewichts.
Hat es wenig, dankt für viel es,
Wahrt des Weges, Maßes, Zieles
Und Verzichts.

Doch mein Innensein verzichtet,
Eh es sich genügsam richtet,
Achtet nicht des Gleichgewichts.
Immer steig' es oder fall' es,
Hat es vieles, will es alles
Oder nichts.

Karl Kraus

Soll ich lachen, soll ich klagen,
Daß die Menschen meist so dumm sind,
Stets nur Fremdes wiedersagen
Und in Selbstgedachtem stumm sind.

Nein, den Schöpfer will ich preisen,
Daß die Welt so voll von Toren,
Denn sonst ginge ja der Weisen
Klugheit unbemerkt verloren!

Friedrich Bodenstedt

Volkslied

Nach dem Französischen

Auf ein Aprikosenblatt
Hatte ich an Eides statt
Diese Worte hingeschrieben:
Ewig werde ich dich lieben.

Da entstand ein kleiner Wind.
Wo die Worte jetzt wohl sind?

Manfred Hausmann

Die Gaunerzinke

Die stillste Straße komm ich her,
Im Schluchtenfluß die Otter schreit.
Mein Schnappsack ist dem Bund zu leer,
Gehöfte stehen Meilen weit.
Im Kotter saß ich gestern noch
Und tret ins Tor im Abendrot
Und weiß im Janker Loch um Loch
Und bitte nur ganz still um Brot.

Und dem, der hart mich weist ins Land,
Dem mal ich an die Wand ein Haus —
Und vor das Haus steil eine Hand;
Die Hand wächst übers Haus hinaus.
Hier, seht, hier bat — und bat nur stumm
— Nach mir, ihr Brüder — eine Hand.
Und Einer geht ums Haus herum
Und Einer setzt's einst nachts in Brand.

Theodor Kramer

Feierabend

Die Garben sind gebunden
Und Stroh zum Strick gewunden,
Das Vorhaus blank und rein.
Im Hof verhallt ein Hämmern,
Ein Alter hängt im Dämmern
Die Fliegenfenster ein.

Der Schmirgel stockt im Pfeifen
Und blank im Trog die Seifen,
Auf Borden trocknet Kram.
Die Magd, die nimmer scheuert,
Und oft ihr Lied beteuert,
Schöpft ab den weißen Rahm.

Die Nacht tritt ans Geländer,
Der grüne Kerzenständer
Rückt leuchtend auf den Tisch.
Zu Fleisch und süßen Fladen
Sind alle gern geladen
Und bitterem Gemisch.

Theodor Kramer

Ehedem getreu und fleißig

Ehedem, getreu und fleißig,
Tat er manchen tiefen Zug.
Erst nachdem er zweimal dreißig
Sprach er: Jetzo sei's genug.

Von den Taten, wohl vollbrungen,
Liebt das Alter auszuruhn,
Und nun ist es an den Jungen,
Gleichfalls ihre Pflicht zu tun.

Wilhelm Busch

Stimmt

Das Einmaleins und das Abc
Sind nichts als die Weisheit im Negligee.

Arno Holz

In ein Stammbuch

Trau keinem Freunde sonder Mängel,
Und lieb ein Mädchen, keinen Engel.

Gotthold Ephraim Lessing

Nicht artig

Man ist ja von Natur kein Engel,
Vielmehr ein Welt- und Menschenkind.
Und ringsumher ist ein Gedrängel
Von solchen, die dasselbe sind.

In diesem Reich geborner Flegel,
Wer könnte sich des Lebens freun,
Wird es versäumt, schon früh die Regel
Der Rücksicht kräftig einzubleun.

Es saust der Stock, es schwirrt die Rute.
Du darfst nicht zeigen, was du bist.
Wie schad, o Mensch, daß dir das Gute
Im Grunde so zuwider ist!

Wilhelm Busch

DA GIBT'S NICHTS ZU LACHEN

Nichts geschieht

Wenn wir sterben müssen,
Unsere Seele sich den Behörden entzieht,
Werden sich Liebende küssen;
Weil das Lebende trumpft.
Aber wenn nichts geschieht,
Bleibt das Leben nicht einmal stehn, sondern schrumpft.

Was heute mir ins Ohr klingt,
Ist nur, was Klage vorbringt.
Und was ich mit Augen seh
An schweigender Not, das tut weh.
Aller Frohsinn in uns ist verreist.

Und nichts geschieht. — Und der Zeiger kreist.

Joachim Ringelnatz

Kritik der Weltschöpfung

Wenn ich der liebe Herrgott wär',
Dann würde ich mich schämen
Und diese Welt verbessert neu
Zu schaffen mich bequemen.

Denn wahrlich, recht mißlungen scheint
Sie mir in manchem Teile,
Was mich durchaus nicht wunder nimmt,
Denk' ich der großen Eile,

In der Gott dies, sein E r s t l i n g s w e r k ,
Vollbracht in nur sechs Tagen,
Anstatt mit seiner Schöpfung sich
Noch manches Jahr zu plagen. —

Das Welterschaffen ist wohl schwer!
Drum, wenn ich's recht betrachte,
Muß ich gesteh'n, daß einzelnes
Gott nicht so übel machte.

Zu früh nur fand er alles gut
Mit selbstgefäll'ger Miene.
Nicht leugnen läßt sich sein T a l e n t ,
Ihm fehlte bloß R o u t i n e .

Maximilian Bern

Entstehungsgeschichte

Aus Tropfen an Tropfen entsteht ein Meer.
Aus Flinte an Flinte entsteht ein Heer.
Aus Schnuppe an Schnuppe entsteht ein Stern.
Aus Null an Null entsteht ein Konzern.

Aus Bogen an Bogen entsteht eine Brücke,
Aus Lücke an Lücke eine kahle Perücke.
Aus Welle an Welle besteht die Rotunde,
Aus Bauch an Bauch eine Stammtischrunde.

Aus Ei an Ei besteht ein Omelette.
Aus Bein an Bein entsteht ein Ballett.
Aus Traube an Traube entsteht der Wein,
Aus Kropf an Kropf ein Gesangverein.

Aus Wagen an Wagen entstehen Züge.
Aus Lüge an Lüge entstehen Kriege.
Aus Ton an Ton entsteht die Musik,
Aus Irrtum an Irrtum die Politik.

Aus Pfennig an Pfennig entstehen Taler,
Aus Säugling an Säugling die Steuerzahler.
Aus Schulden an Schulden entsteht die Pfändung,
Aus Schlager an Schlager die Radiosendung.

Aus Flocke an Flocke entsteht die Lawine.
Aus Loch an Loch entsteht die Gardine.
Aus Hammel an Hammel entsteht eine Herde.
Aus Zopf an Zopf entsteht die Behörde.

Fred Endrikat

Die Zeit fährt Auto

Die Städte wachsen. Und die Kurse steigen.
Wenn jemand Geld hat, hat er auch Kredit.
Die Konten reden. Die Bilanzen schweigen.
Die Menschen sperren aus. Die Menschen streiken.
Der Globus dreht sich. Und wir drehn uns mit.

Die Zeit fährt Auto. Doch kein Mensch kann lenken.
Das Leben fliegt wie ein Gehöft vorbei.
Minister sprechen oft vom Steuersenken.
Wer weiß, ob sie im Ernste daran denken?
Der Globus dreht sich und geht nicht entzwei.

Die Käufer kaufen. Und die Händler werben.
Das Geld kursiert, als sei das seine Pflicht.
Fabriken wachsen. Und Fabriken sterben.
Was gestern war, geht heute schon in Scherben.
Der Globus dreht sich. Doch man sieht es nicht.

Erich Kästner

Weltlauf

Hat man viel, so wird man bald
Noch viel mehr dazu bekommen.
Wer nur wenig hat, dem wird
Auch das Wenige genommen.

Wenn du aber gar nichts hast,
Ach, so lasse dich begraben —
Denn ein Recht zum Leben, Lump,
Haben nur, die etwas haben.

Heinrich Heine

Ideal und Wirklichkeit

In stiller Nacht und monogamen Betten
Denkst du dir aus, was dir am Leben fehlt.
Die Nerven knistern. Wenn wir das doch hätten,
Was uns, weil es nicht da ist, leise quält.
    Du präparierst dir im Gedankengange
    Das, was du willst — und nachher kriegst du's nie . . .
    Man möchte immer eine große Lange,
    Und dann bekommt man eine kleine Dicke —
        C'est la vie —!

Sie muß sich wie in einem Kugellager
In ihren Hüften biegen, groß und blond.
Ein Pfund zu wenig — und sie wäre mager,
Wer je in diesen Haaren sich gesonnt . . .
    Nachher erliegst du dem verfluchten Hange,
    Der Eile und der Phantasie.
    Man möchte immer eine große Lange,
    Und dann bekommt man eine kleine Dicke —
        Ssälawih —!

Man möchte eine helle Pfeife kaufen
Und kauft die dunkle — andere sind nicht da.
Man möchte jeden Morgen dauerlaufen
Und tut es nicht. Beinah . . . beinah . . .
    Wir dachten unter kaiserlichem Zwange
    An eine Republik . . . und nun ist's die!
    Man möchte immer eine große Lange,
    Und dann bekommt man eine kleine Dicke —
        Ssälawih —!

Kurt Tucholsky

Brigitte B.

Ein junges Mädchen kam nach Baden,
Brigitte B. war sie genannt,
Fand Stellung dort in einem Laden,
Wo sie gut angeschrieben stand.

Die Dame, schon ein wenig älter,
War dem Geschäfte zugetan,
Der Herr ein höherer Angestellter
Der königlichen Eisenbahn.

Die Dame sagt nun eines Tages,
Wie man zu Nacht gegessen hat:
Nimm dies Paket, mein Kind, und trag es
Zu der Baronin vor der Stadt.

Auf diesem Wege traf Brigitte
Jedoch ein Individuum,
Das hat an sie nur eine Bitte,
Wenn nicht, dann bringe er sich um.

Brigitte, völlig unerfahren,
Gab sich ihm mehr aus Mitleid hin.
Drauf ging er fort mit ihren Waren
Und ließ sie in der Lage drin.

Sie konnt es anfangs gar nicht fassen,
Dann lief sie heulend und gestand,
Daß sie sich hat verführen lassen,
Was die Madam begreiflich fand.

Daß aber dabei die Turnüre
Für die Baronin vor der Stadt
Gestohlen worden sei, das schnüre
Das Herz ihr ab, sie hab sie satt.

Brigitte warf sich vor ihr nieder,
Sie sei gewiß nicht mehr so dumm;
Den Abend aber schlief sie wieder
Bei ihrem Individuum.

Und als die Herrschaft dann um Pfingsten
Ausflog mit dem Gesangverein,
Lud sie ihn ohne die geringsten
Bedenken abends zu sich ein.

Sofort ließ er sich alles zeigen,
Den Schreibtisch und den Kassenschrank,
Macht die Papiere sich zu eigen
Und zollt ihr nicht mal mehr den Dank.

Brigitte, als sie nun gesehen,
Was ihr Geliebter angericht,
Entwich auf unhörbaren Zehen
Dem Ehepaar aus dem Gesicht.

Vorgestern hat man sie gefangen,
Es läßt sich nicht erzählen wo;
Dem Jüngling, der die Tat begangen,
Dem ging es gestern ebenso.

Frank Wedekind

Auferstehung

Im freundlichen Heiligen-Geist-Spital,
Da lagen im reinlichen Totensaal
Zwei Männer von Nummer Zehn und Sieben;
Die waren unter dem Messer geblieben,
Das ihnen die Gedärme zerstückt.
Die Operation war gut geglückt;
Ein schwieriger Eingriff ohnegleichen,
Wie's der Professor selbst gewußt.
Dann kam das Fieber, der Blutverlust —
Na, und jetzt waren's Leichen.

Der von Nummer Zehn war ein alter B a r o n ;
Trug noch um die bläulichen Lippen den Hohn,
Mit dem er der Welt von oben herab
Im Leben die Meinung zu wissen gab.
Die Nasenflügel blähten sich hohl,
Als röch' er im Tod noch das viele Karbol
Und misse peinlich in dieser Luft
Ein Spürchen französischen Fliederduft,
Mit dem, eh' er sich ins Himmelbett legte,
Ihn Konrad zu parfümieren pflegte.
Sein Bart war nicht mehr recht frisch in der Farbe;
Quer über dem Auge die Säbelnarbe,
Die, vom Rotspon begossen, so dunkel geblüht,
War eingesunken und abgeblüht.
Und an den Schläfen die Silberfädchen,
An denen die lustigen kleinen Mädchen
Ihn nach dem Souperchen so gerne gezupft,
Die waren vom kalten Schweiß betupft.
In sonsten lag ein seltsamer Frieden
Auf weißer Stirn. So schien er fast
In einer Gesellschaft, die sonst er gemieden,
Ein stiller, doch ein zufriedener Gast.
Nur an des Nachthemds gesticktem Kragen,
Wie's ziemt einem Enkel aus stolzem Stamm
Ruhmvoller Helden aus Kreuzzugstagen:
Die Krone über dem Monogramm! — — —

Auf dem Nachbarbett ein D i ä t a r ,
Dem sauber das Kinn gebunden war.
Die Hände ums Kruzifix gedreht,
Im Hemdlein, grob und oft genäht,
Die Beine unter dem Tuch, dem glatten,
Mager und schwunglos wie Eichenlatten.
Die Wangen gefallen, die Augen hohl,
So lag er da. Dem Ärmsten war wohl.
Er hatt' im Ringen nach Brot und Segen
Sein Lebtag nicht so ruhig gelegen
Und schien nach hartem und herbem Tun
Gewillt, sich in Ewigkeit auszuruh'n.
Und daß im dämmernden jungen Tag
Im Nebenbett ein Reichsfreiherr lag,
Das war ihm wirklich zum erstenmal
Total egal.

Die Uhr schlug acht. Auf den Korridoren
Begannen die Studios schon zu rumoren;
Mit dem alten Diener der Anatomie
Spaßten die künftigen Medici.
Noch fröhlich von gestrigen Gelagen,
Taten sie höchst verfängliche Fragen,
Kamen dann mit dem Alten herein
Und besahen gemütlich das stille Gebein;
Taten prüfend die Laken verschieben —
Einer war mager, und einer war fett;
Lagen so friedlich Bett an Bett
»Nummer Zehn« und »Nummer Sieben« . . .
Es kam der Professor: »Meine Herr'n,
Die Operation ist trefflich geglückt,
Auch war ich vom Heilverlaufe entzückt.
Sind beide gestorben. Da wüßte man gern,
Was in diesem Körper die Kräfte gemindert
Und die vorschriftsmäßige Heilung verhindert.«
So sprach der Treffliche ohnegleichen
Und ließ sich die zierlichen Messer reichen,
Mit denen in ihrer sterblichen Blöße
Die geistverlassenen Erdenklöße,
Bevor sie wieder fahren zur Erden,
Noch wissenschaftlich durchstöbert werden;
Auf daß man kann zu der Menschheit Segen
Mit neuen lateinischen Namen belegen,
Was noch zum Trotz aller Menschenlist
Seltsamerweise unheilbar ist.
Das Tote wird das Lebende lehren,
Kadaver-Weisheit, nicht zu umgeh'n —

So schnitten und spalteten Messer und Scheren
»Nummer Sieben« und »Nummer Zehn«.

Und als geöffnet der Diätar,
Erwies sich's, daß Krankheitsart und Gefahr
Zwar von der Wissenschaft nicht gebannt,
Doch vom Professor mit Scharfsinn erkannt.
»Der Schüttelfrost und die nächtlichen Schweiße,
So wahr ich ein Professor heiße,
Erscheinung des Recurrensspirills,
Und dann die bedeutende Schwellung der Milz —
Ein Stümper, wer diese Zeichen verkennt:
Am Hungertyphus starb der Patient!«
Mit diesen Worten bog sich zur Seite
Der Professor und legte die Eingeweide
Des sanft entschlafenen Diätars
(Ein schrumpflig ärmliches Päckchen war's)
In eine Schüssel mit sorglosen Händen,
Um dann sich zum Baron zu wenden.
Beim Schneiden hat er durch die Zähne gepfiffen:
»Die edlen Organe sind angegriffen.
Der Rotspon, der Sekt in offener Schale,
Die Café-Chantants und die Ball-Lokale,
Die Weiber raffiniertester Sorten,
Die Trüffelpasteten und schweren Importen,
Das Nächtedurchwachen, das Zechen und Lieben
Hat diesen Körper allmählich zerrieben,
Bis sehr begreiflicherweise zuletzt
Das Herz seine Tätigkeit ausgesetzt.«
Mit diesen Worten bog sich zur Seite
Der Professor und legte die Eingeweide
Des Reichsfreiherrn — ein Zufall war's —
Zu dem Leibesinhalt des Diätars.

So lag das Herz, das in Lust geglüht,
Von Sekt und prickelnden Weibern entfacht,
Dicht bei dem andern, das kummermüd:
Vom Huntertyphus zum Stillstand gebracht . . .
Und als dann kam der Totenschrein,
Da packten die Diener die beiden ein
Und gaben jedem unter dem Schnitt
Ein Päcklein Eingeweide mit,
Ohne zu prüfen erst hin und her,
Welches das Herz eines jeden wär';
Wenn nur ein jeder wieder gefüllt war
Und in die üblichen Tücher gehüllt war,

Und der Pfarrer sein Wörtlein sprach —
Keiner schaut ja im Brustkorb nach!

Der B a r o n fuhr Schnellpost zur H ö l l e ,
Weil er als leidiger Junggeselle
Oft in schlechten Häusern gewohnt
Und nur selten die Tugend geschont.
Dahingegen der D i ä t a r
Wandelt' auf Wegen sternenklar,
Mit der Engel Empfehlung versehen,
Über die h i m m l i s c h e n Wolkenhöhen.
Petrus grüßt mit dem Heil'genschein,
Trat zur Seite und ließ ihn herein. — — —
Seltsam, der Kömmling (es hieß, er sei schüchtern,
Äußerst moralisch und immer nüchtern!)
Wollt' Sankt Peter zu seinem Entsetzen
Irdische Mikoschwitze versetzen,
Schuf unter den Engeln ein großes Gequieks,
Und macht' der heil'gen Cäcilie »Kieks«.

Und als er die heil'ge Veronika
In frommer Erbauung wandeln sah,
Hat er ihr — ob ihr das glauben mögt —
Keck seinen Arm um die Taille gelegt
Und geflüstert: »Was soll nun das Zimpern und Zieren,
Kleine Krabbe, komm', geh'n wir soupieren!«
Petrus, als er den Schaden gewahrt,
Rauft sich wütend den silbernen Bart:
»Nein, wie soll ich des Schlüsselamts walten
Und hier oben die Ordnung halten,
Wenn da unter den Wolken die
In der Berliner Anatomie
Biedermännern, die aufersteh'n,
Durch Nachlässigkeit und übles Verseh'n,
Durch Schleuderarbeit und Übereilen
Das falsche Herz in den Brustkorb keilen!« — — —
Das hörte der Teufel und seufzte und sprach:
»Ach ja, Sankt Peter, das fühl' ich dir nach.
Bei mir zum Exempel ist jetzt ein Baron,
Der verdirbt in der Hölle den ganzen Ton.
Ich hatt' mich gefreut auf den lecker'n Braten;
Jetzt sitzt er da und gibt uns zu raten
Knackmandeln für Kinder und Rösselsprünge
Und andere ähnlich erbauliche Dinge,
Und erzählt Geschichten für groß und klein
Aus dem Evangelischen Jünglingsverein.«

Rudolf Presber

Kurzer Ruhm

Lisbeth stand als junge Dame
Schon für Sonnenöl Reklame
Und für Cremes und andres mehr.
Sich entsprechend zu entblößen,
Fiel ihr angesichts der Größen,
Die das auch tun, nicht sehr schwer.

Damit, wie nicht zu bestreiten,
Hatte Lisbeth sich beizeiten
Gut in Position gebracht.
Bald sah man sie ohne Hüllen
Ganze Titelseiten füllen,
Kurz: der Anfang war gemacht.

Daß sie dann in kleinern Rollen
Manchem Film mit ihren vollen
Formen erst Profil verlieh,
Nahm sie beinah schon gelassen.
Lisbeth, um sich anzupassen,
Nannte sich jetzt Leonie.

Und es lehrte ein Tragöde
Sie die Kunst der schönen Rede;
Denn sie sprach noch Dialekt.
— Wenn der nicht gewesen wäre,
Hätte man ja das Vulgäre
Längst nicht mehr an ihr entdeckt.

Denn bei einer Heroine
Hatte sie gelernt, die Miene
Zu verziehn je nach Geschmack.
Und sie trug zu ihren Kleidern,
Die nur von den ersten Schneidern,
Ausgesuchten Nagellack.

Zum Frisieren (das am Rande)
Fand sie keinen Hierzulande,
Dazu flog sie nach Paris.
Kurz und gut: Auf Ruhm versessen,
Hatte sie total vergessen,
Daß sie einmal Lisbeth hieß.

Als Idol von Millionen
(Die bedeutend schlichter wohnen)
Pries man fortan Leonie.

Und der Sinn fürs Schöne, Große
Wuchs durch sie ins Grenzenlose,
Alle wollten sein wie sie.

Die Pointe? Eben keine.
Eines Tags kam irgendeine
Andre ohne Feigenblatt.
Und die Welt war wie besessen.
Leonie war schnell vergessen,
Was sie nie verstanden hat.

Günther Böhme

Das Begräbnis

Hinter dunklen Wolkenbänken
Strahlt sich Sonnenlicht ins Weite.
Einen Krieger zu versenken,
Zieht ein schwarzes Grabgeleite.

Vornean die Musikanten,
Die das Unglück ausposaunen.
Kinder, Gaffer und Passanten,
Die mit off'nen Mäulern staunen.

Und das Lied vom Kameraden.
Hinter diesem eine Pause.
Hinter dieser ein Herr Krause
Mit des Toten Klempnerladen.

Hinter diesem die Gebeine,
Hinter diesen die Verwandten,
Hinter diesen die Vereine
Und die übrigen Bekannten.

Hinter allem ein Gelage,
Das sie alle noch mal eint,
Hinter diesem neunzig Tage,
Da die arme Witwe weint.

Hinter diesen eine Pause,
Aber keine lange nicht.
Hinter dieser jener Krause,
Der die Witwe ehelicht.

Vornean die Musikanten,
Die das Unglück ausposaunen,
Kinder, Gaffer und Passanten,
Die mit off'nen Mäulern staunen.

Werner Finck

Künstler-Grabschrift

Hier ruht jemand, dem das Leben
Beim beschwerdenreichen Wandern
Alles schuldig stets geblieben
Wie er andern.

Maximilian Bern

Park Monceau

Hier ist es hübsch. Hier kann ich ruhig träumen.
Hier bin ich Mensch — und nicht nur Zivilist.
Hier darf ich links gehn. Unter grünen Bäumen
Sagt keine Tafel, was verboten ist.

Ein dicker Kullerball liegt auf dem Rasen.
Ein Vogel zupft an einem hellen Blatt.
Ein kleiner Junge gräbt sich in der Nasen
Und freut sich, wenn er was gefunden hat.

Es prüfen vier Amerikanerinnen,
Ob Cook auch recht hat und hier Bäume stehn.
Paris von außen und Paris von innen:
Sie sehen nichts und müssen alles sehn.

Die Kinder lärmen auf den bunten Steinen.
Die Sonne scheint und glitzert auf ein Haus.
Ich sitze still und lasse mich bescheinen
Und ruh von meinem Vaterlande aus.

Kurt Tucholsky

Skat

Und als an das blaue Meer ich trat,
Da standen drei Männer drinnen,
Sie spielten während des Badens Skat,

Und einer schien zu gewinnen.
Der Skat dabei auf dem Wasser schwamm,
Mich aber dünkte das wundersam.

Und als ich kam in die Baumannshöhl',
Da fand ich wider Erwarten
Drei Männer unten, bei meiner Seel',
Dasitzend über den Karten.
Die reizten einander beim Grubenlicht —
Ich ging davon, mir gefiel das nicht.

Und als ich kam auf des Faulhorns Höh',
Wohl über Klippen und Grate,
Da fand ich drei Männer im ewigen Schnee,
Die saßen schon lange beim Skate.
Der eine gab schon zum hundertsten Mal —
Da floh ich schaudernd hinab ins Tal.

Es sitzen da im geheimen Rat
Drei strenge Richter der Toten.
Sie sollen's sein, doch sie spielen Skat,
Obgleich es Pluto verboten.
O sagt, wohin kann der Mensch noch gehn,
Um nicht drei Männer beim Skat zu seh'n?

Johannes Trojan

Aussicht auf Wandlung

Mein Dasein ist nicht unterkellert;
Wer schuf das Herz so quer?
Bei halber Laune trällert
Der Mund sein Lied vor mir her.

Ach Liebste, könntest du lesen
Und kämst einen Versbreit heran,
Da sähest du Wanst und Wesen
Für immer im Doppelgespann.

Ich halte der Affen zweie
In den knöchernen Käfig gesperrt;
Und ich teil die Salami der Treue
Mit ihm, der um Liebe plärrt.

O Herz, o Herz, wen verwunderts,
Daß du zerspringen mußt?

Der tragende Stich des Jahrhunderts
Geht hier durch die holzige Brust.

Hunger und Ruhe vergällt mir
Ein scheckiger Wendemahr!
Zu jeder Freude fällt mir
Die passende Asche aufs Haar.

Der Abend, der rote Indianer,
Raucht still sein Calumet.
Was scherts ihn, ob ein vertaner
Tag in der Pfeife zergeht ...

Sei, sei der Nacht willfährig!
Steig in den Hundefluß!
Jetzt kommt eine Wandlung, aus der ich
Als derselbe hervorgehen muß.

Peter Rühmkorf

Kompensationen

Ich liebe die deutsche Gründlichkeit,
Sie kann keinen Apfel essen,
Sie wisse denn, von welchem Baum
Sein Urkern fiel vordessen.
Sie denkt und denkt, doch bis sie sich
Das tiefe Wissen erworben —
Die Äpfel sind verfault seit lang,
Die Menschen sind gestorben.
»Doch« — spricht sie — »es ist besser so,
Daß die Schweine die Äpfel fressen,
Als daß wir sie selbst ohne Vorbedacht
Und ohne Nachbedacht essen.
Jetzt können wir unsern deutschen Schmerz
Doch klagen, und das ist lyrisch;
Doch zu genießen so gradezu,
So ohne Vernunft, ist tierisch.«
Schad' ist's, daß Adam kein Deutscher war,
Er hätte solang' nicht gebissen,
Bis er die Zähne verloren hätt' —
Wir würden von Not nichts wissen.
Drum lieb' ich die deutsche Gründlichkeit,
Die leider zu spät geboren;
Hat sie zu kurze Beine auch,
So hat sie doch lange Ohren.

Ludwig Pfau

Ein Muster-Exemplar

Mein alter Freund, der Rechnungsrat,
Ist doch der echte Bureaukrat!
Er brachte glücklich es so weit,
Daß er schon seit geraumer Zeit
Auch mit sich selber — wie man hört —
Nur »auf dem Dienstweg« noch verkehrt;
Und ist die Köchin mal gehässig,
Die Scheuerfrau nicht zuverlässig,
Das Kindermädchen liebestoll,
Vernimmt er sie zu Protokoll.
Sobald ein Rock ist auszuklopfen,
Ein Loch im Strumpfe ist zu stopfen,
Verfügt er's schriftlich jedesmal
Und bucht dies Schriftstück im »Journal«.
Die Gattin selbst, die treue, brave,
Belegte er mit Ordnungsstrafe;
Anträge, Bitten und dergleichen
Hat sie stets schriftlich einzureichen,
Und oft passiert es ihr hienieden,
Daß sie abschlägig wird beschieden. —
Wird einst der Rat gestorben sein,
Dann richtet er sich noch so ein,
Daß man ihn ja zu Grabe trage
An einem S o n n t a g - Nachmittage,
Damit die dienstfreien Kollegen
Kein Stündchen schwänzen seinetwegen.

Heinrich Schäffer

Verkleinert den Teufel nicht

Ich kann mich nicht bereden lassen,
Macht mir den Teufel nur nicht klein:
Ein Kerl, den alle Menschen hassen,
Der muß was sein!

Johann Wolfgang v. Goethe

Das Biest

In mannigfaltiger Gestalt
Treibt heimtückisch sein Wesen
Ein Ungetüm, von dem im B r e h m

Und Häckel nichts zu lesen.
Ganz harmlos ist es äußerlich,
Obwohl es reich an Mängeln;
Mit ihm verglichen, ähneln selbst
Die Raubtiere noch Engeln.
Oft scheint es zahm — doch trau' ihm nicht!
Denn — heuchelt es auch Treue,
Urplötzlich wieder überfällt
Es grundlos dich aufs neue.
Es freut sich, wenn dir was mißlingt,
Und hat Erfolg dein Streben,
Dann knurrt es, brächte gerne dich
Um jedes Glück im Leben;
Und gönnt dir nichts auf weiter Welt,
Nicht Ehre und nicht Habe —
Verfolgt geheim mit seinem Haß
Dich bis zu deinem Grabe.
Ja, selbst bei deinem Nekrolog
Wird oft sein Neid noch rege.
Das unheimliche Wesen heißt —
Recht treuherzig: Kollege.

Maximilian Bern

Der verkaufte Assessor

In Bozen war's, vorm »Schwarzen Greifen«,
Am Platze, wo Herr Walther steht,
Zur Zeit, da schon die Kirschen reifen,
So Mitte Mai — und abends spät.

Die grellen Bogenlampen strahlten,
Fahlgelb erschien der Mond vor Neid —
Die Gäste standen auf und zahlten,
Dieweil um zehn Uhr Schlafenszeit.

Nur einer schnippelt mit dem Messer
An seinem Käse noch herum,
Aus Luckenwalde, ein Assessor,
Und schaut ins Bierglas stier und stumm.

Und ihm zur Seite sitzt die Gattin —
Auch aus der Gegend, wie es scheint —
Erst ehegestern nämlich hatt' ihn
Des Himmels Segen ihr vereint.

Allein, kein taubenhaft Gebaren
Zeugt von so jungem Ehebund —
Sie sind ja Nacht und Tag gefahren,
Das bringt die Stimmung auf den Hund.

Ihn kann man etwas üppig finden,
I h r mangelt jeder Fülle Spur;
Es unterscheidet vorn und hinten
Nur wenig sich in der Kontur.

Die Augen grau, der Mund gewöhnlich,
Kinn flüchtig und die Nase breit,
Der ganze Stil höchst unpersönlich,
Von selbstbewußter Nichtigkeit.

Dagegen er! Ein Vollgermane,
Noch jeder Zoll ein Korpsstudent,
Der unentwegt hochhält die Fahne
Des, was man »höchste Güter« nennt.

Ein forscher Kerl mit sieben Schmissen
Und, bis aufs Fettherz kerngesund,
Der trotz enormen Hindernissen
Zwei Staatsexamina bestund!

Harmonisch floß bisher sein Leben
Wie ein Armeemarsch stramm dahin . . .
Nicht jeder Jüngling sieht so eben
Den Weg vor sich von Anbeginn.

Doch, ach, die Existenz hienieden
Fast nie ganz tadellos verläuft —
Auch des Assessors Seelenfrieden
Ward eines Tages jäh ersäuft.

Sein alter Herr, der stets solvente,
Stieß den bewährten Usus um
Und reduziert des Sohnes Rente
Urplötzlich auf ein Minimum.

Und da der Staat die Assessoren
Nicht standesmäßig unterhält,
Sah unser Freund sich wie verloren
In dieser rücksichtslosen Welt.

Welch Ausweg steht dem Manne offen,
Der pekuniär am Rande ist?

Nur von der Eh' ist 'was zu hoffen,
Zumal, wenn er von Stande ist.

So rettete der Freund auch balde
Mit kühnem Sprung sich in die Eh'.
Ein Fräulein, zart, aus Luckenwalde
Besaß das große Portemonnaie.

Vereinigt werden Herz und Hände,
Man kann wohl sagen: vom Fleck weg,
Des Schwiegersohnes Außenstände
Bereinigt durch des Vaters Scheck.

Die Sehnsucht nach dem Süden trieb sie;
Bis Bozen man, wie üblich, fuhr;
Postkarten viel mit Ansicht schrieb sie,
Er kneipte Bier teils, teils Natur.

Er saugt an seinem Weichselrohre
Und auch am fünften Glase schon,
Da flüstert sie an seinem Ohre:
»Nein, Otto, sieh bloß die Person!«

Er schaut — dort, wo die Schatten dunkeln
Um einen Oleanderstrauch,
Sieht er vier schwarze Augen funkeln,
Vernimmt ein ruchlos' Kichern auch.

Ein Mädel vom Ampezzotale,
In blütenweißem Faltenhemd
Und schwarzem Mieder, auf das schmale
Wieg'hüftlein keck die Faust gestemmt —

So kokettiert die kleine Schlange
Mit einem hübschen Leutenant;
Der streichelt ihr die braune Wange
Und löst ihr seid'nes Schürzenband.

Von ihrer Brust dem Schnurrbartträger
Die schönste Rose just sie reicht . . .
Wie tut ein flotter Kaiserjäger
Sich doch bei diesen Mädeln leicht!

Assessor Otto starrt erblassend,
Wie auf ein Schrecknis, auf dies Paar,
Und, die Zigarre ausgeh'n lassend,
Fährt er sich durch das Borstenhaar.

Wär's etwas länger nur gewesen,
Vor Wut hätt' er sich's ausgerauft:
Ein Mann, zum Höchsten auserlesen —
Und nun um schnödes Geld verkauft!

Wie duftete die blütenschwere,
Die südlich-süße Maiennacht!
Um ihn nur gähnt die öde Leere — —
Und dies ist seine Hochzeitsnacht!

Man muß doch seiner Pflicht genügen,
Ihn schaudert, wenn er nur dran denkt!
Vermutlich wird sie Kinder kriegen,
Soviel, als ihr der Himmel schenkt!

Das werden lauter Sauertöpfe,
Plattnasig wie die Frau Mama,
Philister, freudenarme Tröpfe,
Gleichwie ihr Krämer-Großpapa.

Indessen, auf der Eheleiter
Steigt er empor zur Exzellenz —
Und sie verknöchert immer weiter
Mit der ihr eig'nen Konsequenz.

Dafür hat man sich nun geschunden,
Dafür biereifrig stets gestrebt!
Die roten Adern unterbunden —
Mit zweiunddreißig ausgelebt!

War man zur Herrlichkeit geboren
Nicht auch wie jener Leutenant?
Zum Rosenbrechen nicht erkoren?
Den Erdengöttern nicht verwandt?

O heil'ger Brahma! Welch Entzücken,
In dieser Welschland-Üppigkeit
Ein süßes Weib ans Herz zu drücken,
Sei sie auch nur Bedienungsmaid!

Heiliger Bimbam! O wie woll't er ...
Da zupft die Gattin ihm am Rock:
»Hier, Otto!« ... Unterschreiben sollt' er
Der Ansichtskarten erstes Schock.

»Ach, bitte, schreib' nach Posemuckel
An Tante Jettchen einen Gruß —

Weißt du nicht mehr? Die mit dem Buckel
Und mit dem etwas kurzen Fuß.«

Er unterschreibt. Ein blöd' Getue.
Sie lächelt dumm, er lacht gequält.
Und dann begibt er sich zur Ruhe
Mit ihr, die er sich auserwählt.

Ernst von Wolzogen

Kleine Melancholie

Eine kleine Melancholie
Rutscht mir den Buckel runter.
Schon beim Aufstehn spür ich sie,
Bis mittags erreicht sie die Bauchpartie
Und hält die Verdauung munter.

Eine kleine Melancholie
Steigt mir in die Augen.
Bis zur Träne kommt es nie –
Weinen können wohl nur die,
Die zum Leben taugen.

Eine kleine Melancholie
Klingt mir in den Ohren.
Stört der Weise Harmonie –
Und doch bin ich ohne sie
Wie ein Takt verloren.

Eine kleine Melancholie
Klopft in meinem Herzen.
Bleicht das Blut zur Anämie –
Lebensflamme, leuchtest nie
Froh mit tausend Kerzen.

Eine kleine Melancholie
Schwingt in meinen Reimen.
Manchem Leser schmecken sie
Nach höherem Blödsinn und Anarchie,
Die auf meinem Pessimistbeet keimen.

Meine kleine Melancholie,
Bleib mir auf den Socken!
Sei mein Engel spät und früh,
Du weißt, ich bin kein Freudenvieh –
Ich brauche den saueren Brocken.

Albert Vigoleis Thelen

Der Schimmel

Ein Schimmel, knöchern, grau und schlapp,
Trug eine Akte auf dem Rücken
Und setzte sich mit ihr in Trab —
Aus freien und aus andern Stücken.

Ein alter Obersekretär
Entnahm sie einem Aktenschranke.
Schrieb was hinein. Dann brachte er
Die Akte zu Assessor Franke.

Assessor Franke nahm den Band.
Schrieb was hinein. Und gab ihn weiter.
So kam die Akte in die Hand
Zu Amtsgerichtsrat Dr. Schneider.

Herr Dr. Schneider war exakt.
Schrieb was hinein nach vierzehn Tagen.
Der Schimmel trug sodann den Akt
Zu Oberstaatsanwalt von Hagen.

Der fand darin ein langes Haar,
Und folglich Anlaß es zu spalten.
Der Akt hat das ein Vierteljahr
Auf beiden Seiten ausgehalten.

Er kam nun in ein Umlaufsfach.
Dann trug ihn ein Justizinspektor
Sofort zu Dr. Auerbach —
Das war der Landgerichtsdirektor.

Derselbe nahm ihn unverweilt
Zur Hand mit andern Aktenbänden.
Schrieb auf die letzte Seite: »Eilt!«
Und gab den Akt dem Präsidenten.

Der Präsident des Landgerichts,
Herr Dr. jur. Ernst Egon Günther,
Entschied, entschieden wird noch nichts.
Dann kam der Herbst. Dann kam der Winter.

Und als der Frühling wiederkam,
Erklang ein fröhliches Gewieher.
Der Schimmel, alt und grau und lahm,
Versetzte sich in Trab wie früher.

Er trug die Last des Aktenbands
Mit unbeweglichem Gesichte
Zur nächsten höheren Instanz —
Und zwar zum Oberlandgerichte.

Und Kompetenzen müssen sein.
Und jedermann hat Vorgesetzte.
Und jeder trägt noch was hinein.
Und keiner ist der völlig letzte.

Wohl kann es sein, daß diese Schrift
Zu guter Letzt auch den erreiche,
Den dieses Aktenstück betrifft.
Wahrscheinlich aber bloß als Leiche.

Der arme Mann stirbt hochbetagt
Ganz sicher zwischen zwei Instanzen.
Denn es ist Schimmeln untersagt,
Aus ihrem Trott herauszutanzen.

Hanns Max Hackenberger

Arthur der Spielverderber
oder
Die Ballade von der progressiven Ertüchtigung

Schon als ihn die Mutter um halb sieben weckte,
Hatte Arthur keine Lust zu gehn.
Auch das Brot mit Erdbeermarmelade schmeckte
Nicht wie sonst. Er ließ die Hälfte stehn.

Was ihn schreckte, war nicht eigentlich das Wandern
(Wer das glaubt, beurteilt Arthur schief),
Was ihn schreckte, war das Wandern mit den andern.
Arthur fürchtete das Kollektiv.

Seine Mutter aber nahm in solchen Fällen
Stets Partei für Schule oder Staat.
»Knaben«, sprach sie, »die sich dauernd abseits stellen,
Werden nie im Leben Aufsichtsrat.«

Und sie füllte Vaters alte Thermosflasche
Eigenhändig mit Kaffee-Ersatz.
Arthur steckte sie gehorsam in die Tasche
Und begab sich an den Sammelplatz.

Dort standen sie, die andern. Arthur sah von fern,
      wie sich die Schar
Der Klassenkameraden um Assessor Eisenreich gruppierte,
Der ihnen — was auf seinen Schulausflügen
      gang und gäbe war —
Das Galileische Gesetz vom freien Falle explizierte.

Das war sein Steckenpferd. Er hatte eine Schwäche
      für Physik,
Obwohl ihm eigentlich die Fächer »Turnen« und »Gesang«
      oblagen.
Die Klasse wußte dies und heuchelte
      mit Anstand und Geschick
Ihr ungeteiltes Interesse. Wenigstens an Wandertagen.

Als Arthur eintraf, fühlte sich Assessor Eisenreich
      gestört.
Besagter Schüler war sowohl am Barren als am Reck
      der Letzte.
Er konnte nicht einmal die Riesengrätsche —
      kurz, er war's nicht wert,
Daß man ihm die Geheimnisse der Schwerkraft
      auseinandersetzte.

Drum sprach er bloß
Ein wenig spitz:
»Sieh da, der Schüler Arthur gibt uns auch die Ehre?«
Die Kameraden lachten herzlich über diesen Witz.
Es schien, als ob der Schüler Arthur — ohne eig'nes Zutun —
      ungeheuer spaßig wäre —
Und dann ging's los.

Anfangs ging's per Bahn durch graue Häuserklüfte,
Bis zur Endstation der Linie Neun,
Wo Assessor Eisenreich den Kompaß prüfte —
Und dann ging es weiter querfeldein.

So gelangten sie zu ihrem Wanderziele.
Dieses war ein Denkmal und sowohl
Tummelplatz für vaterländische Gefühle
Als auch — wie so häufig — innen hohl.

Eine fünfzig Meter hohe Stufenleiter
Führte mitten durch die Erzfigur
Bis zum Busen, und für Schwindelfreie weiter
Über Hals und Kopf in die Frisur.

Als Erster stieg Assessor Eisenreich durch eine
     schmale Tür
Ins Innere und löste zwanzig Eintrittskarten an der Kasse.
Zu halbem Preis. Denn für Schulen gab's
     ermäßigte Gebühr.
Dann klomm er stiefelknarrend höher, dicht gefolgt
     von seiner Klasse.

Es roch nach feuchtem Keller. Auf der Treppe
     war es ziemlich dunkel.
Und Arthur, der mit seinem Schienbein stetig an die
     Stufen schlug,
Orientierte sich zur Not nach einem Pubertätsfurunkel,
Das der Kollege, welcher vor ihm kletterte, im Nacken trug.

Doch schließlich war's geschafft, und alle zwanzig
     Schüler standen oben
Und blickten aus der Riesendame aufgeriss'nem
     Bronzemund,
Sowie aus Auge, Ohr und Nase, um die schöne Sicht
     zu loben
Und tief zu atmen. Denn das war in dieser Höhe so gesund.

Plötzlich verkündete Eisenreich:
»Wer von euch
Den Mut hat, hinunterzuspringen,
Bekommt eine Eins in Turnen und Singen . . .«

Herzen klopften hörbar durch die Stille,
Und der Primus legte seine Brille
Sehr behutsam in das Futteral
Und erklärte: »Ich probier's einmal!«

»Bravo«, sagte Eisenreich und drückte
Ihm die Hände voller Überschwang.
»Endlich einer, der den inner'n Schweinehund besiegte . . .«
Und der Primus wurde rot vor Stolz
Und sprang.

Alle konnten sehen, wie der Klassenerste
Fünfzig Meter frei zur Erde fiel.
Der Assessor sprach: »Der Anfang ist das schwerste.
Weiter unten ist's ein Kinderspiel.«

Denn — so fuhr er fort — je tiefer einer falle,
Desto höher die Geschwindigkeit.
Das beruhigte sie. Drum sprangen schließlich alle,
Und der Lehrer stoppte ihre Zeit.

Zehn der Kameraden waren schon gestartet,
Und der nächste würde Arthur sein.
Aber Arthur machte völlig unerwartet
Schwierigkeiten. Arthur sagte »Nein«.

»Spielverderber«, schrie'n die übrigen und schwangen
Sich ins Leere. Einzeln. Stück für Stück.
Arthur schaute zu, wie die Kollegen sprangen,
Hielt sich aber seinerseits zurück.

Und er stieg die fünfzig Meter hohe Leiter
Abwärts, bis er sicher'n Halt gewann —
Und er kam — zwar als verhaßter Außenseiter —
Doch mit heilen Gliedern unten an.

Laßt uns die Ballade noch präziser fassen,
Daß sie ja kein Pädagoge übelnimmt:
Möglich, daß es keine Lehrer gibt, die Knaben
    springen lassen.
Aber Knaben, die gegeb'nenfalles sprängen,
    gibt's bestimmt.

Martin Morlock

Ein Becher Wasser

Sonntags geht Gugummer gerne
In dem Atlas auf die Reise.
Doch Venedig lockt ihn nicht,
Wie so viele, massenweise.

Nein, er hat auf seiner Karte
Eine Wüste aufgeschlagen,
Um dort seines Leibes Last
Lang und stumm dahinzutragen.

Während er im Sande zieht,
Sehr vergleichbar dem Kamele,
Schmilzt sein Leib. Hingegen brennt
Reiner, geistiger die Seele.

Endlich, und schon am Verschmachten,
Sieht er die Oase winken.
Und nun weiß er, was es heißt:
Einen Becher Wasser trinken.

Josef Guggenmos

Duelle

Zwei O c h s e n disputierten sich
Auf einem Hofe fürchterlich.
Sie waren beide zornigen Blutes,
Und in der Hitze des Disputes
Hat einer von ihnen, zornentbrannt,
Den andern einen E s e l genannt.
Da »Esel« ein Tusch ist bei den Ochsen,
So mußten die beiden John Bulle sich boxen.

Auf selbigem Hofe zur selbigen Zeit
Gerieten auch zwei E s e l in Streit,
Und heftig stritten die beiden Langohren,
Bis einer so sehr die Geduld verloren,
Daß er ein wildes I-A ausstieß
Und den andern einen O c h s e n hieß!
Ihr wißt, ein Esel fühlt sich tuschiert,
Wenn man ihn Ochse tituliert.

Ein Zweikampf folgte, die beiden stießen
Sich mit den Köpfen, mit den Füßen
Gaben sich manchen Tritt in den Podex,
Wie es gebietet der Ehre Kodex.

Und die Moral? Ich glaub', es gibt Fälle,
Wo unvermeidlich sind die Duelle;
Es muß sich schlagen der Student,
Den man einen dummen Jungen nennt.

Heinrich Heine

Gegen Verführung

1

Laßt euch nicht verführen!
Es gibt keine Wiederkehr.
Der Tag steht in den Türen;
Ihr könnt schon Nachtwind spüren:
Es kommt kein Morgen mehr.

2

Laßt euch nicht betrügen
Daß Leben wenig ist.
Schlürft es in schnellen Zügen!

Es wird euch nicht genügen
Wenn ihr es lassen müßt!

3

Laßt euch nicht vertrösten!
Ihr habt nicht zu viel Zeit!
Laßt Moder den Erlösten!
Das Leben ist am größten:
Es steht nicht mehr bereit.

4

Laßt euch nicht verführen
Zu Fron und Ausgezehr!
Was kann euch Angst noch rühren?
Ihr sterbt mit allen Tieren
Und es kommt nichts nachher.

Bertold Brecht

Der folgsame Heini

Da nahm ich meinen Becher
Und warf ihn in die Flut.
Da hatt ich keinen Becher mehr,
Sie sagten, so wär's gut.

Da ließ ich meine Liebe
Und machte alles schlecht.
Da hatt ich nichts zu lieben mehr,
Sie sagten, so wär's recht.

Da trollt ich mich nach Hause
Und schlug dort alles klein.
Da hatt ich auch kein Obdach mehr,
Sie sagten, so wär's fein.

Da soff ich sechzehn Pullen,
Neugierig, was geschah.
Da war ich kaum zu halten mehr,
Da riefen sie: Hurra!

Da griff ich zum Revolver,
Da hat's denn auch gekracht.
Da war ich tot. Da sagten sie:
Wer hätte das gedacht!

Martin Kessel

Kleine Nachtmusik

Der laute Tag ging längst zu Bette.
In sich versunken schweigt die Nacht.
Nur eine ferne Klarinette
Ist drüben überm Fluß erwacht.

Die Töne kommen und verwehen,
Bescheiden, sanft und anspruchslos.
Sie hat's auf niemand abgesehen
Und plaudert mit sich selber bloß.

Jetzt dehnt sie trällernd ihre Glieder;
Wie Silber glänzt's im Mondenschein.
Jetzt klagt sie und nun stutzt sie wieder
Und kichert leis in sich hinein.

Und Lust und Lachen, Leid und Tränen
Und grimmer Ernst und Spaß und Hohn
Entgleiten ihr gleich bunten Kähnen
Und schwimmen durch die Nacht davon.

Der Schrei »O daß ich Flügel hätte«
Quillt aus der Orgel Riesenschoß
Wie aus der schlichten Klarinette ...
Ach, was ist klein und was ist groß?

                              Dr. Owlglaß

Reisebekanntschaft

Gestern warst du noch Herr Schmidt für mich,
— Eine Nummer aus der Badeliste.

Heute aber lieb ich dich.

Als ich dich zum ersten Male küßte,
Wars, um einen anderen zu grüßen,
Dafür aber muß ich büßen,
Und zur Strafe lieb ich dich.

Gestern warst du mir ein Irgendwer,
Gestern morgen noch. Das waren Zeiten ...!
Heut sind ohne dich Musik und Meer,
Wein und Landschaft Überflüssigkeiten.

Lohnt sich das, nichts andres mehr zu denken?
Frühstück, Mittag, Abendessen: Du.
— Schwindel ist's, daß w i r das Herz verschenken.
U n s verschenkt es. Und wir sehen zu.

Wärst du wieder nur Herr Schmidt für mich!
(›Viel zu dick. Kein Typ. Kommt nicht in Frage.‹)
Aus. Vorbei. Nun quäl ich mich und frage:
Warum, bitte, lieb ich dich?

Morgen muß ich d o c h in Kottbus sein.
Wieder wird das Kursbuch Schicksal spielen.
Und ich fahr mit scheußlichen Gefühlen
Ohne dich in meine Welt hinein.

Mascha Kaléko

Löwenmacher

Drei Brahmanensöhne gingen,
Wohl geschickt in allen Dingen,
Wandernd in die weite Welt.
Sie gedachten vieles Geld
Dort, vermöge ihrer Kunst,
Ehrenstellen, Fürstengunst,
Ruhm und Beifall zu erlangen
Und dereinst im Glück zu prangen.

Was im Kopf nur wollte haften
Von geheimen Wissenschaften,
Hatten alles sie gelernt,
Jahrelang der Welt entfernt.
In der schwarzen Kunst Bereich
Tat es ihnen keiner gleich,
Und was war und was gewesen,
Alles hatten sie gelesen.

Eines Tags mit schnellen Tritten
Kam ein Wandersmann geschritten,
Schloß sich diesen dreien an.
»Sprich, wer bist du, fremder Mann?«
Dieser gab das Wort zurück:
»Fürstengunst und Ruhm und Glück
In der Welt mir zu gewinnen,
Zieh ich aus mit leichten Sinnen!«

»Sprich, was lerntest du, was weißt du?
Welcher Künste Meister heißt du?«
»Lernen tat ich nichts, ihr Herrn!
Ich vertraue meinem Stern.
Ich bin pfiffig und gewandt,
Und gesund ist mein Verstand.
Das genügt bei allen Sachen,
Um damit sein Glück zu machen!«

»Ach, umsonst ist all dein Streben!
Dafür wird kein Mensch was geben!
Wandre nur in guter Ruh
Wieder deiner Heimat zu!
Aber wir — wir sind gelehrt!
Uns're Kunst ist Goldes wert!
Der Verstand ist das Gemeine,
Doch Gelehrsamkeit das Feine!«

Als sie eben so gesprochen,
Fanden eines Löwen Knochen
Sie am Wege rings verstreut,
Und der eine rief erfreut:
»Ha, nun zeiget diesem Mann,
Was ein jeder von uns kann!
Ward uns doch die Kunst gegeben,
Diesen Löwen zu beleben!«

Und die Knochen nahm der eine,
Legte sorgsam Bein zu Beine,
Und der zweite fügte dann
Fleisch und Fell behutsam an.
Doch der dritte sprach: »Nun seht,
Was ein weiser Mann versteht!
Jetzt will ich in seine Nasen
Den lebend'gen Odem blasen!«

Doch der Fremde rief: »Ihr wißt es,
Denkt daran, ein Löwe ist es!
Glaubet mir, er frißt euch auf!«
Doch der dritte schrie darauf:
»Meinest du, der Weisheit Kraft
Und die Kunst der Wissenschaft
Soll in meinen Händen schlafen,
Da wir es so günstig trafen?!«

»Ach, entschuldigt«, sprach der vierte,
»Wenn ich ungelehrsam irrte.

Gebt mir eines Weilchens Raum,
Bis ich stieg auf jenen Baum!«
Als er saß auf sich'rem Ast,
Rief der dritte: »Aufgepaßt!
Jetzt wird meine Kunst das Leben
Diesem toten Löwen geben!«

Hei! wie sich das Untier reckte
Und die mächt'gen Glieder streckte,
Mit dem Schweif die Flanken schlug
Und so stolz die Mähne trug!
Brüllte darauf grauenhaft,
Schlug mit seiner Pranken Kraft
Alle drei zu Boden nieder
Und verzehrte ihre Glieder. —

Als der Löwe fortgegangen,
Stieg der Fremde ohne Bangen
Von dem sicher'n Ast herab,
Griff zu seinem Wanderstab,
Sprach: »Zwar bin ich ungelehrt,
Doch Verstand ist auch was wert!
Hätt' ich solche Kunst besessen,
Wär' auch ich mit aufgefressen!«

Heinrich Seidel

Ganz vergebliches Gelächter

Eines Tages fällt ihm plötzlich auf,
Daß er seit drei Jahren nicht mehr lachte.
Und nun prüft er seinen Lebenslauf,
Was er denn inzwischen machte ...

Manchmal, weiß er noch, war alles Sünde.
Manchmal hat er wie ein Vieh geflucht.
Manchmal suchte er für alles Gründe,
Wie man Kragenknöpfe sucht.

Doch nun will er lustig sein und lachen!
Früher hat er das ganz gut gebracht.
Und er wird es jetzt wie früher machen,
Und er stellt sich hin — und lacht.

Ach, es ist ein schreckliches Gelächter!
Er erschrickt und wird schnell wieder stumm.
Warum, fragt er sich, klang es nicht echter?
Und er weiß es nicht, warum.

Und er geht dorthin, wo viele sitzen,
Weil er hofft, er würde dann wie sie.
Und sie freuen sich an tausend Witzen.
Nur er selber lächelt nie.

Er beschließt, sich einmal zu vergeuden,
Doch da spürt er, angesichts der Stadt,
Daß er mit der Freude und den Freuden
So etwas wie Mitleid hat.

Dieser falsche Hochmut drückt ihn nieder,
Und er sagt zu seiner Seele: Prost!
Nicht mehr froh zu sein und noch nicht wieder —
Dafür weiß er keinen Trost.

Schließlich springt er auf den Autobus
Und fährt blindlings in die späte Nacht.
Und er ahnt, daß er noch warten muß,
Bis er ganz von selber wieder lacht ...

Erich Kästner

Ein seltener Fall

Und so kam ich auch schließlich nach Buffalo.
Und der Regen, der Regen, der fiel.
Und ich sah keine Schwalbe — nirgendwo.
Und John Maynard, der schlummerte irgendwo.
Und ich fühlte mich wie im Exil.

Und ich fuhr mit dem Bus, um die Fälle zu sehn,
Wie ein Mann mit Charakter hinaus.
Und ich fror unterm Hute und fror an den Zehn.
Wo ich saß, sah ich still eine Pfütze entstehn.
Und ich zollte mir heimlich Applaus.

Und dann trat ich betreten hinaus in den Fall
Des Regens, der immer noch fiel.
Und es wässerte reichlich und überall.
Und so troff ich betroffen von Fall zu Fall
Als ein deutsches Gewissensfossil.

Und dann war ich allein mit dem großen Fall.
Und das war wohl ein seltener Fall.
Ich stand stumm, und er machte großen Krawall,
Und er schalt und er scholl ohne Intervall
Und mit wirklichem Wogenprall.

Und es brauste sein Ruf wie Donnerhall.
Und da stand ich beileibe stramm.
Doch dann sah ich: es war nur ein Wasserfall
Und ich selber, betroffen und naß überall,
Ein frommes
Und dommes
Lamm.

Rudolf Hagelstange

Gewisse Patrioten

Ihr meint, das Gute hättet ihr allein,
Und seht am Nachbarn nur Gebrechen?
Die Tugenden sind aller Welt gemein,
Nationen scheiden sich durch ihre Schwächen.

Paul Heyse

Der dumme August

Da trabt nun die Herde
Der stolzesten Pferde,
Geschmückt mit Glöckchen und Busch!
Man sieht sie grad eben
Zum Ausgange streben,
Ein letzter und festlicher Tusch!
Des Schulleiters silberne Peitsche knallt,
Die Pferde verschwinden, der Beifall schallt,
Nun ist die Manege ganz leer.
Doch halt — wer kommt hinterher?

Der kleine Mann muß hinterher den Mist auskehren,
Den Mist, den die andern gemacht.
Er schippt ihn fort, er tut es ohne Aufbegehren,
Ich weiß nicht, warum man da lacht?
Die Pferde dieser Welt, die sich im Lichte wiegen,
Mal gehn sie fort und lassen ihre Äppel liegen . . .
Der kleine Mann muß hinterher den Mist auskehren,
Er tut's. Es ist halt seine Pflicht.
Nur bitte schön: er muß sich gegen Eines wehren:
Der »dumme August«? — Nein, das ist er nicht!

Im Zirkus der Welt
Ist es ähnlich bestellt,
Da stehn Herren im Scheinwerferschein,

Die stehlen die Seelen,
Krakeelen, befehlen
Und glauben bald, Götter zu sein!
Das Volk ist für sie zum Bedienen da, –
Und eines Tags stehn die Ruinen da ...
Der Zirkus zerbrochen und leer.
Doch halt – wer kommt hinterher?

Der kleine Mann muß hinterher den Mist auskehren,
Den Mist, den die andern gemacht.
Er schippt ihn fort, er tut es ohne Aufbegehren,
Er hatte sich das schon gedacht.
Die Großen dieser Welt, die sich im Lichte wiegen,
Mal gehn sie fort und lassen – üble Sachen liegen.
Der kleine Mann muß hinterher den Mist auskehren
Und ahnt dabei schon den nächsten Zimt.
Verdammt nochmal, man muß sich doch dagegen wehren,
Daß man uns nur als dummen August nimmt!

Günter Neumann

Idealisten

Das sind die idealen Kämpfer,
Die sich in Ämtern und Partei'n
Trotz hundertfach empfang'ner Dämpfer
Dem Volkswohl ehrenamtlich weih'n.
Die, ohne Freuden sich zu gönnen,
Für Andre schuften ohne Ruh'n,
Die klug genug sind, es zu k ö n n e n ,
Und dumm genug sind, es zu t u n !

Richard Bars

Mädchens Klage

(Dem Wohnungsamt gewidmet)

Wir wohnen Hinterhaus. Im vierten Stock.
Ich kriege schon die ersten Achselhaare.
Mein Bruder will mir manchmal untern Rock.
Und nächsten Juli bin ich vierzehn Jahre.

Wir haben bloß ein Zimmer, wo wir schlafen,
Und trotzdem einen fest möblierten Herrn.
Der ähnelt sonntags einem schönen Grafen.
Und gibt mir Geld. Da tut man manches gern.

Herr Lehrer Günther könnte mir gefallen.
Beim Turnen zieh ich drunter nicht viel an.
Erst gestern sagte er den andern allen,
Wie gut ich mit den Keulen schwingen kann . . .

Wenn wir Herrn Günther bei uns wohnen hätten!
Geld oder sowas nähm ich von ihm keins.
Wir lägen nachts fast in denselben Betten,
Und Ostern kriegte ich in »Sittlichkeit« die Eins!

Wenn ich bei uns zuhaus am Fenster sitze
Und auf die Straße sehe, ist das weit!
Da spuck ich dann nach der Laternenspitze.
Und wenn mein Bruder mitspuckt, gibt es Streit.

Wenn niemand da ist, hab ich meine Ruh
Und lese in der Bibel von der Liebe.
Vorgestern kam die Mutter grad dazu.
Sie fragte diesmal gar nicht, was ich triebe.
Mitunter fragt sie nämlich, was ich tu.
Dann setzt es Hiebe.

Erich Kästner

Der Fragebogen

Neulich kriegt ich einen großen Bogen
Mit vielen Fragen, etwa hundertsechs,
Antwort sollt' ich geben ungelogen,
Na, ich muß gesteh'n, ich war perplex.

Alles sollt ich sauber registrieren,
Einunddreißig Spalten waren da,
Und zunächst wollte man konstatieren,
Ob ich überhaupt geboren war.

Obenan war Raum für die Adresse,
Die zuerst genau man wissen wollt',
Weil es läg im höheren Int'resse,
Daß ich richtig Steuern zahlen sollt.

Ob beweibt ich, ob ich solo lebe,
Und wenn ja, wer meine Ehefrau,
Doch wenn nein, warum es so was gäbe,
Antwort geben sollte ich genau.

Ferner müßt' ich meine Kinder zählen,
Registrieren sie von eins bis zehn,

Und es dürfe auch nicht eines fehlen,
Also keins mir durch die Lappen gehn.

Ob geboren ehelich sie alle,
Oder ob schon vorher eines da,
Und ob ich in dem besagten Falle
Alimente zahl', nein oder ja.

Schreiben soll ich, ob die Tante Klara
Was geerbt hat oder in Pension,
Und ob unsre gute alte Oma
Ihren Weisheitszahn bekommen schon.

Welche Zeitung ich bisher gelesen,
Ob die Schul' ich öfter mal versäumt,
Ob ich hier und dort dabei gewesen,
Und was gestern nacht ich hab' geträumt.

Eine Frag' vermißte ich im stillen,
Nämlich die: Woher die Zeit man nimmt,
Diesen ganzen Unfug auszufüllen,
Dazu ist der Nachtrag wohl bestimmt.

Als erledigt ich den Fragebogen,
War ich selbst erledigt und marod,
Bin ins Sanatorium drum gezogen,
Und am andern Morgen war ich tot.

Karl Müller-Hausen

Gegen Aufregung

Wen Briefe ärgern, die er kriegt,
Dem sei, auf daß sein Zorn verfliegt,
Genannt ein Mittel, höchst probat,
Das manchem schon geholfen hat.
Er suche sich aus alten Akten
Die schon erledigt weggepackten
Droh-, Schmäh-, Mahn-, Haß- und Liebesbriefe,
Die schliefen in Vergessenstiefe:
Beschwichtigt alles und berichtigt,
Entzichtigt, nichtigt und entwichtigt!
So wird die Zeit mit dem bald fertig,
Was gegen-, vielmehr widerwärtig.
Ad acta wirst auch du gelegt
Samt allem, was dich aufgeregt.

Eugen Roth

Europa!

Als Zeus Europen lieb gewann,
Nahm er, die Schöne zu besiegen,
Verschiedene Gestalten an,
Verschieden ihr verschiedlich anzuliegen.
Als Gott zuerst erschien er ihr,
Dann als ein Mann, und endlich als ein Tier.
Umsonst legt er als Gott den Himmel ihr zu Füßen:
Stolz fliehet sie vor seinen Küssen.
Umsonst fleht er als Mann im schmeichelhaften Ton,
Verachtung war der Liebe Lohn.
Zuletzt — mein schön Geschlecht, gesagt zu deinen Ehren! —
Ließ sie — von wem? — vom Bullen sich betören!

Gotthold Ephraim Lessing
Berlinische Zeitung 1751

Zwei Gänse

Zur weißen Gans sprach einst vertraulich eine graue:
»Laß uns spazieren geh'n nach jener grünen Aue,
Dort tun wir beide uns im jungen Grase gütlich,
Denn in Gesellschaft gackt es sich doch gar gemütlich.«

»Nein«, sprach die weiße Gans, »da muß ich refüsieren,
Mit meinesgleichen nur geh' ich am Tag spazieren;
Vertraulichkeit mit dir gereichte mir zur Schande,
Zwar bin ich eine Gans, doch eine Gans von Stande.«

Julius Sturm

Ochsen

Ochsen muß man treiben,
Oder sie bleiben
Stehn.
Gehn
Tun sie durch Dünn und Dick,
Aber niemals zurück.

Nicht gebären, nicht zeugen,
Immer ins Joch sich beugen,
Ziehn — — —
Wenn sie den Schwanz nicht hätten,
Den gerösteten fetten —
Preisen wir ihn!

Manchmal möchte man weinen,
Sieht man einen
Davon.
So etwa, könnte man meinen,
Wäre der Fortschritt im Kleinen
Und in Person.

Rudolf Hagelstange

Was es alles für Küsse gibt:

Der heilsame Kuß, der Medikus,
Der schallende, der Musikus,
Der schlaue, der Pfiffikus,
Der geschäftliche, der Praktikus,
Der flüchtige, der Luftikus,
Der klassische, der Ibykus,
Der ulkige, der Jokus,
Der würzige, der Krokus,
Der biblische, der Markus,
Der schwindelhafte, der Hokuspokus,
Der knallige, der Kanonikus,
Der geheimnisvolle, der Mystikus,
Der unheimliche, der Orkus,
Der schwungvolle, der Diskus,
Der nationale, der Fridericus,
Der unersättlichste aller Küsse — — der Fiskus!

Ernst Warlitz

Die Geschichte, das Geschichte

Die Ober-, die Unter-, die Zwischenschicht,
Die haben sich, wie man berichtet,
Total ineinander verschichtet.
Die Unterschicht schichtet sich aufwärts von unten
Quer über die Oberschicht. Die liegt dann drunten.
Doch ist es so einfach mitnichten
Mit diesen verschiedenen Schichten.

Die obere Schichtung der unteren Schicht
Und die untere Schichtung der oberen Schicht,
Die schichten sich zwischen die Zwischenschicht —
Die obersten haben sich weiter nach oben,
Die untersten tiefer nach unten verschoben.

Um die Sache noch mehr zu verwischen,
Liegt die Zwischenschicht nicht mehr dazwischen.

Die Ober-, die Unter-, die Zwischenschicht,
Die haben, so wie man berichtet,
Den Streit bis zur Zeit nicht geschlichtet.

Prost Mahlzeit —
Es wird Tag und Nacht weitergeschichtet!

Robert Gilbert

Ausgepfiffen

Das Leben ist eine Komödie
Und geht oft über den Spaß
Und gleicht dann jener Tragödie,
In der einer den andern fraß.

Und wenn wir's auch nicht wollen,
Wir kommen doch alle drin vor
Und spielen die nötigen Rollen
Vom Jean bis zum Heldentenor.

Und wer mit seiner Visage
Am besten zu jammern gelernt,
Erhält die nobelste Gage
Und wird auch mitunter besternt.

Ich studierte mir manche Falte
Und trat vor das volle Haus,
Doch blieb ich immer der Alte —
Drum pfiff mich das Publikum aus.

Arno Holz

Am Radio

Dann steh ich endlich auf in der Nacht,
Da ist's doch manchmal still,
Denn am Tag ist's immer wie in der Schlacht,
Und man mordet sich bloß mit Gebrüll.
Und ich dreh und wünsch, daß aus dem Loch
Eine Amsel schluchzend klagt,

Und daß eine helle Stimm' mir noch
Ein bißchen Mut hinsagt.
Doch es stelzt bloß Lüge, Hohn und Spott,
Und die Musik krächzt sehr laut,
Und ich such nach der Stimme vom lieben Gott
Oder bloß einer kleinen Braut.
Doch kein Vater sucht den verlornen Sohn,
Und mich ruft kein fremder Stern.
Und des Herzens letzte Station
Wird nie einen Engel hörn.

Jakob Haringer

Prokops Ausweg

Prokop mietet einen schönen armen
Gigolo, der hüftwärts leicht gerundet,
Und den Anschein jenes sportlich-warmen
Einschlags bietet, wie er Prokop mundet.

Will nun Prokop Mädchen Lyrik bringen,
Wird der Gigolo vorausgesendet,
Und er muß das Mädchen zart umschlingen.
Prokop klopft und öffnet — starrt geblendet —

Redet schnell sich ein, man nebenbühle —
Stöhnt, weil sich auf ihn das Unglück häufelt —
Lächelt müd — gelobt von heut an Kühle —
Lehnt sich dann ans Haustor und verzweifelt.

So vergißt er gern, und stets aufs neue,
Daß doch jener nur ein Angestellter,
Und der Gigolo dient ihm in Treue
Und bezieht die höchsten Zugehälter.

Peter Hammerschlag

Wirklich, er war unentbehrlich!
Überall, wo was geschah
Zu dem Wohle der Gemeinde,
Er war tätig, er war da.

Schützenfest, Kasinobälle,
Pferderennen, Preisgericht,
Liedertafel, Spritzenprobe,
Ohne ihn da ging es nicht.

Ohne ihn war nichts zu machen.
Keine Stunde hatt' er frei.
Gestern, als sie ihn begruben,
War er richtig auch dabei.

Wilhelm Busch

Die Zeit

Die Tage entfliehn: Es wird angst dir und bang.
Im Glück sind sie kurz und im Kummer lang.
Die Zeit, die da eilt, teilt und heilt hienieden,
Ist selten mit sich mal so recht zufrieden.

Wer Zeit spart, verknappt sie. — Und treibt die Zeit,
Vertreibe sie wieder mit Zeitvertreib.
Zur rechten Zeit sei sie ein Retter in Not . . .
Zur Unzeit, da schlage die Zeit lieber tot!

Werner Vieth

Dichter

Schon als Knabe stellte er
Wunderschöne Verse her,
Die sehr viel zu sagen schienen,
Denn es lag Geduld in ihnen.
Mit der Zeit lernt' er den Frauen
Zärtlich in die Augen schauen;
Mit der Gunst, die er erwarb,
Manches Schöne in ihm starb.
Ruhm in jungen Jahren kann
Lüstern machen einen Mann;
Weichliche Bequemlichkeiten
Mit den Tugenden sich streiten.
Öfter strich er sorgenbang
Mit der Hand sich Haar und Wang',
Dacht' an Geld und Publikum,
Derart ging die Zeit herum.
Kamen ihm Erinnerungen,
Hat er stark mit sich gerungen.
Seine Frühgedichte hatte
Immer lieb der spät're Gatte;
Nach und nach ward Großpapa,
Der einst in das Schulheft sah.

Um Humor hat er gebuhlt,
Stets von neuem sich geschult.
Heut' bei ein'gen seiner Zeilen
Mit Vergnügen wir verweilen.

Robert Walser

Ein Dummkopf

Ein Dummkopf bleibt ein Dummkopf nur
Für sich, in Feld und Haus,
Doch wie du ihn zu Einfluß bringst
So wird ein Schurke draus.

Franz Grillparzer

Das Bild

Umberto Rossi war der jüngste der Fabrik,
Er war sehr eigenwillig, fast verschlossen,
Er sprach gebrochen deutsch, und wenn er schwieg,
Dann schwieg sein Antlitz wie metallgegossen.

Hätt er gewußt, daß an 300 Ämter hier
Ihn registrierten — hätte er gelacht,
Er drückte oft den Daumen auf Papier,
Ein Stempel nennt ihn B 7008,

Ein Fragebogen überliefert uns sein Bild,
Da steht er aufgebaut wie eine Ware,
Er hält mit einer Hand das Nummernschild
Und stiert geblendet fort ins Unsichtbare.

Christine Reinig

Die unmögliche Tatsache

Palmström, etwas schon an Jahren,
Wird an einer Straßenbeuge
Und von einem Kraftfahrzeuge
Überfahren.

»Wie war« (spricht er, sich erhebend
Und entschlossen weiterlebend)
»Möglich, wie dies Unglück, ja —:
Daß es überhaupt geschah?

Ist die Staatskunst anzuklagen
In bezug auf Kraftfahrwagen?
Gab die Polizeivorschrift
Hier dem Fahrer freie Trift?

Oder war vielmehr verboten,
Hier Lebendige zu Toten
Umzuwandeln, — kurz und schlicht:
D u r f t e hier der Kutscher nicht —?«

Eingehüllt in feuchte Tücher,
Prüft er die Gesetzesbücher
Und ist alsobald im klaren:
Wagen durften dort nicht fahren!

Und er kommt zu dem Ergebnis:
»Nur ein Traum war das Erlebnis.
Weil«, so schließt er messerscharf,
»Nicht sein k a n n , was nicht sein d a r f.«

Christian Morgenstern

Weihnachtsmarkt

Welch lustiger Wald um das hohe Schloß
Hat sich zusammengefunden.
Ein grünes bewegliches Nadelgehölz,
Von keiner Wurzel gebunden!

Anstatt der warmen Sonne scheint
Das Rauschgold durch die Wipfel;
Hier backt man Kuchen, dort brät man Wurst,
Das Räuchlein zieht um die Gipfel..

Es ist ein fröhliches Leben im Wald,
Das Volk erfüllet die Räume;
Die nie mit Tränen ein Reis gepflanzt,
Die fällen am frohsten die Bäume.

Der eine kauft ein bescheidnes Gewächs
Zu überreichen Geschenken,

Der andre einen gewaltigen Strauch,
Drei Nüsse daran zu henken.

Dort feilscht um ein winziges Kieferlein
Ein Weib mit scharfen Waffen;
Der dünne Silberling soll zugleich
Den Baum und die Früchte verschaffen.

Mit rosiger Nase schleppt der Lakai
Die schwere Tanne von hinnen;
Das Zöfchen trägt ein Leiterchen nach,
Zu ersteigen die grünen Zinnen.

Und kommt die Nacht, so singt der Wald
Und wiegt sich im Gaslichtscheine;
Bang führt die ärmste Mutter ihr Kind
Vorüber dem Zauberhaine.

Einst sah ich einen Weihnachtsbaum:
Im düstern Bergesbanne
Stand reifbezuckert auf dem Grat
Die alte Wettertanne.

Und zwischen den Ästen waren schön
Die Sterne aufgegangen;
Am untersten Ast sah man entsetzt
Die alte Wendel hangen.

Hell schien der Mond ihr ins Gesicht,
Das festlich still verkläret;
Weil auf der Welt sie nichts besaß,
Hatt sie sich selbst bescheret.

Gottfried Keller

Sonntagabend

Man hockt sich hin und denkt an morgen
Und weiß nicht eigentlich, warum.
Denn morgen, das heißt Alltag und heißt Sorgen.
Man nörgelt leise so mit sich herum.
Die Welt ist schlecht zum Teil, zum Teil auch dumm,
Und nur das Schöne hält sich meist verborgen.

Daß man zur Welt gehört, ist doch nicht zu vermeiden.
Wohin gehört man also: ist man dumm? ist man schlecht?

Man schwankt — teils selbstverächtlich und teils selbstgerecht
Unschlüssig unzufrieden zwischen beiden.

Man würde wirklich gern ganz anders sein.
Nur ist da leider mancherlei im Wege:
Die lieben Andern (redet man sich ein),
Die Welt im Ganzen (denn die ist zu klein),
Und kommt dabei sich selber ins Gehege.
Und man umgibt sich mit dem Heilgenschein
Des armen Opfers, das man gar nicht ist,
Es sei: das Opfer eigner Hinterlist
Zu tun, als ob man mißverstanden sei . . .
Die Seele schwenkt sich Weihrauch kübelweise.
Man dreht mit seiner Narrheit sich im Kreise.
Den andern freilich ist das einerlei . . .

Günther Böhme

Der Fall in den Fluß

Lene Levi lief besoffen
Nächtlich in den Nebenstraßen
Hin und wieder »Auto« brüllend.

Ihre Bluse war geöffnet,
Daß man ihre feine, freche
Unterwäsche und das Fleisch sah.

Sieben geile Männlein rannten
Hinter Lene Levi her.
*
Sieben geile Männlein trachten
Lene Levi nach dem Leibe,
Überlegend, was das kostet.

Sieben, sonst sehr ernste Männer
Haben Kind und Kunst vergessen,
Wissenschaft und die Fabrik.

Und sie rannten wie besessen
Hinter Lene Levi her.
*
Lene Levi blieb auf einer
Brücke stehen, atemschöpfend,
Und sie hob die wirren blauen

Säuferblicke in die weiten
Süßen Dunkelheiten über
Den Laternen und den Häusern.

Sieben geile Männlein aber
Fielen Lenen in die Augen.

Sieben geile Männlein suchten
Lene Levis Herz zu rühren.
Lene Levi blieb unnahbar.

Plötzlich springt sie aufs Geländer,
Dreht der Welt die letzte Nase,
Jauchzend plumpst sie in den Fluß.

Sieben bleiche Männlein rannten,
Was sie konnten, aus der Gegend.

Alfred Lichtenstein

Der Tantenmörder

Ich hab meine Tante geschlachtet,
Meine Tante war alt und schwach,
Ich hatte bei ihr übernachtet
Und grub in den Kisten-Kasten nach.

Da fand ich goldene Haufen,
Fand auch an Papieren gar viel,
Und hörte die alte Tante schnaufen
Ohn Mitleid und Zartgefühl.

Was nutzt es, daß sie sich noch härme —
Nacht war es rings um mich her —,
Ich stieß ihr den Dolch in die Därme,
Die Tante schnaufte nicht mehr.

Das Geld war schwer zu tragen,
Viel schwerer die Tante noch.
Ich faßte sie bebend am Kragen
Und stieß sie ins tiefe Kellerloch.

Ich hab meine Tante geschlachtet,
Meine Tante war alt und schwach,
Ihr aber, o Richter, ihr trachtet
Meiner blühenden Jugend — Jugend nach.

Frank Wedekind

Paradiesfischchen auf dem Schreibtisch

Wohin wir auch schwimmen, immer ist Glas
Vor unsern Mäulchen und noch etwas,
Das wir nicht verstehn und das beirrt,
Wie fernes Gewitter herüberschwirrt.

Wir haben auch grüne Blättchen hier,
Und durch Algenwälder rudern wir
Zwischen weichen Fäden, Schleim und Licht.
Dann stehen wir still und fassen es nicht,
Wie die ferne Heimat zu uns spricht.

Ein kleiner Stoß, und da ist die Wand,
Wir trippeln, wir zittern, wir sind gebannt, —
Und wieder das Fremde, das nie zu uns dringt,
Da ist es, das uns von fern bezwingt.

O trauriges Kreisen im kleinen Haus,
Wir lugen mit schillerndem Auge aus.
Es türmen sich bleiche Farben an,
Das große Papier und der Wände Gebraus,
Die unser Blick nicht erreichen kann.

Nun beugt sich aus dem trübenden Flor,
Aus Tinte und Nebel ein Weißes vor.
Es blendet, wie es uns näher sticht, —
Das große, traurige Menschengesicht.

Wie weißer Mondschein legt es sich her.
Doch in seiner Helle gehen, schwer
Wankend und vor Gefangenschaft blind
Und ruhelos, wie wir Fische sind,
Die beiden dunklen Augen hin und her.

Max Brod

Der fluchende Bischof

»So hole Pest und Höllenbrand
Die gottverdammte Reise!«
Rief gallig Bischof Megingand
Und haute auf den Tisch die Hand,
— Hoch sprang die Fastenspeise, —
»W i l l ich nach Rom? — verflucht: ich m u ß !

Ach, wie gedeiht zur Kümmernus,
Wie stört die Lebensweise
Die italiänsche Reise!«

Der Bischof hat zu sehr geflucht,
Und weils der Papst vernommen,
Hat ein Legat ihn jüngst besucht,
Der lichtvoll sprach von Kirchenzucht, —
Nun soll nach Rom er kommen ...
Sein Beichtger, dems ins Herze schnitt,
Gab ihm zur Reise Ablaß mit
Für hundert Flüche frank und frei, —
Man hoffte, daß das reichlich sei.

Der Reisewagen wiegt dahin
Im kühlen Morgengrauen,
Noch ist es mäuschenstill darin, —
Am Fenster schwankt ein Doppelkinn
Und zucken Augenbrauen,
Das Schaukeln schuf dem Bischof Pein,
Da trieb heraus das Zipperlein
Das erste: »Gottverdimian!
Ich komm nicht heil zum Vatikan!«

Der Hausknecht in Burg Elberdamm
Vergaß das zeitge Wecken, —
Schockschwerenot, da schmolz zusamm
Der mitgenommene Vorratsstamm,
Den Bischof faßt ein Schrecken!
Bei Lemnitz in dem Hohlweg brach
Ein Rad (die Straße war danach!),
Und auch dies Rad kam teuer:
»Mord, Brand und Höllenfeuer!!«

Heil München! Heil das Bitterbier,
Du kühler Trost in Bayern! —
Im Pschorrbräu stieß ein Stadtbalbier
Des Bischofs Maßkrug aufs Brevier,
Das auf dem Tisch tät feiern.
Ei du! Da gabs kein Gottvergelts!
»Du Schweinehund, du Lausepelz,
Du grüner Teufelsbraten!
Potz Bomben und Granaten!!«

Des Bischofs Zorn war bald verraucht.
Die Maß der Bart-Scher zahlte,
Als ihn Hochwürden angehaucht, —

Der letzte Fluch war jetzt verbraucht,
Jedoch der Bischof strahlte:
»München! Wie gut, daß h i e r vorbei
Die gottverdammte Knauserei!
Jetzt mag zu Rom die Klerisei
Lang warten zornbeklommen,
Bis Ablaß hergekommen,
Bis neuer Vorrat ist herein! —
Ich hatt ihn ja doch viel zu klein,
Ich Leichtsinn! mitgenommen!«

Börries Frh. v. Münchhausen

Comédie humaine

Ein Antiquariat betrat
Mit einem Buchpaket ein Herr.
Ein feiner Kopf, ein Literat,
Der Not gehorchte nun auch er.

Verkaufen muß er, was er liebt,
Weil er sich nicht zu helfen weiß.
Im Handeln war er ungeübt,
Er akzeptierte gleich den Preis.

Da ging die »Comédie humaine«
Nun fort von seinem Freund Balzac.
Ich hab' den letzten Blick gesehn,
Der traurig auf den Büchern lag.

Mit wehem Lächeln strich er ein
Die Scheine, die wie Judaslohn
Ihm mögen vorgekommen sein,
Und ging gesenkten Blicks davon.

Und gleich nach diesem armen Wicht
Ein zweiter in den Laden kam.
Zwei Zentner etwa sein Gewicht,
Der hocherfreut den Balzac nahm,

Weil ihm der Einband zugesagt
(Der Inhalt war ihm einerlei).
Und weiter hat er dann gefragt,
Ob Schiller, Joethe ooch da sei,

»In Leder möglichst. Wenn et jeht,
Denn schicken Sie den janzen Kitt,
Zu mir«, erklärte der Ästhet.
»Und wat zu lesen ooch noch mit.«

Robert T. Odeman

Pädagogik

Die Bildung, die wir den Kindern erteilen,
Bezweckt bei Licht beseh'n nur eben,
Die übliche Masse von Vorurteilen
Ihnen ins Leben mitzugeben.

Paul Heyse

Der Prinzipienreiter

Ein altes Prinzip sagte zu seinem Reiter:
»Steig ab, o Herr. Ich kann nicht mehr weiter.
Verschone mich endlich. Es wäre mir lieb,
Du suchtest dir ein neues, beßres Prinzip.«
Der Reiter aber meinte mit ernstem Gesicht:
»Schon aus reinem Prinzip geht so was nicht.
Ich reite dich weiter — ganz einerlei —
Und sei es — bis in die Abdeckerei.
Meine Prinzipien sind prinzipiell
Bis auf die Knochen — bis auf das Fell.«
So sprach der Reiter zu seinem Prinzip,
Gab ihm die Sporen und auch einen Hieb.
Prinzip ist Prinzip — ganz unbestritten.
So werden Prinzipien zu Tode geritten.
Aber was ein richtiger Prinzipienreiter ist,
Der wirft selbst ein totes Prinzip nicht auf den Mist.
O nein — er läßt es gerben und stopft es aus
Und reitet es als Steckenpferdchen nach Haus.
Ja, wozu wären sonst die Prinzipien da?
O sancta consequentia. —

Fred Endrikat

Auf einen Agitator

Daß er dies all aus Überzeugung spricht,
Die Meinung laß ich mir nicht rauben:
Wer eine Lüge Tag für Tag verficht,
Der muß sie schließlich selber glauben.

Ludwig Fulda

Hilferuf

Der Frösche Not im tiefen Moor
War heuer groß wie nie zuvor:
Im Schilfe lag der Schlangen Brut
Und dürstete nach ihrem Blut,
Und kläglich quakten sie vereint
Nach Hilfe gegen ihren Feind.

Den Jammer hört im hohen Nest
Der Storch, der gleich sich niederläßt.
Er stelzt in gravitätscher Ruh'
Im Moosgrund dem Konzerte zu —
Und frißt die Schlangen in den Tiefen
Sowie die Frösche, die ihn riefen.

Alois Wohlgemuth

Das Alter meldet sich

Wem ginge nicht die Frage
Zuweilen durch den Sinn:
Wo sind die Jahr und Tage
Mit einem Male hin?

War's nicht noch eben gestern,
Daß wir, die junge Brut,
Ausflogen aus den Nestern
Voll Mut und Übermut

Und waren nicht zu halten —
Wir warn ja so gescheit,
Belächelten die Alten
Und die Vergangenheit

Und wollten's besser machen
Und machten uns nur breit.
Und dann ist uns das Lachen
Vergangen mit der Zeit.

Das kommt so mit den Jahren,
Wie das nun mal so geht.
Doch ist man erst erfahren,
Ist's meistens schon zu spät.

Man träumt von Jugendtagen,
Wer wär' davor gefeit?
Und unterdrückt die Klagen
Über die neue Zeit,

Denkt, daß die jungen Leute
Jung auch nicht ewig sind.
Wie bald ist s' Morgen heute,
Und das geht so geschwind,

Wird gestern, ist vergangen,
Bleibt immer mehr zurück, —
Bis wir danach verlangen
Als nach verlornem Glück.

Günther Böhme

Der größte Direktor

Der größte Direktor ist Gottvater —
Der hütet brillant das Welttheater.
Wohl gibt er immer dasselbe Stück,
Doch hat er einen himmlischen Trick:
Er läßt, ist eine Serie um,
Ersteh'n ein neues Publikum,
Das von Jahrhundert zu Jahrhundert
Das alte Stück als neu bewundert.

Julius Bauer

Die Entwicklung der Menschheit

Einst haben die Kerls auf den Bäumen gehockt,
Behaart und mit böser Visage.
Dann hat man sie aus dem Urwald gelockt
Und die Welt asphaltiert und aufgestockt,
Bis zur dreißigsten Etage.

Da saßen sie nun, den Flöhen entflohn,
In zentralgeheizten Räumen.
Da sitzen sie nun am Telephon.
Und es herrscht noch genau derselbe Ton
Wie seinerzeit auf den Bäumen.

Sie hören weit. Sie sehen fern.
Sie sind mit dem Weltall in Fühlung.
Sie putzen die Zähne. Sie atmen modern.
Die Erde ist ein gebildeter Stern
Mit sehr viel Wasserspülung.

Sie schießen die Briefschaften durch ein Rohr.
Sie jagen und züchten Mikroben.
Sie versehn die Natur mit allem Komfort.
Sie fliegen steil in den Himmel empor
Und bleiben zwei Wochen oben.

Was ihre Verdauung übrig läßt,
Das verarbeiten sie zu Watte.
Sie spalten Atome. Sie heilen Inzest.
Und sie stellen durch Stiluntersuchungen fest,
Daß Cäsar Plattfüße hatte.

So haben sie mit dem Kopf und dem Mund
Den Fortschritt der Menschheit geschaffen.
Doch davon mal abgesehen und
Bei Lichte betrachtet sind sie im Grund
Noch immer die alten Affen.

Erich Kästner

Spanisch

Ein Bettler, alt, doch gut erhalten,
Stand in Madrid. Zwei Bürger schalten:
»Was mußt du hier als Bettler stehn?
Du solltest Arbeit suchen gehn!«

Doch ruhig sprach der alte Knabe,
Stolz wie ein spanischer Magnat:
»Ich bat um eine milde Gabe
Und nicht um Ihren Rat.«

Gerhart Herrmann Mostar

Brief an die eigene Frau

Ich hab dir lange kein Gedicht geschrieben,
Auch sonst nichts, etwa Karte oder Brief ...
Du meinst, ich müßte mich nochmal verlieben,
Es sei von einst nicht allzu viel geblieben,
Das aber, glaub mir, ist nur relativ.

Ich seh die Dinge nur in anderm Lichte —
Was über deren Güte nichts besagt —,
Auch wenn ich auf Erklärungen verzichte.
Es wird nichts, wenn ich auf Bestellung dichte.
Ich wär der letzte, der das nicht beklagt.

Ein Mann ist nun mal sparsam in Gefühlen
Und legt sich gerne einen Panzer an.
Frag nicht, wieso. Ich lieb' nicht solches Wühlen.
Ihr Frauen seid zuweilen Nervenmühlen —
Was ich Euch nicht einmal verdenken kann.

Denn Frauen haben Anrecht — ohne Frage —
Auf Zärtlichkeit. Und du bist eine Frau.
Du willst (mit Recht), daß ich dich alle Tage
Auf Händen, wenn auch nur symbolisch, trage
Und nie ermüde. Ja, ich weiß genau.
Man muß nicht klug sein, um das zu begreifen.
Kannst du (ich nicht!) — wer kann aus seiner Haut
Und einfach eine andre überstreifen!
Ich will dich gern mit Liebe überhäufen,
Nur eben auf die Art, die mir vertraut.
Ich könnte mich mit rostgen Gabeln stechen,
Wenn dir damit etwas geholfen wär.
Ich würde mir für dich die Zunge brechen.
Nur: alles schlankweg einfach auszusprechen,
Und grad wenn's unser Herz betrifft, ist schwer.
Das mag sehr dumm sein, albern, widersinnig
Und hat vielleicht gar keinen andern Grund
Als Schüchternheit. Du lachst? Und doch — so bin ich,
Und ganz besonders dann, wenn ich sehr innig
Etwas empfinde. Das verschließt den Mund.
Schon, siehst du, das macht mich beinah verlegen,
Ich werd' nun mal nicht gern sentimental.
Nenn's, wie du willst, nenn's Unfug meinetwegen.
Nur lohnt es nicht, sich deshalb aufzuregen.
Ich mag dich doch ... Warum? — Ein ander Mal ...

Günther Böhme

FÜR JUGENDLICHE ZUGELASSEN

Das Geburtslied

oder:
Die Zeichen
oder:
Sophie und kein Ende

Ein Kindelein
Im Windelein
Heut macht es noch ins Bindelein;
Doch um das Haus
O Graus o Graus
Da blasen böse Windelein.

»Ein Mädelein«
Rufts Hedelein
Und kneift ihm in die Wädelein.
Doch an dem Haus
O Graus o Graus
Da wackeln alle Lädelein.

Ein Eulelein
Schiebts Mäulelein
Vorbei am Fenstersäulelein.
Es ruft ins Haus
O Graus o Graus
Hört ihr die Silbergäulelein.

Ein Würmelein
Im Stürmelein
Fliegt nieder von dem Türmelein.
Es ruft o Graus:
»Es regnet drauß
So gebt mir doch ein Schirmelein.«

O Kindelein
Im Windelein
Heut machst du noch ins Bindelein.
Doch gehst du aus
Im langen Flaus
Wirst du ein Vagebündel sein.

Christian Morgenstern

Leichter Sinn

Ich schere mich den Teufel was
Um das Gered der Leute,
Frag nicht, ob ihnen dies und das
Paßt morgen oder heute.

Ich fahre in die weite Welt,
Wirds mir zu Haus zu enge,
Ich pfeif auf Titel und auf Geld
Und geh nicht mit der Menge.

Und kommt mir in die Quer ein Kind,
Ein allerliebstes, süßes,
Ich frag nicht, wer die Eltern sind,
Nehms in den Arm und küß es.

Und sing mein Lied und trink mein Glas,
Bis ich des Todes Beute,
Und schere mich den Teufel was
Um das Gered der Leute.

Josef Leusser

Ich und mein Schatz – wir . . .

In meinem Stübchen unter Glas
Prangt ein herrlicher Goethe en face.
Sein großer Blick durchsonnt das Zimmer
Wie Erdenlust und olympischer Schimmer.
Nun war mal ein rechter Jubeltag:
Ich und mein Schatz, wir hielten Gelag,
Schenkten den schäumenden Franzen-Wein
Eins dem andern mit Singen ein,
Kehrten oberst zu unterst die Stuben –
Führten uns auf wie närrische Buben.

Kam die dritte Flasche dran —
Plautz! den Stöpsel halte, wer kann,
Und ein dicker Strahl Champagnerwein
Dem Goethe — pscht! — ins Gesicht hinein! —
Wir schwiegen beide und fühlten beklommen:
Hat er uns das wohl übelgenommen? —
Da lacht er mit seinen zwei Sonnen darein:
Und I h r wollt G o e t h e k e n n e r sein?!

Otto Ernst

Auf ein Ei geschrieben

Ostern ist zwar schon vorbei,
Also dies kein Osterei;
Doch wer sagt, es sei kein Segen,
Wenn im Mai die Hasen legen?
Aus der Pfanne, aus dem Schmalz
Schmeckt ein Eilein jedenfalls,
Und kurzum, mich tät's gaudieren,
Dir dies Ei zu präsentieren,
Und zugleich tät es mich kitzeln,
Dir ein Rätsel draufzukritzeln.

Die Sophisten und die Pfaffen
Stritten sich mit viel Geschrei:
Was hat Gott zuerst erschaffen,
Wohl die Henne? wohl das Ei?

Wäre das so schwer zu lösen?
Erstlich ward ein Ei erdacht:
Doch weil noch kein Huhn gewesen,
Schatz, so hat's der Has' gebracht.

Eduard Mörike

Problematik

Wir wissen es bereits von früher her:
Beim Baden eine nasse Seife zu ergreifen
Und fehlerfrei die Freischützarie pfeifen
Ist ziemlich schwer.

Wer dennoch diese Meisterschaft erreicht,
Wird aber vorbehaltlos anerkennen müssen:

So mir nichts dir nichts eine fremde Frau zu küssen,
Ist auch nicht leicht.

Es ist im weiteren kein Kinderspiel,
Mit 60 so zu tun als ob wir 20 wären,
Und einen aufgeklärten Jüngling aufzuklären
Ist diffizil.

Vor allen wirst du, wenn du ehrlich bist,
Selbst dann, wenn dich die andern einen
              Dummkopf nennen,
Bejahen, daß die Schwierigkeit, sich selbst
              zu kennen,
Am schwersten ist!

Fridolin Tschudi

Mir war mein Leben karg und arg verschandelt!
Da kam ein Psychoanalytiker gewandelt,
Der hat mich emsig-liebevoll behandelt,
Und zwar mit ganz bedeutendem Gewinn!
Nun fühl ich alle Kräfte neu sich regen!
Und nahm er mir dafür auch mein Vermögen,
So blieb mir doch ein unschätzbarer Segen —
Ich weiß nun endlich — endlich, wer ich bin!

— — —: Ein stark neurotisch-hypersensitiver,
Hystero-hypochondrisch-depressiver,
Ekstatisch-vulnerabler Psychopath!
Ein instabiler, delirant-versackter,
Sexuell gehemmter, ethisch nicht intakter,
Leicht schizophrener Misanthrop-Charakter!

— — — Es ist doch schön, wenn man mal
Klarheit hat — — —

Benedikt

Stiller Besuch

Jüngst war seine Mutter zu Besuch.
Doch sie konnte nur zwei Tage bleiben.
Und sie müsse Ansichtskarten schreiben.
Und er las in einem dicken Buch.

Freilich war er nicht sehr aufmerksam.
Er betrachtete die Autobusse

Und die goldnen Pavillons am Flusse
Und den Dampfer, der vorüberschwamm.

Seine Mutter hielt den Kopf gesenkt.
Und sie schrieb gerade an den Vater:
»Heute abend gehn wir ins Theater,
Erich kriegte zwei Billetts geschenkt.«

Und er tat, als ob er fleißig las.
Doch er sah die Nähe und die Ferne,
Sah den Himmel und zehntausend Sterne
Und die alte Frau, die drunter saß.

Einsam saß sie neben ihrem Sohn.
Leise lächelnd. Ohne es zu wissen.
Stadt und Sterne wirkten wie Kulissen.
Und der Wirtshausstuhl war wie ein Thron.

Ihn ergriff das Bild. Er blickte fort.
Wenn sie m i r schreibt, mußte er noch denken,
Wird sie ihren Kopf genauso senken.
Und dann las er. Und verstand kein Wort.

Seine Mutter saß am Tisch und schrieb.
Ernsthaft rückte sie an ihrer Brille
Und die Feder kratzte in der Stille.
Und er dachte: Gott, ich hab sie lieb.

Erich Kästner

An meine Töchter
(als sie noch klein waren)

Da trippelt ihr so blond dahin
Und lächelt in den Tag
Und habt schon euern eignen Sinn
Und kennt schon Kummer und Gewinn
Und fragt nicht viel danach.

Und füttert eure Puppen frisch
Und den Wauwaupapa
Mit Puddingsand und Bausteinfisch
Und ragt schon mählich übern Tisch
Und sprecht wie die Mama.

Dornröschen schlummert im Gesträuch,
Die Stadt ist rings behängt
Mit Kuchen und mit Zauberzeug,
Und jedermann ist nett zu euch,
Weil ihr noch niemand kränkt.

Die großen Schiffe vorm Balkon,
Strand, Auto, Sonnenschein,
Milchsuppe, Rundfunk, Märchenthron
Und lieber Gott und Telefon,
Es geht euch prächtig ein.

Ein Dampfer kommt aus Morgenland,
Und einer geht in See.
Die weite Welt dünkt euch bekannt,
Ihr winkt ihr mit gelassener Hand
Willkommen und Ade.

Es knarrt ein harter Klang herauf.
Was wird das Große sein?
Ihr kleinen Ohren, horcht nicht drauf!
Das ist der Zeitenmühle Lauf,
Die mahlt das Große klein.

Und bäckt darauf das Kleine groß,
Herb, süß, leicht oder schwer.
Ihr macht euch von der Hand mir los,
Setzt euch nicht mehr auf meinen Schoß
Und glaubt nicht alles mehr.

Und kramt nicht alles mehr heraus,
Was euch das Herz bedrückt,
Und lest und geht im Dunkeln aus
Und findet anderswo nach Haus,
von fremdem Glück beglückt.

Und abseits stehn wir beide dann
Und sehn es alt und klar,
Und sehn des Lebens Ablauf an,
Wie es begann, wie es verrann
Und wie es lieblich war.

Nun, Kindlein, werdet stolz und gut
Und küßt nicht jeden Hund
Und richtet euern Lebensmut
Nicht nach dem allerneusten Hut
Und bleibt mir hübsch gesund!

Hans Leip

Ballade vom Bart

Es war ein Mann mit einem Bart,
Der war von ganz besond'rer Art.
Faßt er ihn mit den Händen,
Konnte er ihn drehn und wenden.

Der Bart war rot, doch manchmal braun,
Und manchmal schwärzlich anzuschaun.
Es lag an der Methode:
Der Bart war stets in Mode!

Doch einmal ging der Mann nach Haus,
Trank einen Liter Roten aus
Und wollte dann — man kann's versteh'n —
Einmal sein eig'nes Antlitz sehn.

Er sucht es gründlich, sucht es lang.
Er suchte es in jedem Schrank,
Im Spiegel und bei jedem Licht.
Er suchte es, doch fand er's nicht.

War es nur der Genuß des Weins?
War es der Bart? Er hatte keins!
Am Morgen fand zu seinem Glück,
Der Mann zu seinem Bart zurück.

Eric Singer

Ein Brief von ihr kommt an

Der Brieföffner will mir zu Hilfe eilen,
Doch muß er seine Ungeduld bezwingen.
Wie freu ich mich auf jede deiner Zeilen,
Drum will ich sie nicht schnell hinunterschlingen.

Ich stell mir vor, wie deine Zungenspitze
Den Klebestreifen nach dem Werk benetzt.
Beim Datum gab's ein kleines Kratzekritze,
Da hat dein lila Füller ausgesetzt.

Ich sehe deine Hand so emsig fliegen,
Die Pünktchen auf den I's schwirrn wie die Bienen,
Und die Gedanken spielen manchmal Kriegen:
Auf Sehnsucht folgen gleich die Ölsardinen.

Hier wollt ein t im Wort dir frech entwischen,
Natürlich weißt du, wie man's richtig schreibt.
Schnell klemmtest du den Deserteur dazwischen,
Damit der Unfall mir verborgen bleibt.

Dort wird es dünn. Du mußtest erst mal füllen.
Das nächste Wort ist dunkelblau und breit.
Ja, meine Augen haben scharfe Brillen,
Doch ihre Gläser sind aus Zärtlichkeit.

In jedem Satz hör' ich dein Herzchen schlagen,
In jedem Komma liegt dein ganzes Wesen.
Man soll nichts Schlechtes über Trennung sagen,
Sonst könnt ich niemals deine Briefe lesen.

Günter Neumann

Lehrhaftes Gedicht

Adolf war der Sprosse guter Leute,
Ehelichen Ursprungs, legitim.
Anders Jakob, denn sein Vater scheute
Sich und sagt', er wäre nicht von ihm.

»Süßes Wunder« hieß der Eltern Liebe
Unsern Adolf, der »von Gott gesandt«;
»Die unsel'ge Frucht verbotner Triebe«
Wurde Jakob meistenteils genannt.

Adolf konnte man den Freunden zeigen;
Man entdeckt' an ihm des Vaters Art.
Über Jakob herrschte tiefes Schweigen,
Von ihm sprechen galt als wenig zart.

Dieser Unterschied verblieb im Leben;
Adolfs Laufbahn war solid und leicht.
Zwar Talent war ihm nicht viel gegeben,
Für den Staatsdienst hat es doch gereicht.

Jakob war, so wie er einst geboren,
Stets der Tante Minna ihr Malör.
Feine Kreise gaben ihn verloren.
Und er wurde später Redakteur.

Ludwig Thoma

Die achtundachtziger Weine

In diesem Jahr am Rheine,
Sind leider gewachsen Weine,
Die an Wert nur geringe.
Es reiften nur Säuerlinge
Im Verlauf dieses Herbstes,
Nur Herberes bracht' er und Herbstes.
Zu viel Regen, zu wenig Sonnenschein
Ließen erhofften Segen zerronnen sein.
Nichts Gutes floß in die Tonnen ein.
Der 88er Rheinwein
Ist, leider Gottes, kein Wein,
Um Leidende zu laben,
Um Gram zu begraben,
Um zu vertreiben Trauer —
Er ist dafür zu sauer!

An der Mosel steht es noch schlimmer.
Da hört man nichts als Gewimmer,
Nichts als Ächzen und Stöhnen
Von den Vätern und Söhnen,
Den Müttern und Töchtern
Über den noch viel schlechtern
Ertrag der heurigen Lese.
Der Wein ist wahrhaft böse!
Ein Rachenputzer und Krätzer,
Wie unter Gläubigen Ketzer,
Wie ein Strolch, ein gefährlicher,
In der Gesellschaft Ehrlicher
Unter guten Weinen erscheint er.
Aller Freud' ist ein Feind er,
Aller Lust ein Verderber.
Sein Geschmack ist fast noch herber
Als der des Essigs, des reinen —
Ein Wein ist er, zum Weinen!

Aber der Wein, der in Sachsen
In diesem Jahr ist gewachsen,
Und bei Naumburg, im Tale
Der rasch fließenden Saale,
Der ist saurer noch viele Male
Als der sauerste Moselwein.
Wenn Du ihn schlürfst in Dich hinein,
Ist dir's, als ob ein Stachelschwein
Dir kröche durch die Kehle,

Das Deinen Magen sich als Höhle
Erkor darin zu hausen.
Angst ergreift Dich und Grausen.

Aber der Grünberger
Ist noch sehr viel ärger.
Laß ihn nicht Deine Wahl sein!
Denn gegen ihn ist der Saalwein
Noch viel süßer als Zucker.
Er ist ein Wein für Mucker,
Für die schlechtesten Dichter
Und dergleichen Gelichter.
Er macht lang die Gesichter,
Blaß die Wangen; wie Rasen
So grün färbt er die Nasen.
Wer ihn trinkt, den durchschauert es.
Wer ihn trank, der bedauert es.
Er hat etwas so Versauertes,
Daß er sich nicht läßt mildern
Und schwer nur ist zu schildern
In Worten oder Bildern.

Aber der Züllichauer
Ist noch zwölfmal so sauer
Wie der Wein von Grünberg.
Der ist an Säure ein Zwerg
Gegen den Wein von Züllichau.
Wie eine borstige wilde Sau
Zu einer zarten Taube,
So verhält sich — das glaube —
Dieser Wein zu dem Rebensaft
Aus Schlesien. Er ist schauderhaft.
Er ist gräßlich und greulig,
Über die Maßen abscheulich.
Man sollte ihn nur auf Schächerbänken
Den Gästen in die Becher schenken,
Mit ihm nur schwere Verbrecher tränken,
Aber nicht ehrliche Zecher kränken!

Wenn Du einmal kommst
In diesem Winter nach Bomst,
Deine Erfahrung zu mehren,
Und man setzt, Dich zu ehren,
Dir heurigen Bomster Wein vor,
Dann, bitt ich Dich, sieh Dich fein vor,
Daß Du nichts davon verschüttest
Und Dein Gewand nicht zerrüttest,

Weil er Löcher frißt in die Kleider
Und auch in das Schuhwerk, leider;
Denn dieses Weines Säure
Ist eine so ungeheure,
Daß gegen ihn Schwefelsäure
Der Milch gleich ist, der süßen,
Die zarte Kindlein genießen.
Fällt ein Tropfen davon auf den Tisch,
So fährt er mit lautem Gezisch
Gleich hindurch durch die Platte.
Eisen zerstört er wie Watte.
Durch Stahl geht er wie durch Butter,
Er ist aller Sauerkeit Mutter.
Stand halten vor diesem Sauern
Weder Schlösser noch Mauern.
Es löst in dem scharfen Bomster Wein
Sich Granit auf und Kieselstein.
Diamanten werden sogleich,
In ihn hineingelegt, pflaumenweich,
Aus Platina macht er Mürbeteig!
Dieses vergiß nicht, falls Du kommst
In diesem Winter einmal nach Bomst.

Johannes Trojan

Der Unterprimaner

Ist die Nacht herangeschlichen,
Liegt das Schulhaus wie entgeistert.
Alles Gaslicht ist entwichen,
Und die Tür ist fest verkleistert.

Gleicht das noch den Korridoren,
Wo wir tags so stark gequält sind,
Wo wir linkisch, kahlgeschoren,
Zage meuternd —, tief verfehlt sind?

Geistergrün seh ich ein Schimmern,
Und der Schornstein wird so deutlich.
Aus den Gängen, aus den Zimmern
Quillt es neblig, süß und bräutlich.

Was umschleich' ich diese Räume,
Schleiche nicht in Liesbeths Garten,
Tief ins Dickicht — ihrer Träume
Fernsten Seufzer zu erwarten?

Ahnt ihr es? . . . Ich bin ein Buhle
Von bereits geknickter Haltung.
Um das Nacht-Phantom der Schule
Schleich' ich — trotz der Schulverwaltung.

Ahnt ihr meine Heimlichkeiten,
Nachmittags-Libertinagen?
Müde, etwas zu bestreiten,
Starr' ich auf die vier Etagen.

Diese klassische Kaserne
Ist erfüllt von Abenteuern!
Grüßten sonst die weißen Sterne
Sie mit ihren blassen Feuern?

Ferdinand Hardekopf

Der Fernruf

Ein Mensch, vom Telephon gestört,
Fährt aus dem Schlummer, höchst empört.
Zwar seine Neugier ist schon groß:
Vielleicht ist wirklich etwas los?
Doch tapfer fährt er fort zu schlafen
Und mit Verachtung den zu strafen,
Der ihn möcht bringen aus der Ruh . . . .
Du Lümmel, lallt er, läut nur zu!
Der tut's auch, zu des Schläfers Qual
Zum zweiten- und zum drittenmal.
Der Mensch denkt, ob er, wenn er träumt,
Am End nicht großes Glück versäumt?
Ein hoher Gönner lädt ihn ein,
Ein Mädchen sucht ein Stelldichein,
Kurz, Möglichkeiten, daß ihn schaudert:
Verbrechen ist es, wenn er zaudert!
Hin stürzt er wild, von Angst bedrängt,
Da — hat der andere abgehängt!

Eugen Roth

Nähe und Ferne

Liest du einmal in einem Buch:
»Am Himmel stehn zehntausend Sterne —«
So machst du keinen Zählversuch.
Du glaubst den Unsinn vielmehr gerne.

Kommt eine Bank dir zu Gesicht
Mit einem Schilde: »Frisch gestrichen!«
Das glaubst du, nein, das glaubst du nicht!
Du mußt erst einmal drüberwischen.

So schenkt der Mensch im Weltgeschehn
Nur Glauben den verborg'nen Dingern.
Das Ferne glaubt er unbesehn —
Das Nahe muß er erst befingern . . .

Hanns Max Hackenberger

Nachricht vom Leben der Spazoren

Bei Asien gleich querfeldein,
Da leben die Spazoren.
Die haben Rüssel wie ein Schwein
Und tellergroße Ohren.

Von Tokio bis nach Athen
Gibt's keine mehr wie diese.
Man sieht sie bloß spazierengehn
Auf einer gelben Wiese.

Sie haben Rosen angebaut
Wohl auf dem gelben Rasen.
Sie schnobern am Lavendelkraut
Und pflücken's mit den Nasen.

Nie gibt es eine Hungersnot,
Und kein Spazor kann kochen:
Sie brauchen gar kein Abendbrot,
Wenn sie sich satt gerochen.

Kommt dort einmal ein Regen vor,
Vielleicht auf einer Kirmes,
Dann heben sie das linke Ohr
Statt eines Regenschirmes.

Und kommt ein harter Winter mal,
Und friert das Eis und prickelt,
Dann gehn sie, statt in einen Schal,
Ins rechte Ohr gewickelt.

So brauchen sie zu darben nicht
Und brauchen nicht zu frieren

Und gehen ledig jeder Pflicht
Spazoren, nein: spazieren.

Einst kam ein Doktor hochgelahrt
Zum Lande der Spazoren.
Sie wünschten ihm vergnügte Fahrt
Und winkten mit den Ohren.

Peter Hacks

Guano

Ich weiß eine friedliche Stelle
Im schweigenden Ozean,
Kristallhell schäumet die Welle
An Felsengestade hinan.
Im Hafen erblickst du kein Segel,
Keines Menschen Fußtritt am Sand;
Viel tausend reinliche Vögel
Hüten das einsame Land.

Sie sitzen in frommer Beschauung,
Kein einz'ger versäumt seine Pflicht,
Gesegnet ist ihre Verdauung
Und flüssig als wie ein Gedicht.
Die Vögel sind all Philosophen,
Ihr oberster Grundsatz gebeut:
Den Leib halt' allezeit offen,
Und alles andre gedeiht.

Was die Väter geräuschlos begonnen,
Die Enkel vollenden das Werk;
Geläutert von tropischen Sonnen
Schon türmt es empor sich zum Berg.
Sie sehen im rosigsten Lichte
Die Zukunft und sprechen in Ruh':
»Wir bauen im Lauf der Geschichte
Noch den ganzen Ozean zu.«

Und die Anerkennung der Besten
Fehlt ihren Bestrebungen nicht,
Denn fern im schwäbischen Westen
Der Böblinger Repsbauer spricht:
»Gott segn' euch, ihr trefflichen Vögel,
An der fernen Guanoküst', —
Trotz meinem Landmann, dem Hegel,
Schafft ihr den gediegensten Mist.«

Joseph Victor von Scheffel

Eine Scherz-Litera-Tour

Geböll im Grass, was ist denn das?
Im Frisch-Grass Hundejahre sinds,
Nicht heymische, nicht Wedekinds.
Es bennt und brecht und brocht und werkt,
Es döblint, hat sich ausgeloerkt.
Einst kamen sie doch, alle Mann
— In eines Hofmanns Thale wars —,
Kam Hei- und Haupt- und Wassermann
(Mit dem kam sehr viel Wasser an),
Und Doktor Lehmanns Pflanzensaft
Gibt uns Geprüften keine Kraft.
Auf lang besehn kein Fingerzeig,
Man kommt auf keinen grünen Zweig,
Im Krügerhorst, im Schadewaldt,
Wo Hartlaub klirrt und Schallück schallt.
Daß ich nicht bar lach; wie das jahnnt,
Was hat seitdem sich angebahnt?
Es gibt ka Sack, wo Nos-sack spricht,
Aus dem man werfelt ein Gedicht,
Und keinen remarqueablen Raum;
Da träumt man keinen Walser-Traum.
Wie sprichts der Deschner-Dreschner aus?
Er fackelt nicht, er fackelt kraus.
Ob roth, ob weiß, ob green und barsch,
Man bläst euch den Ranickimarsch.
Klagt ein Ästhet: den Dreck, das Tier,
Die Roheit über-staigert ihr;
Daß ihr nicht muschgt und nicht mehr muckt,
Sonst wird der Dreck nicht mehr gedruckt! —
Ich nehm den besten Hochhuth raus
Und rufe ohne Hochmut aus,
Mein Glas erhebend ich: proust, Joyce!
Kommt rauf, was gibt es heute Neuss?
Drauf er: Seit langem keine Freud,
Weiss Joyce, es gibt nichts Neues heut.
Nichts Frisches gibts, es blüht kein Lenz,
Im ganzen Penn-Club pennts und pennts,
Rimbaudelaire ist lange her
(Sein Veto ve-tot Walter Jens).
Er sagte weiter schlechtgelaunt:
Für Eliot geb ich nicht one pound,
Was ihr mir reicht, ist dürr-und-matt,
Wer wird von euerm Grassfraß satt?
Und steig ich auf den Enzensberg,
So schrumpft er ein zum Gartenzwerg.

Es gibt nichts, wenn sichs noch so fühlt,
So seht doch, wie sich das musilt,
Die Herren sind mal blaß, mal-raux,
Es macht miau, es macht mi-chaux,
Mit trallala und krolowlow
Ihr seid noch nicht mal mein Popo,
Etceteroh, etceteroh . . .

Werner Bukofzer

Wiegenlied für ein Eskimo-Baby

. . . Das kleine Walroß schlug ganz aus der Art.
Man hob das Kind aus der Taufe,
Und legte es an die Mutterbrust zart
Und wünschte sehr, daß es saufe.

Dem Walroß war aber die Milch zu heiß —
Das Zureden blieb ein verlornes.
»Wir sind auf dem Nordpol, und da gibt's Eis!
Ich will nur Gefrornes, Gefrornes!«

Der Walroß-Vater sprach rein in den Wind:
»Wir tun keine Fruchtsäfte haben!
So nimm doch Vernunft und die Brust an, mein Kind,
Wie Walroßbabies sich laben!«

Da rief das kleine Walroß: »Ich kotz
Auf dich und die ganze Familie!«
Dann aß es Gefrornes. Gefrornes aus Trotz,
Aus Himbeer, Kakao und Vanille.

Da schrumpfte und schrumpfte sein kleines Gesicht,
Denn kräftige Kost braucht der Norden.
Es ist auch kein richtiges Walroß nicht
Und nur so ein Seehund geworden.

Der Seehund bewohnt unter Wasser allein
Ein kleines und naßkaltes Zimmer,
Und möchte s o gerne ein Walroß sein!
Doch die Walrosse mögen ihn nimmer . . .

MORAL: Und jetzt schlaf!

Peter Hammerschlag

Antiquitäten

Weitab vom Lärm der großen Gegenwart,
Verfallumwittert, ruhmreich und verlassen,
Stehn stille Dinge rings, verstaubt, apart
Ein paar kokette Biedermeiertassen.

Darüber wuchtet bleich ein Imperator,
Doch seiner Büste Würde ist gegipst.
Ein ausgestopfter Südseealligator
Grinst glasig grünen Auges wie beschwipst.

Der bronzne Kienspanhalter Karls des Weisen
Blinkt über Buddhas Bauch und seine Falten.
Die Zopfperücke hat noch einen leisen
Verführerischen Puderhauch behalten.

Malaiisch glotzt mit hölzern starren Zügen
Ein Götze. Fahl erglimmen Zähne von Mulatten.
Verrostet träumen Waffen von den Kriegen
Und klirren leis in Rembrandts weichem Schatten.

Der Totenwurm in der Barockkommode
Tickt zeitlos in den ausgedörrten Wänden.
Betrübt summt eine Fliege ihre Ode —
Das macht, sie hockt auf Schopenhauers
                    dreizehn Bänden.

                              Wolfgang Borchert

Der Rock

Der Rock, am Tage angehabt,
Er ruht zur Nacht sich schweigend aus;
Durch seine hohlen Ärmel trabt
Die Maus.

Durch seine hohlen Ärmel trabt
Gespenstisch auf und ab die Maus . . .
Der Rock, am Tage angehabt,
Er ruht zur Nacht sich aus.

Er ruht, am Tage angehabt,
Im Schoß der Nacht sich schweigend aus,
Er ruht, von seiner Maus durchtrabt,
Sich aus.

                              Christian Morgenstern

Sentimentale Reise

O verflucht, ist man alleine!
Was man hört und sieht, ist fremd.
Und im Stiefel hat man Steine.
Und schon spürt man ein kleine
Sehnsucht unterm Oberhemd.

Man betrachtet, was Ihr rietet,
Und fährt hoch und rund und weit.
Man bewundert, was sich bietet.
Doch das Herz ist ja vermietet.
Man vertreibt sich nur die Zeit.

Wenn doch endlich Einer grüßte!
Wenn Ihr kämt und nicht nur schriebt!
Doch man steht wie in der Wüste
Und begafft die Bronzebüste
Eines Gottes, den's nicht gibt.

Wer es wünscht, kann selbstverständlich
Auch ganz andre Büsten sehn.
(Gegen Eintritt, es ist schändlich!)
Man denkt nach. Und läßt es endlich,
Wie so Vieles, ungeschehn.

Ja, die Welt ist wie ein Garten.
Und man wartet wie bestellt.
Doch da kann man lange warten.
Und dann schreibt man Ansichtskarten,
Daß es einem sehr gefällt.

Nachts steckt man durchs Fenster seinen
Kopf und senkt ihn wie ein Narr.
Und man hört die Katzen weinen.
Und am Morgen hat man einen
Schönen Bronchialkatarrh.

Erich Kästner

Das Klassenbild

Leicht vergilbt und halb verbogen
Und auf Karton aufgezogen,
Blicken wir im Querformat
Auf dem Bild mit kurzer Hose
Und betonter Schülerpose
In den Photoapparat.

Knips! — und schon war es geschehen:
Auf der Schulhaustreppe stehen
Knaben vor dem Hauptportal,
Und die Mädchen tragen Zöpfe. — — —
Doch inzwischen sind die Köpfe
Grau geworden oder kahl.

Mädchenzopf und Schillerkragen
Sind verschwunden, und wir fragen
Uns, wieso es möglich sei,
Daß sich erst nach vielen Jahren
Zeigt, wie schrecklich jung wir waren. —
Blickt nur auf das Konterfei!

Fridolin Tschudi

Klassentreffen nach vielen Jahren

Man sieht sich an und denkt: Du meine Güte!
Bist du das wirklich oder bist du's nicht?
Man murmelt was von Jugendmaienblüte,
Verlegenheit und Zweifel im Gesicht.

Und tröstet sich: Wir bleiben doch die Alten!
Und glaubt es doch im Grunde selber kaum.
Man registriert mit leichtem Schreck die Falten —
Und nichts von Glätte mehr und weichem Flaum.

Und flüchtet sich in gutgemeinte Phrasen:
Wie schön, daß man sich endlich wiedersieht ...
Wenn man so denkt, daß wir zusammensaßen ...
Du hattest ein so sonniges Gemüt ...

Der Himmel hing uns mächtig voller Geigen,
Und Pläne hatten wir mehr als genug,
Und wollten's allen einmal richtig zeigen ...
Sei still! ich weiß, auch das war Selbstbetrug.

Was ist daraus und was aus uns geworden?
Wahrscheinlich, was schon damals in uns war.
Nur war das dir und mir und allen Horden,
In denen's uns so gut gefiel, nicht klar.

Sieh heute: Geld verdienen, Kinder hüten
Und bürgerlich und halbwegs artig sein,
Und höchstens über Steuersätzen wüten,
Und das auch nur für sich und ganz allein ...

Mein lieber Freund . . . Freund? Daß wir das mal waren!
Zumindest nannten wir uns schließlich so
Und schienen unzertrennlich in den Jahren.
Und dann verlief sich's irgendwie und -wo.

Wir ritzten Mädchennamen in die Bänke
Und schrieben voneinander Fehler ab,
Versuchten heimlich schärfere Getränke
Und zeigten uns, wo's was zu sehen gab.

Gemeinsam auch die erste Zigarette
(Weil's mit Zigarren schließlich doch nicht ging).
Und — was man lieber schnell vergessen hätte —
Die erste Fremdheit, als man Feuer fing,

Als man nicht Zeit mehr nur für Freundschaft hatte
Und mit dem Schwarm bei »Hülfert« Kaffee trank.
Man wurde Junger Herr und trug Krawatte
Und saß zu zweit im Sommer auf der Bank.

Wie hieß sie doch? Sie trug die Baskenmütze
Einfach bezaubernd überm linken Ohr.
Ich seh mich noch: wie ich so bei ihr sitze . . .
Und kam mir ungeheuer männlich vor.

Wir gingen meistens durch die Bürgerwiese,
Dann Prager Straße, Altmarkt, bis zum Schloß,
Und hofften, daß sich jemand treffen ließe,
Den neidisch die Eroberung verdroß.

Vorbei, mein Freund, und nicht mehr aufzufinden,
Das Glück von einst, die unbeschwerte Zeit,
Die dummen kleinen Späße, die verbinden,
Solang man jung ist. Doch das trägt nicht weit.

Das leuchtet noch aus ferner Welt herüber
Und ist vergangen und ist ganz vorbei.
— Man nickt sich zu: Wir werden alt, mein Lieber,
— Und beide hoffen, daß es nicht so sei.

Doch jeder greift verstohlen nach den Pillen
Und tut, als wäre nichts, und gibt sich jung.
Man trinkt sich zu, um Pausen auszufüllen.
Und geht auf Suche nach Erinnerung.

Dann plötzlich beide, wie aus Traum erwachend:
Mensch, weißt du noch? Erinnerst du dich auch?

— Und hält die Hand vor, faule Witze machend.
Und mit der andern hält man sich den Bauch

Und findet alles, um sich auszuschütten,
Und weiß im Grunde selber nicht, warum.
Und imitiert pathetisch Schülersitten.
Und wird genauso plötzlich wieder stumm.

Ein Name fiel. Noch einer. Und noch viele,
Schon fast vergessne. Und ihr Platz blieb leer,
Gefährten viel zu ernst genommner Spiele.
Sind wir die Alten noch? Wir sind's nicht mehr.

Wir haben Würde (was wir halt so nennen)
Und haben reichlich Polster angesetzt.
Das Kind ist zwar kaum wiederzuerkennen —
Doch eigentlich erkennen wir's erst jetzt.

Nur Gutes von den Toten

Nur Gutes von den Toten!
Wer das geboten,
Der hatte, frommer Tropf,
Mehr Herz als Kopf.
Soll aus den Tatberichten
Das Schlimme bleiben;
Wer kann noch die Geschichten
Der Großen schreiben?

Friedrich Wilhelm Weber

Der Papagei

Es war einmal ein Papagei,
Der war beim Schöpfungsakt dabei
Und lernte gleich am rechten Ort
Des ersten Menschen erstes Wort.

Des Menschen erstes Wort war A
Und hieß fast alles, was er sah,
Z. B. Fisch, z. B. Brot,
Z. B. Leben oder Tod.

Erst nach Jahrhunderten voll Schnee
Erfand der Mensch zum A das B

Und dann das L und dann das Q
Und schließlich noch das Z dazu.

Gedachter Papagei indem
Ward älter als Methusalem,
Bewahrend treu in Brust und Schnabel
Die erste menschliche Vokabel.

Zum Schlusse starb auch er am Zips.
Doch heut noch steht sein Bild in Gips,
Geschmückt mit einem grünen A,
Im Staatsschatz zu Ekbatana.

Christian Morgenstern

Zuvorkommend

Pummerer, aus purer Freundlichkeit,
Fragt auf der Straße die Leute nach der Zeit,
Auch nach dem Datum oder nach dem Weg
Und verschafft ihnen Überlegenheit und Privileg,
Sagt zu dem Vorsitzenden des Geschichtsvereins,
Landgraf Karl sei 1602 gestorben (statt 1601),
Oder schreibt beispielsweise das Wort ›Relieff‹
In einem Brief an Hauptlehrer Vogt mit Doppel-f!

Er verschafft so allen, wohlwollend und beflissen,
Die tiefe Befriedigung, es besser zu wissen.

Otto-Heinrich Kühner

Die Denkmalsschänderin

Es stand auf dem Pianoforte,
Wie das in guten Stuben ist,
Inmitten Nippes hier am Orte
Aus Gips die Büste von Franz Liszt.
Die Stubenfliege, Klein-Irene,
Ein flinkes, burschikoses Tier,
Spazierte gern auf seiner Mähne,
Von dort sprang sie nach Warze vier.

Und dabei sang das lose Vieh
Taram-tam-tam — die Rhapsodie.

Man weiß, der Meister hatte sieben
Von diesen Warzen im Gesicht.
Irene aber, meine Lieben,
Ließ es bei Nummer vier nun nicht.
Sie sprang gern außerhalb der Reihe
Von eins nach sechs, von fünf nach zwo,
Von dort aus hüpfte sie nach dreie,
Seit langer Zeit trieb sie es so.

Und immer nach der Melodie
Des großen Meisters Rhapsodie.

Die Spinne aber, Fräulein Schröder,
Sah diese Denkmalsschande nun
Und sagte sich: »Ent- oder -weder,
Hier muß man was dagegen tun!«
Zur Büste ist sie hingekrochen,
Verneigte tief davor sich dann,
»O Meister«, hat sie da gesprochen,
»Ich bin die Frau, die helfen kann.

Ich webe jetzt ein Netz um Sie
Als Dank für Ihre Rhapsodie.«

In Ehrfurcht hat sie's gleich begonnen,
Und bald war um den Komponist
Ein zartes Schleiertuch gesponnen,
Da schmunzelte sogar der Liszt.
Nachdem gelegt war diese Schlinge,
Versteckte sie sich hinterm Ohr
Und wartete nun auf die Dinge —
Sie kam sich maßlos edel vor.

Und summte leis' die Rhapsodie:
Gleich freß' ich sie, gleich freß' ich sie.

Irenchen kam und sah die Stricke,
Womit ihr Warzenspiel perdu,
Und flog im nächsten Augenblicke
Zu Richard Wagner vis-à-vis.
Dem rutschte sie nun froh und munter,
Der auch aus Gips geformt hier stand,
Die Nase mit Juchhu herunter,
Was sie noch weitaus netter fand.

Und rief zur Spinne voller Hohn:
»Jetzt spiel' ich mit dem Schwiegersohn.«

Robert T. Odeman

Fürs Militär: An Frau Lindau

Rieke näht auf die Maschine,
Nischke war beis Miletär;
Dennoch aber ließ sie ihne
Niemals nahe bei sich her.

»Wozu« — fragt sie oft verächtlich —
»Wozu nützt mich der Soldat.
Wenn man bloß durch ihn hauptsächlich
Soviel hohe Steuern hat?«

Einstmals ging sie nach dem Holze;
Nischke wollte gerne mit;
Aber nein, partout nich wollt' se,
Daß er ihr dahin beglitt.

Plötzlich springt aus dem Gebüsche
Auf ihr zu ein alter Strolch!
Stiere Augen wie die Fische,
Kalte Hände wie der Molch.

»Runter«, schreit er, »mit die Kleider:
Denn sie lebt im Überfluß;
Da ich ein Fabrikarbeiter,
Der sich was verdienen muß!« —

Weinend fallen Jäck- und Röckchen,
Zitternd löst sich der Tournür;
Nur ein kurzes Unterglöckchen
Schützt vor Scham und Kälte ihr.

Aber jetzt, da tönt es Halte!
Und ein scharfer Säbel blunk.
Aufgeschlitzt mit einer Spalte
Floh sich brüllend der Halunk.

Dies tat Nischke, der trotz allen
Rieken heimlich nachgeschleicht,
Die sich unter Dankeslallen
Jetzt um seinen Hals verzweigt.

O ihr Mädchen, laßt euch raten,
Ehrt und liebet den Soldat,
Weil er sonst für seine Taten
Nicht viel zu verzehren hat.

Wilhelm Busch

Der Eiersegen

Im Sommer war's, vor langer Zeit,
Da trat mit weißbestaubtem Kleid
Ein Wanderbursche müd genug
Einst zu Semlin in einen Krug.
Doch niemand war in dieser Schenke,
Zu reichen Speisen und Getränke —
Nur Fliegen, die vom Tisch aufsummten,
Und Brummer, die am Fenster brummten.
Die Sonne kam hereingeflossen
Und malte still die Fenstersprossen
Hin auf den sandbestreuten Grund.
Es regte sich kein Mensch, kein Hund!
Es waren ganz für sich allein
Die Fliegen und der Sonnenschein.
Der Wandrer auf die Bank sich streckte
Und seine müden Glieder reckte,
Und dacht': »Die Ruhe soll mir frommen!
Am Ende wird schon jemand kommen!«
Und als er nun so um sich sah,
Fand er ein Häufchen Krumen da,
Das man vom Tisch zusammenfegte,
Und, da der Hunger sehr sich regte,
Begann er eifrig unterdessen
Von diesen Krümlein Brots zu essen.
Dem guten Burschen war nicht kund,
Daß sich auf Hexerei verstund
Des Krügers Frau. Sie wollte eben
Die Krümchen ihren Hühnern geben,
Und da sie abgerufen ward,
Sprach sie darob nach Hexenart,
Bevor sie ging, den Eiersegen,
Wonach die Hühner mächtig legen. —
Und als der Bursche also nippte,
Und mit den Fingern Krumen tippte,
Da ward ihm gar so wunderlich
Im Leibe, so absunderlich,
Bis daß auf einmal wundersam
Der Zauberspruch zur Wirkung kam.
Er fühlte sich, als wie besessen,
Und so viel Krumen er gegessen,
So viele Eier mußt' er legen!
Das wirkte dieser Hexensegen! —
Er mochte wollen oder nicht,
Das war das Ende der Geschicht:
Er legte einunddreißig Eier,

Und darnach fühlte er sich freier.
Dann ward ihm so mirakelig,
So kikelig, so kakelig,
Und ehe er sich recht besann,
Da fing er auch das Kakeln an!
Er konnte diesen Trieb nicht zügeln,
Schlug mit den Armen wie mit Flügeln.
Ging um die Eier in die Runde
Und scharrte kräftig auf dem Grunde,
Und kakelte so furchtbarlich,
Daß alles rings entsatzte sich!
Zusammen lief Weib, Kind und Mann
Und schauten das Mirakel an.
Doch endlich ließ der Zauber nach;
Dem armen Burschen war ganz schwach.
Er fühlte ganz elendiglich
Sich außen und inwendiglich,
Und mußte stärken sein Gebein
Mit Käse, Brot und Branntewein!
Ließ sich den Stock herüberlangen
Und ist beschämt davon gegangen.

Nach langer Zeit, in späten Jahren,
Hab ich's aus seinem Mund erfahren.
Da hat er oftmals mir erzählt,
Wie ihn das Hühnerbrot gequält
Und wie das Ding sich zugetragen.
Zum Schlusse pflegte er zu sagen:
»Das Legen, das ist leicht getan!
Das Kakeln aber, das greift an!«

Heinrich Seidel

Die Schwabinger Maler-Moritat

Der Maler Schroll, der schöne Bilder malte,
Der lebte hoch in einem Atelier,
Für das er ab und zu nur was bezahlte
Aus seinem immer leeren Portemonnaie.

Ein treues Mädchen teilte seine Leiden,
Sie diente teils als Braut, teils als Modell;
Im allgemeinen war sie sehr bescheiden,
Nur eifersüchtig war sie gar zu schnell.

Da kam ein Mann, der eine ›Leda‹ wollte,
Das ist das Fräulein mit der Schwanerei.
Denn Kunst ist oft, was sonst nicht seien sollte,
Doch so ein Maler denkt sich nichts dabei.

So wurde die Elfriede abgemalen,
Wie sie mit ohne Kleider eben war.
Der Käufer kam, um gleich in bar zu zahlen,
Und trug die ›Leda‹ fort mit Haut und Haar.

Der Maler Schroll, bis dahin brav und bieder,
Der ging an diesem Abend einmal weg.
Und saß von nun an jeden Abend wieder
Mit andern Malern in dem gleichen Eck.

Von einem Maler muß man das verstehen,
Jedoch Elfriede, die verstand es nicht
Und ließ ihn immer nur mit Tränen gehen
In ihrem engelsgleichen Angesicht.

Sie weinte laut in ihrer leeren Kammer,
Und als das viele Weinen nichts genützt,
Da hat sie heimlich einen Vorschlaghammer
Ein Stockwerk tiefer bei Herrn Beck stibitzt.

Und ist zu jenem Kneiplokal gegangen.
Erst stand sie lauernd vor der Türe dort.
Dann heuchelt sie ein menschliches Verlangen
Und kam so illegal in den Abort!

Und hat hier einfach all die schönen Frauen,
Sowie nur eine durch die Türe kam,
Mit ihrem Vorschlaghammer totgehauen,
Wiewohl die Reihe gar kein Ende nahm.

Bald stapelt sie die Leichen an den Wänden
In ihrer ach so still-korrekten Art,
Und jede hielt ihr Zehnerl noch in Händen,
Das sie auf diese Weise nun gespart.

Es mochten an drei Dutzend Damen seien,
Das wußte sie wohl selbst nicht so genau,
Es lag sogar mit in den untern Reihen
Die hochbetagte Toilettenfrau.

Nun stand die Tür ein kleines bißchen offen,
Da sah sie draußen den geliebten Schroll!

Der stand bei ihrem Anblick sehr betroffen.
Der Hammer schien ihm gleich verhängnisvoll!

Doch als sie ihn gerad' erschlagen wollte,
Da hatte sie nicht mehr die Kraft dazu:
Der Hammer sank, die bittre Träne rollte,
Sie rief: »Komm an mein Herz, Geliebter du!«

Und als sich beide in den Armen lagen,
Da wurden, als ihr Blick nach hinten fiel,
Die Damen, die Elfriede grad' erschlagen,
Der Reihe nach schon wieder ganz mobil!

Sie waren nur ein wenig noch benommen
Und taumeln deshalb unverrichtet fort.
So ist um den ersehnten Lohn gekommen
Die alte Frau vor jenen Zellen dort.

Man sieht daraus, was Eifersucht für Schaden
Selbst Unbeteiligten noch bringen kann.
Drum laßt euch also, liebe Leute, raten:
Fangt gar nicht erst mit Mord und Totschlag an.

Ernst Klotz

Kaschubisches Weihnachtslied

Wärst du, Kindchen, im Kaschubenlande,
Wärst du, Kindchen, doch bei uns geboren!
Sieh, du hättest nicht auf Heu gelegen,
Wärst auf Daunen weich gebettet worden!

Nimmer wärst du in den Stall gekommen,
Dicht am Ofen stünde weich dein Bettchen,
Der Herr Pfarrer käme selbst gelaufen,
Dich und deine Mutter zu verehren.

Kindchen, wie wir dich gekleidet hätten!
Müßtest eine Schaffellmütze tragen,
Blauen Mantel von kaschubischem Tuche,
Pelzgefüttert und mit Bänderschleifen.

Hätten dir den eignen Gurt gegeben,
Rote Schuhchen für die kleinen Füße,
Fest und blank mit Nägelchen beschlagen,
Kindchen, wie wir dich gekleidet hätten!

Kindchen, wie wir dich gefüttert hätten!
Früh am Morgen weißes Brot mit Honig,
Frische Butter, wunderweiches Schmorfleisch,
Mittags Gerstengrütze, gelbe Tunke,

Gänsefleisch und Kuttelfleck mit Ingwer,
Fette Wurst und goldnen Eierkuchen,
Krug um Krug das starke Bier aus Putzig.
Kindchen, wie wir dich gefüttert hätten!

Und wie wir das Herz dir schenken wollten,
Sieh, wir alle wären fromm geworden,
Alle Knie würden sich dir beugen,
Alle Füße Himmelswege gehen.

Niemals würde eine Scheune brennen,
Sonntags nie ein trunkner Schädel bluten, —
Wärst' du, Kindchen, im Kaschubenlande,
Wärst du, Kindchen, doch bei uns geboren!

Werner Bergengruen

De blinne Schausterjung'!

Ach, Meister! Meister! Ach, ick unglückselig Kind!
Wo geiht mi dit? Herr Je, du mein!
Ach, Meister! Ick bin stockenblind,
Ick kann ok nich en Spirken*) seihn!«
De Meister smitt den Leisten weg,
Hei smitt den Spannriem in de Eck
Und löppt nah sinen Jungen hen.
»Herr Gott doch, Jung! Wo is di denn?«
»Ach, Meister, Meister! Kieken S' hier!
Ick seih' de Botter up't dat Brot nicht mihr!«
De Meister nimmt dat Botterbrot,
Bekiekt dat nipp**) von vörn und hin'n:
»So slag doch Gott den Düwel dod!
Ick sülwst kann ok kein Botter fin'n.
Na täuw***)!« Hei geiht tau de Fru Meistern hen
Und seggt tau ehr: »Wat makst du denn?
Wo is hier Botter up dat Brot?
Dor slag doch Gott den Düwel dod!«
»Is dad nich gaud för so en Jungen?
Ji sünd man all so Leckertungen!

*) bißchen   **) genau   ***) warte

Ji müggten Hus und Hof vertehren,
Un ick sall fingerdick upsmeeren.
So geiht dat noch nich los! Prahl sacht!
De Botter gellt en Gröschner acht.«
»Ih, Mudder, ward man nich glik bös,
Hest du denn nich en beten Kes'?«
Un richtig! Sei lett sick bedüden
Und deiht den Jungen Kes' upsniden.
De Meister bringt dat Brot nu herin,
Giwwt dat den Jungen hen un fröggt,
Ob sick sin Blindheit nu hadd leggt,
Un ob hei wedder seihen künn.
»Ja, Meister!«, seggt de Jung ganz swipp*),
»Ja, Meister, ja! Ick seih' so nipp,
As hadd ick 'ne Brill' up mine Näs',
Ick seih' dat Brot all dörch den Kes'.«

Fritz Reuter

Der Luftballon

Saß auf der Mauer mit unserer Kleinen,
Schlenkerten sacht mit beiden Beinen.
Einen Ballon an zwirnemem Band
Hielt ihre kleine, dicke Hand,
Und mit hochgezogener Braue
Sah sie träumend hinauf ins Blaue;
Ich aber sprach ihr von Sonn' und Mond
Und von Gott, der im Himmel wohnt.

»Ja, da sitzt er nun ganz alleine
So wie wir im Sonnenscheine,
Sieht in des Sonntagnachmittags Ruh',
Was wir treiben, ich und du,
All die Englein, die Mädel und Rangen,
Sind zur Kirmes ausgegangen;
Heute haben sie alle frei,
Und Mutter Maria ist auch dabei.

Leer wie bei uns sind nun die Gassen.
Einsam sitzt er, so ganz verlassen,
Und denkt: wer doch wie unsre Lisett'
Auch solch ein schönes Spielzeug hätt'!
Würde groß Freud' im Himmel sein;
Doch so was kommt nie an unserein,
Ich muß an all und jeden denken,
Und mir, mir will kein Mensch was schenken.«

*) pfiffig

Die Kleine sah zum Himmel, und dann
Sah sie den Luftballon sich an.
Sie war noch nicht mit sich im reinen
Und fragte: »Hat er wirklich keinen?«
Und als ich sagte, daß es so wär',
Rückte sie unruhig hin und her.

Es zuckten ihre beiden Augenlider,
Zwei dicke Tränen tropften nieder.
Der Luftballon, der war so fein;
Doch Gott im Himmel so ganz allein . . .
Sie gab ihrem Herzchen noch einen Stoß:
»Da, lieber Gott!« — und sie ließ los.

Adolf Ey

Die erste alte Tante sprach:
Wir müssen nun auch dran denken,
Was wir zu ihrem Namenstag
Dem guten Sophiechen schenken.

Drauf die zweite Tante kühn:
Ich schlage vor, wir entscheiden
Uns für ein Kleid in Erbsengrün,
Das mag Sophiechen nicht leiden.

Der dritten Tante war das recht:
Ja, sprach sie, mit gelben Ranken!
Ich weiß, sie ärgert sich nicht schlecht
Und muß sich auch noch bedanken.

Wilhelm Busch

Wochenbrevier

Am Montag fängt die Woche an.
Am Montag ruht der brave Mann,
Das taten unsre Ahnen schon.
Wir halten streng auf Tradition.

Am Dienstag hält man mit sich Rat.
Man sammelt Mut und Kraft zur Tat.
Bevor man anfängt, eins, zwei drei,
Bums — ist der Dienstag schon vorbei.

Am Mittwoch faßt man den Entschluß:
Bestimmt, es soll, es wird, es muß,
Mag kommen, was da kommen mag,
Ab morgen früh am Donnerstag.

Am Donnerstag faßt man den Plan:
Von heute ab wird was getan.
Gedacht, getan, getan, gedacht.
Inzwischen ist es wieder Nacht.

Am Freitag geht von alters her,
Was man auch anfängt, stets verquer.
Drum ruh dich aus und sei belehrt:
Wer gar nichts tut — macht nichts verkehrt.

Am Samstag ist das Wochen-End,
Da wird ganz gründlich ausgepennt.
Heut anzufangen, lohnt sich nicht.
Die Ruhe ist des Bürgers Pflicht.

Am Sonntag möcht man so viel tun.
Am Sonntag muß man leider ruhn.
Zur Arbeit ist es nie zu spät.
O Kinder, wie die Zeit vergeht.

Fred Endrikat

Von Katzen

Vergangnen Maitag brachte meine Katze
Zur Welt sechs allerliebste kleine Kätzchen,
Maikätzchen, alle weiß, mit schwarzen Schwänzchen.
Fürwahr, es war ein zierlich Wochenbettchen!
Die Köchin aber — Köchinnen sind grausam,
Und Menschlichkeit wächst nicht in einer Küche —
Die wollte von den sechsen fünf ertränken,
Fünf weiße, schwarzgeschwänzte Maienkätzchen
Ermorden wollte dies verruchte Weib.
Ich half ihr heim! — der Himmel segne
Mir meine Menschlichkeit! Die lieben Kätzchen,
Sie wuchsen auf und schritten binnen kurzem
Erhobnen Schwanzes über Hof und Herd;
Ja, wie die Köchin auch ingrimmig dreinsah,
Sie wuchsen auf, und nachts vor ihrem Fenster
Probierten sie die allerliebsten Stimmchen.
Ich aber, wie ich sie so wachsen sahe,

Ich pries mich selbst und meine Menschlichkeit. —
Ein Jahr ist um, und Katzen sind die Kätzchen,
Und Maitag ist's! — wie soll ich es beschreiben,
Das Schauspiel, das sich jetzt vor mir entfaltet!
Mein ganzes Haus, vom Keller bis zum Giebel,
Ein jeder Winkel ist ein Wochenbettchen!
Hier liegt das eine, dort das andre Kätzchen,
In Schränken, Körben, unter Tisch und Treppen,
Die Alte gar — nein, es ist unaussprechlich,
Liegt in der Köchin jungfräulichem Bette!
Und jede, jede von den sieben Katzen
Hat sieben, denkt euch, sieben junge Kätzchen,
Maikätzchen, alle weiß, mit schwarzen Schwänzchen.
Die Köchin rast, ich kann der blinden Wut
Nicht Schranken setzen dieses Frauenzimmers;
Ersäufen will sie alle neunundvierzig!
Mir selber, ach, mir läuft der Kopf davon —
O Menschlichkeit, wie soll ich dich bewahren!
Was fang ich an mit sechsundfünfzig Katzen!

Theodor Storm

Der Bauer und sein Sohn

Ein guter dummer Bauernknabe,
Den Junker Hans einst mit auf Reisen nahm,
Und der trotz seinem Herrn mit einer guten Gabe,
Recht dreist zu lügen, wiederkam,
Ging, kurz nach der vollbrachten Reise,
Mit seinem Vater über Land.
Fritz, der im Geh'n recht Zeit zum Lügen fand,
Log auf die unverschämt'ste Weise.
Zu seinem Unglück kam ein großer Hund gerannt.

»Ja, Vater,« rief der unverschämte Knabe,
»Ihr mögt mir's glauben oder nicht:
So sag' ich's Euch und jedem ins Gesicht,
Daß ich einst einen Hund bei — Haag gesehen habe,
Hart an dem Weg, wo man nach Frankreich fährt,
Der — — ja, ich bin nicht ehrenwert,
Wenn er nicht größer war, als Euer größtes Pferd!«

»Das«, sprach der Vater, »nimmt mich wunder;
Wiewohl ein jeder Ort läßt Wunderdinge seh'n.
Wir, zum Exempel, geh'n jetzunder,
Und werden keine Stunde geh'n:

So wirst du eine Brücke seh'n,
(Wir müssen selbst darüber geh'n),
Die hat dir manchen schon betrogen;
Denn überhaupt soll's dort nicht richtig sein.
Auf dieser Brücke liegt ein Stein,
An den stößt man, wenn man denselben Tag gelogen,
Und fällt und bricht sogleich das Bein.«

Der Bub' erschrak, sobald er dies vernommen.
»Ach«, sprach er, »lauft doch nicht so sehr!
Doch wieder auf den Hund zu kommen:
Wie groß sagt' ich, daß er gewesen wär'?
Wie Euer größtes Pferd? Dazu will viel gehören.
Der Hund, jetzt fällt's mir ein,
         war erst ein halbes Jahr;
Allein das wollt' ich wohl beschwören,
Daß er so groß als mancher Ochse war.«

Sie gingen noch ein gutes Stücke:
Doch Fritzen schlug das Herz.
         Wie konnt'es anders sein?
Denn niemand bricht doch gern ein Bein.
Er sah nunmehr die richterische Brücke
Und fühlte schon den Beinbruch halb.
»Ja, Vater«, fing er an, »der Hund,
         von dem ich redete,
War groß, und wenn ich ihn auch was
         vergrößert hätte:
So war er doch viel größer als ein Kalb.«

Die Brücke kömmt. Fritz! Fritz! wie wird dir's gehen?
Der Vater geht voran; doch Fritz hält ihn geschwind.
»Ach, Vater!« spricht er, »seid kein Kind
Und glaubt, daß ich dergleichen Hund gesehen!
Denn kurz und gut, eh' wir darüber gehen,
Der Hund war nur so groß, wie alle Hunde sind!«

Du mußt es nicht gleich übelnehmen,
Wenn hie und da ein Geck zu lügen sich erkühnt,
Lüg' auch, und mehr als er,
         und such' ihn zu beschämen:
So machst du dich um ihn und um die Welt verdient.

Christian Fürchtegott Gellert

Das Gummiband

Ein Mann steht vor dem Warenhaus.
Die Menschen gehen ein und aus.
Sie gehen aus — sie gehen ein.

Der Mann steht draußen ganz allein
Mit einem Hündchen an der Hand.
Die Frau kauft drin ein Gummiband.
»Ein kleines Stückchen Gummiband
Brauch' ich«, so sprach sie — und verschwand.
Zuvor gab sie ihm ganz charmant
Die Hundeleine in die Hand,
Lächelt' sehr freundlich und verschwand.
Nun kauft sie drin das Gummiband.
Die Glocke schlägt die Mittagsstund.
Der Mann steht draußen mit dem Hund
Und wartet vor dem Warenhaus.
Die Menschen gehen ein und aus.
Sie gehen aus — sie gehen ein.
Der Mann steht draußen ganz allein,
Die Hundeleine in der Hand.
Die Frau kauft drin ein Gummiband.
Der Mann geht wartend hin und her,
Sein Magen knurrt — ihn hungert sehr.
Er wandelt her — er wandelt hin,
Der Bart sprißt ihm schon aus dem Kinn.
Die Glocke schlägt die Vesperstund.
Der Mann steht draußen mit dem Hund
Und wartet vor dem Warenhaus.
Die Menschen gehen ein und aus.
Sie gehen aus — sie gehen ein.
Der Mann steht draußen ganz allein,
Die Hundeleine in der Hand.
Die Frau kauft drin ein Gummiband.
Dem Manne wuchs bereits ein Bart.
Der Hund hat sich indes gepaart.
Es brach die dunkle Nacht herein.
Noch immer steht der Mann allein,
Die Leine in der welken Hand,
Lallt wie im Fieber: »Gummiband.«
Er wankt mit schlotternd müden Knien —
Halb zieht es ihn — halb sinkt er hin.
Es flimmert vor den Augen ihm.
Die Glocke schlägt dreiviertel siem.
Da huscht sie leichtbeschwingt hinaus
Zu Mann und Hund vors Warenhaus.
Sie lacht mit strahlend heller Mien'.
»Hast du gewartet?« fragt sie ihn.
Er murmelt schwer und lebensmüd:
»O nein.« Dann seufzt' er — und verschied.
So gingen denn ein Mann nebst Hund
An einem Gummiband zu Grund.   Fred Endrikat

Guter Grund

Ein Fremder kam zu einem Schneider
Mit einem tücht'gen Stücke Tuch,
Und sprach: Ich liebe weite Kleider;
Ist das zu einem Rock genug?
Der Meister maß und machte Zeichen,
Und rief bedächtig: 's wird nicht reichen.

Erbittert durch dies herbe Wort
Ging ungesäumt der Fremde fort
Zum nächsten Schneider gegenüber,
Und sprach zu diesem auch: Mein Lieber,
Mein sehr berühmter Meister Bock,
Reicht dies zu einem weiten Rock? —
Und als Herr Bock das Maß genommen,
Sprach er gar freundlich: O vollkommen.

Als drauf der Fremde wiederkam,
War meisterlich das Werk gelungen;
Doch sah er, was ihn wunder nahm,
Zu gleicher Zeit des Meisters Jungen,
Der von demselben Stücke Tuch
Ein allerliebstes Wämschen trug.
Vergnügt spricht er: Ich bin's zufrieden,
Doch wär ich gern um eins beschieden:
Zu wenig war's zum Rock da drüben,
Hier ist zum Wams noch übrig blieben. —

Hm! sprach Herr Bock, da kann ich Ihnen
Sofort mit gutem Grunde dienen:
Nur e i n e n Sohn hab' ich, doch ei!
Der drüben — — hat der Schlingel z w e i !

F. Kind

Dumme Frag

Der Franzl fragt's Nannele:
»Möchst mier nit sagn,
Was mueß i jetzt tuen, daß i a Bussl krieg?«
»Nit so dumm fragn!«

Karl Schönherr

Bei Wocken und Krug

Sie saß am Wocken* und spann,
Er saß beim Krug und sann.
Er stumm und sie verschwiegen.
Die Sonne schien herein,
Schien auf den Krug und den Lein,
Im Zimmer summten die Fliegen.

»Nun ist der Frühling da«,
Sagt' er, sie sagte »ja!«
Er trank und setzte nieder.
»Deß sind wir beide wohl froh«,
Sagt' er, sie sagte »Wieso?«
Und knüpfte den Faden wieder.

»Willst einen Gefallen mir tun?«
Sagt' er, sie sagte » Je nun!«
Die Spindel verworren schwebte.
»Wenn'st willst, was ich denk', so geschicht's«,
Sagt' er, sie sagte — nichts,
Aber sie glüht' und bebte.

Er küßte sie rasch auf den Mund,
Sie umschlang ihn mit Armen rund,
Und beide waren erschrocken.
Geredet war ja genug,
Sie hatten sich, — und der Krug
Der schielte hinüber zum Wocken.

Julius Wolff

Die vier Verhältnisse

Ein Junggesell muß trinken!
Es bleibt ihm keine Wahl;
Er hat ja weder Kind noch Weib,
Und jeder will doch Zeitvertreib;
Ein Junggesell muß trinken!

Ein Bräutigam muß trinken!
Und zwar so viel er kann;
Denn hat er erst die Frau im Haus,
So darf er nicht zur Tür hinaus:
Ein Bräutigam muß trinken!

* Spinngerät

Ein Eh'mann, der muß trinken!
Sonst kann er nicht besteh'n;
Die Frau keift Tag und Nacht wie toll,
Und Kinder schrei'n das Ohr ihm voll;
Ein Eh'mann, der muß trinken!

Auch Frauen können trinken!
Doch nippen nennen sie's;
Oft wenn der Mann zu Weine geht,
Weiß auch Madam, wo's Fläschchen steht,
Und dann heißt's: nippen! nippen! nippen!

Wilhelm August Wohlbrück

Der Goetheforscher

Es hatte, vor aberhundert Jahren,
Ein Goetheforscher durch Zufall erfahren,
Daß irgendwo im Elsässerland
Ein altes Mütterchen wäre am Leben,
Das noch die Friederike Brion gekannt.
Da mußte sich schleunigst hinbegeben
Der eifrige Forscher, und wirklich fand
Er noch das alte Mütterchen da. —
»Ja«, sagte die Alte, »ich kannte sie ja,
Das Riekchen; sie war ein herziges Kind,
Und jeder gewann sie lieb geschwind.« —
»Wie war es aber mit Goethe?« sprach
Der Forscher. — Da dachte ein wenig nach
Die zittrige Alte. »Der Goethe? Ja, der
Hat auch die Rieke geliebt so sehr.
Wir dachten alle, er würde das Kind
Heiraten — doch war der Sausewind
Weg eines Tages auf Niewiederkehr.
Und seitdem (schloß die Alte empört)
Hat kein Mensch mehr was von Goethe gehört.«

Strix otus

Der lange Tanz

Als die Frühmesse beendet war,
Nahmen sich drei junge Weiber,
Dicht am Kloster, nicht weit vom Altar,
Drei junge Kälbertreiber.

Die sechs fingen dort zu tanzen an
Und reckten die ranken Glieder,
Und sangen dabei Hallelujah
Und Welt- und Hochzeitslieder.

Der Presbyter nahte in Eifer und Zorn,
Und seine Stimme bellte.
Doch der Singsang ging weiter in Distel und Dorn
Und verhöhnte des Pfarrherrn Geschelte.

Der Priester schrie auf in heiserer Wut:
Daß ihr bliebet durch Gottes Knüttel
Und des heiligen Märtyrers Magnus Blut
Ein Jahr lang in solchem Geschüttel!

Da tanzten sie ein ganzes Jahr,
Bald züchtig in zierlichem Reigen,
Bald wüst wie eine Bacchantenschar,
Bald in feierlich finsterm Schweigen.

Nunquam dormio hieß ihr Klagegedicht,
Das sie stets von neuem sangen.
Sie aßen nicht, sie tranken nicht,
Sie tanzten, taumelten, sprangen.

Und als das Jahr vorüber war,
Ritt vorbei auf einer milchweißen Stute
Der Erzbischof Herbert von Köln im Talar,
Und dem wurde seekrank zu Mute.

Er löste schleunigst den tollen Graus,
Er löst die verwunschenen Bänder,
Und führt die sechs ins Gotteshaus
Vor des Hochaltars goldnes Geländer.

Sie fielen in tiefen Schlaf sogleich,
Es zitterten fort ihre Leiber;
Es schliefen drei Tage lilienbleich
Die sechs Weiber und Kälbertreiber.

Am vierten erschien aus dem Himmelsverlies
Der heilige Magnus heiter;
Der nahm sie mit ins Paradies,
Da tanzen sie selig weiter.

Detlev von Liliencron

Ballade vom Brennesselbusch

Liebe fragte Liebe: »Was ist noch nicht mein?«
Sprach zur Liebe Liebe: »Alles, alles dein!«
Liebe küßte Liebe: »Liebste, liebst du mich?«
Küßte Liebe Liebe: »Ewig, ewiglich!« — —

Hand in Hand hernieder stieg er mit Maleen
Von dem Heidehügel, wo die Nesseln stehn,
Eine Nessel brach er, gab er ihrer Hand,
Zu der Liebsten sprach er: »Uns brennt heißrer Brand!«

Lippe glomm auf Lippe, bis die Lust zum Schmerz;
Bis der Atem stockte, brannte Herz an Herz.
»Darum, wo nur Nesseln stehn am Straßenrand,
Wolln wir daran denken, was uns heute band!«

Spricht von Treu die Liebe, sagt sie ›ewig‹ nur, —
Ach, die Treu am Mittag gilt nur bis zwölf Uhr,
Treue gilt am Abend, bis die Nacht begann, —
Und doch weiß ich Herzen, die verbluten dran.

Krieg verschlug das Mädchen, wie ein Blatt verweht,
Das im Wind die Wege fremder Koppeln geht,
Und ihr lieber Liebster stieg zum Königsthron,
Eine Königstochter nahm der Königssohn.

Sieben Jahre gingen, und die Nessel stand
Sieben Jahr an jedem deutschen Straßenrand.
Wer hat Treu gehalten! Gott alleine weiß,
Ob nicht wunde Treue brennet doppelt heiß!

Bei der Jagd im Walde stand mit schwerem Sinn,
Stand am Knick der König bei der Königin,
Nesselblatt zum Munde hob er wie gebannt,
Und die Lippe brannte, wie sie einst gebrannt.

»Brennettelbusch,
Brennettelbusch so kleene,
Wat steihst du so alleene!
Brennettelbusch,
Wo is myn Tyd 'eblewen,
Und wo is myn Maleen?«

»Sprichst mit fremder Zunge?« frug die Königin.
»So sang ich als Junge«, sprach er vor sich hin.
Heim sie ritten schweigend, Abend hing im Land, —
Seine Lippen brannten, wie sie einst gebrannt!

Durch den Garten streifte still die Königin,
Zu der Magd am Flusse trat sie heimlich hin,
Welche Wäsche spülte noch im Sternenlicht,
Tränen sahn die Sterne auf der Magd Gesicht:

»Brennettelbusch,
Brennettelbusch so kleene,
Wat steihst du so alleene!
Brennettelbusch,
Ik hev de Tyd 'eweten,
Dar was ik nicht alleen.«

Sprach die Dame leise: »Sah ich dein Gesicht
Unter dem Gesinde? Nein, ich sah es nicht!«
Sprach das Mädchen leiser: »Konntest es nicht sehn,
Gestern bin ich kommen, und ich heiß Maleen!« —

Viele Wellen wallen weit ins graue Meer,
Eilig sind die Wellen, ihre Hände leer.
Eine schleicht so langsam mit den Schwestern hin,
Trägt in nassen Armen eine Königin. — —

Liebe fragte Liebe: »Sag, weshalb du weinst?«
Raunte Lieb zu Liebe: »Heut ist nicht mehr einst!«
Liebe klagte Liebe: »Ist's nicht wie vorher?«
Sprach zur Liebe Liebe: »Nimmer — nimmermehr.«

Freiherr Börries von Münchhausen

Kawenz

oder

Das Objekt im Grab

Im alten Dome zu Bregenz
War Kastellan ein Herr Kawenz.
Der leitete den Fremdenstrom,
Beschrieb, erläuterte den Dom
Und war für Trinkgeld gern bereit,
Die größte Sehenswürdigkeit
Zu zeigen: einen Sarkophag,
In dem die Gräfin Olly lag.
Er schob die Decke auf die Seit
Und sagte: Welche Heiterkeit
Liegt noch auf diesem Angesicht.
Verehren wir die Gräfin nicht?
Strahlt nicht ihr Stern noch immerdar?

Von ihrem edlen Wangenpaar
Weht Charme, der noch im kargen Rest
Den alten Glanz erkennen läßt.
Als wieder einmal er geführt,
Das Herz gerührt und einkassiert,
Da fragte ihn ein Millionär
Diskret, ob nicht zu haben wär
Ein Souvenir, ein Talisman.
Doch zeigte drauf der Kastellan
Das kalte Lächeln einer Sphinx.
Dann, gegen Trinkgeld allerdings,
Ließ er von dem Objekt im Grab
Dem Herren ein paar Haare ab.
Ein andermal kam ein Baron,
Der gegen Gratifikation
Ein Stück der Dame sich erstand:
Den Zeigefinger einer Hand.
Danach verkaufte Herr Kawenz
Bedenkenlos die Eichenkränz,
Ein Schulterblatt, ein Schlüsselbein.
Herz, Niere, Galle, Gallenstein
Und machte endlich im Verlauf
Der Zeit totalen Ausverkauf.
Ließ aber Steißbein und Gesäß
Zurück, der Pietät gemäß.
Dann nagelte den Deckel drauf
Kawenz und gab den Posten auf.

Wichtiger Nachtrag:

Verschlossen blieb der Sarkophag
Seitdem bis auf den heutigen Tag.
Und nur der Spruch des Herrn Kawenz
Tönt noch in Rhythmus und Kadenz
Wie sonst, obwohl ein andrer spricht:
Verehren wir die Gräfin nicht?
Strahlt nicht ihr Stern noch immerdar?
Von ihrem edlen Wangenpaar
Weht Charme, der noch im kargen Rest
Den alten Glanz erkennen läßt.

Fritz Grasshoff

Der Domherr von Passau

Frau Anna von Rappach, Äbtissin zu Wien
Trug wunderlich Wünschen zur Schau:
Beichthören, das tät sie fürs Leben so gern.

Es wird doch gebeichtet dem geistlichen Herrn —
Warum nicht der geistlichen Frau?

Als solches der Bischof von Passau vernahm,
Er lachte sich Tränen zu Tal:
Und ist sie so heiß für das Beichten entbrannt,
So sei ihr zur Probe ein Domherr gesandt,
Der soll ihr erst beichten einmal!

Bald stellte hierauf der Äbtissin galant
Ein Domherr als Beichtkind sich vor.
Sie sagte: Vergesset in mir das Geschlecht
Und setzte sich züchtig im Beichtstuhl zurecht,
Dem Sünder hinneigend das Ohr.

Und sieh, wie ein Feuerlein mählich erwacht,
Bald knistert es hier und bald da,
Halb brennts noch zu wenig und halb schon zuviel
Begann nun die Sünde ihr züngelndes Spiel
Und drängelte zischend sich nah.

Frau Anna von Rappach erkannte entsetzt:
Hier stellte ein Meister sich vor.
Er setzte die Orgel der Sünde in Brand,
Er zog die Register mit kundigster Hand,
Ihm fehlte kein Stimmlein im Chor.

Doch ob sie zutiefst auch in Schauern empört,
Daß Satan sich also erfrecht,
Sie sagte in Demut: Es sei dir verziehn,
Nur bete zur Buße drei Avemarien,
Du armer, du sündiger Knecht!

Ei, meinte der Domherr, das will ich gern tun,
Doch sagt ich das Schwerste noch nicht.
Das Schwerste, das würgt mir im Schlund wie ein Stein.
Bekennt es, ermahnte sie, fügt euch darein.
Nun ward euch Bekennen zur Pflicht!

Wohlan, sprach der Domherr und atmete tief,
O löst von der Sünde mich frei!
Wie soll ichs nur sagen, wie zwing ich die Scham?
Nun denn, so vernehmt was noch keiner vernahm:
I c h   l e g   j e d e n   M o r g e n   e i n   E i !

Da warf sich Frau Anna im Beichtstuhl zurück
Und barst fast vor Lachen entzwei.

Sie stöhnte: O Wunder der Theologie,
Der Domherr von Passau, haha und hihi,
Der legt jeden Morgen ein Ei!

Es gellte ihr Lachen durch Hallen und Wand,
Die Schwestern, sie stürzten herbei.
O hört Dorothea, Beate, Marie,
Der Domherr von Passau, haha und hihi,
Der legt jeden Morgen ein Ei!

Aufflatternd, schnatternd wie Entlein im Teich
Die Nönnlein mit großem Geschrei.
Solch köstliche Mär vernahm'n sie noch nie:
Der Domherr von Passau, haha und hihi,
Legt jeden Morgen ein Ei!

Schon wußt es die Köchin, der Fuhrknecht im Stall,
Die Magd von der Milchmeierei,
Bald gabs keinen Mund, der nicht pfiff oder schrie:
Der Domherr von Passau, haha und hihi,
Legt jeden Morgen ein Ei!

Bald gings auf den Gassen als Spottlied umher,
Die Buben, sie sangen juchhei.
Auf dem Mist in der Früh kräht der Kikeriki:
Der Domherr von Passau, haha und hihi,
Legt jeden Morgen ein Ei:

Als solches der Bischof von Passau vernahm,
Er nickte — und meinte: schau, schau!
Beichthören tät sie fürs Leben so gern
Es wird ja gebeichtet dem geistlichen Herrn —
Warum nicht der geistlichen Frau!

Mein findiger Domherr, haha und hihi,
Der legte das richtige Ei.
Wie habt, Frau Äbtissin, ihr schlecht euch bewährt.
Doch hat mich die Probe nichts Neues gelehrt.
Nun ist's mit dem Beichten vorbei . . .

So ist auch dies Liedl' vorbei, dideldei
'Haha und hihi und juchhei!

Karl Franz Ginzkey

Die Unke

Am Froschsumpf hockte eine Unke
Und sprach: »Ihr Frösche seid schon ein Pack!
Ihr freut euch in der schmutzigen Tunke —

Das wäre nichts nach meinem Geschmack.
Wie kann man nur so schmutzig sein,
Ihr werdet im ganzen Leben nicht rein.
Es wäre wirklich besser getan,
Ihr lebtet im Bache wie der Schwan:
Der trägt wie Schnee so weiß ein Kleid
Und ist ein Muster an Reinlichkeit —
Nehmt euch ein Beispiel doch daran!«
Da riefen die Frösche: »Seh einer an!
Macht dich die Reinlichkeit so froh,
Was lebst du wie wir denn ebenso?«
Die Unke aber sprach dagegen:
»Wenn ich um die eigne Reinlichkeit
Mich kümmern wollte, wo fände ich Zeit,
Mich über fremden Schmutz aufzuregen?«

Heinlein-Martius

Lied

Greift zum Becher und laßt das Schelten!
    Die Welt ist blind . . .
Sie fragt, was die Menschen gelten,
    Nicht, was sie sind.

Uns aber laßt zechen . . . und krönen
    Mit Laubgewind
Die Stirnen, die noch dem Schönen
    Ergeben sind!

Und bei den Posaunenstößen,
    Die eitel Wind,
Laßt uns lachen über Größen,
    Die keine sind.

Heinrich Leuthold

AUF EIGENE GEFAHR

Dr. Enzian . . .

Dr. Enzian betreibt zuzeiten einen magischen Humor:
Mittags setzt er seinen Freunden einen Floh ins Ohr,
Abends zieht er ihnen dann bei einem Glase
Listig lächelnd Würmer aus der Nase.

Peter Paul Althaus

Beruf des Storchs

Der Storch, der sich von Frosch und Wurm
An unserm Teiche nähret,
Was nistet er auf dem Kirchenturm,
Wo er nicht hingehöret?

Dort klappt und klappert er genug,
Verdrießlich anzuhören;
Doch wagt es weder alt noch jung,
Ihn in dem Nest zu stören.

Wodurch — gesagt mit Reverenz —
Kann er sein Recht beweisen?
Als durch die löbliche Tendenz,
Aufs Kirchendach zu . . .?

Johann Wolfgang von Goethe

Flowertale

Ich war ein Gänseblümchen
In einem Bukett,
Das von einem Kind, geführt von ihrem
    Runzeligen Mühmchen,
Der englischen Königin Elisabeth
An deren Geburtstag überreicht werden sollte.
Wie es der Zufall nun wollte,
Stand als Wache vor dem Buckingham-Palast
    (Am Tor)
Ein Reiter auf seinem Pferd, vom Gardekorps;
Und das Pferd schnappte den ganzen Strauß
Und wir Blumen kamen allesamt abhanden;
Wir verschwanden
Und kamen erst später wieder heraus.

Ich spreche jetzt als — — aber sprechen wir
Nicht darüber.
Früher duftete ich nicht; jetzt dufte ich;
Früher war ich mir lieber.

Peter Paul Althaus

Einem Pessimistviech ins Stammbuch

Das Unken geziemt den Ästheten,
Das Kritteln ist ihr Privileg.
Ich halte es mit den Poeten
Und gehe gradaus meinen Weg.
Es läßt sich so leicht überwintern,
Bewahr dir ein kindliches Herz.
Aus einem verzweifelten Hintern
Kommt niemals ein fröhlicher Ferz.

Fred Endrikat

Marionetten

Pulcinella, Skaramutz
Sind, vereinigt, gar nichts nutz,
Treibens schlimm im Mondenschein.

Doch der wackre Doktor pflückt
Kräuter langsam und gebückt,
Die im braunen Gras gedeihn.

Seine Tochter, prickelnd fein,
Schleicht halbnackt im Buchenhain,
Sucht geheim mit wunder Seele

Ihren Räuber stolz und schön,
Den der Nachtigall Gestöhn
Schon beklagt aus voller Kehle.

Paul Verlaine
Übers. Wilhelm Willige

Wie er wolle geküsset sein

Nirgends hin als auf den Mund,
Da sinkt es in des Herzens Grund.
Nicht zu frei, nicht zu gezwungen,
Nicht mit gar zu fauler Zungen.

Nicht zu wenig, nicht zu viel.
Beides wird sonst Kinderspiel.
Nicht zu laut und nicht zu leise,
In dem Maß ist rechte Weise.

Nicht zu nahe, nicht zu weit.
Dies macht Kummer, jenes Leid.
Nicht zu trocken, nicht zu feuchte,
Wie Adonis Venus reichte.

Nicht zu hart und nicht zu weich.
Bald zugleich, bald nicht zugleich.
Nicht zu langsam, nicht zu schnelle.
Nicht ohn' Unterschied der Stelle.

Halb gebissen, halb gehaucht.
Halb die Lippen eingetaucht.
Nicht ohn' Unterschied der Zeiten.
Mehr allein, denn unter Leuten.

Küsse nun ein jedermann,
Wie er weiß, will, soll und kann.
Ich nur und die Liebste wissen,
Wie wir uns recht sollen küssen.

Paul Fleming

Uebelkeit

Du magst der Welt oft lange trotzen,
Dann spürst du doch: es ist zum —.
Doch auch wenn deine Seele bricht,
Beschmutze deinen Nächsten nicht!

Eugen Roth

Die Winde des Herrn Prunzelschütz

Eine Ritterballade

Das war Herr Prunz von Prunzelschütz,
Der saß auf seinem Rittersitz
Mit Mannen und Gesinde
Inmitten seiner Winde.

Die strichen, wo er ging und stand,
Vom Hosenleder übers Land
Und tönten wie Gewitter.
So konnte es der Ritter.

Zu Augsburg einst, auf dem Turnier,
Bestieg er umgekehrt sein Tier,
Den Kopf zum Pferdeschwanze,
Und stürmte ohne Lanze.

Doch kurz vor dem Zusammenprall —
Ein Donnerschlag — ein dumpfer Fall —
Herr Prunz mit einem Furze
Den Gegner bracht zum Sturze.

Da brach der Jubel von der Schanz.
Herr Prunzelschütz erhielt den Kranz.
Der Kaiser grüßte lachend
Und rief: Epochemachend!

Ein Jahr darauf. Herr Prunzelschütz
Saß froh auf seinem Rittersitz
Mit Mannen und Gesinde
Inmitten seiner Winde.

Da kam ein Bote, kreidebleich,
Und meldete: Der Feind im Reich!
Das Heer läuft um sein Leben.
Wir müssen uns ergeben.

Flugs ritt Herr Prunzelschütz heran,
Lupft seinen Harnisch hinten an
Und läßt aus der Retorte
Der Winde schlimmste Sorte.

Das dröhnte, donnerte und pfiff,
So daß der Feind die Flucht ergriff.
Da schrie das Volk und wollte,
Daß er regieren sollte.

Herr Prunz indessen, todesmatt,
Sprach: Gott, der uns geholfen hat,
Der möge mich bewahren.
Dann ließ er einen fahren.

Der letzte wars, der schwach entfloh.
Drauf schloß für immer den Popo
Herr Prunz, der frumbe Ritter,
Und alle fandens bitter.

Er ward begraben und verdarb.
Die Burg zerfiel. Doch wo er starb,
Steht heute eine Linde.
Da raunen noch die Winde.

Fritz Grasshoff

Hexenritt

Es haben drei Hexen bei Nebel und Nacht
Zum fernen Blocksberg sich aufgemacht.

Begegnet ihnen ein feiner Mann,
Da halten die drei den Besenstiel an.

Spricht drauf die erste: »Ich tu euch kund,
Den da verwandl' ich in einen Hund!«

Spricht drauf die zweite: »Das ist nicht recht,
Zum Affen aber taugt er nicht schlecht!«

Spricht drauf die dritte: »Du bist ein Stock,
Er wird der trefflichste Ziegenbock!«

Und murmeln alle zugleich den Fluch,
Und jede entkräftet der Schwestern Spruch.

Und sind schon lange beim tollen Schmaus,
Da steht noch der Zarte in Schreck und Graus.

Und kommt zum Liebchen mit blassem Gesicht
Und klopft ans Fenster, doch ruft er ihr nicht.

Und redet sie leise, leise an
Und freut sich, daß er nicht bellen kann.

Und spricht vom Himmel auf Erden nun
Und denkt: das kann doch kein Affe tun.

Und als sie ihm hold in die Arme sinkt,
Da weiß er's gewiß, daß er auch nicht stinkt!

Friedrich Hebbel

Positive Beziehungen spätrömischer Damen zum Wein

Bald stießen auch Damen zur Saufkumpanei:
Martial erwähnt eine Ida,
Die schaffte zwei Maß, und Frau Lyka trank drei,
Und viere die liebliche Lyda,
Margulla trank fünf und Justina trank sechs,
Doch Naevia war eine Panne:
Sie teilte ihr Bett total ohne Sex
Mit der Kanne anstatt mit dem Manne!

Die Musen rochen schon morgens nach Wein,
Und auch die Großen auf Erden,
Sie gossen nur Wein und nie Wasser sich ein —
Sie sagten, um älter zu werden.
So hielt es auch Julia, die Kaiserin,
Und wenn da auch Skeptiker waren:
Sie starb im seligen Rausche dahin
Mit siebenundachtzig Jahren.

Hetären stellten den Wein auf ein Brett
Direkt über's Dampfbad, das heiße,
Und hatte der Wein erst ihr Körperbukett,
Erzielte er haushohe Preise.
Das Brett war »Apotheke« benannt,
Drum sind bis zum heutigen Tage
Die Apothekerpreise bekannt,
Und die sind bestimmt keine Sage!

»Auch ward dieser Wein noch mit Lilien versetzt«,
So schreibt ein erfahrener Grieche,
»Damit eine Dame, die Sauberkeit schätzt,
Aus jeglicher Öffnung gut rieche!«
Gepflegter Wein, gepflegter Leib
Als Werbeslogan für Seife —
Das gab dem Wein und das gab dem Weib
In Rom erst die richtige Reife!

Zwar war Fräulein Spes (was »Hoffnung« heißt)
Nur Kellnerin in Lupanare,
Doch war es, wie noch eine Inschrift beweist,
Pompejis geschätzteste Ware:
»Ein As zahlt man hier pro Dame und Nacht
Für Wein plus sonst'ge Bemühung —
Doch bei Fräulein Spes, da kostet es acht,
Von wegen der guten Erziehung!«

Sie hat eben alles so artig gereicht —
Und heutige Pädagogen,
Die haben daraus, auf Logik geeicht,
Die richtige Lehre gezogen:
»Zum guten Weine der gute Ton!«
Heißt's auch in der Lastergrube —
So lohnt sich bei jeglicher Profession
Die gute Kinderstube!

Gerhart Herrmann Mostar

Jacomirsky

Jacomirsky liebt die Weiber,
Alle Weiber dieser Welt,
Doch darunter ist nur eine,
Die ihm ganz und gar gefällt,
Und die eine ist ein Drachen,
Und der Drachen, der speit Gift,
Jacomirsky aber liebt sie
Mehr als je, was das betrifft.

Denn er speit genau wie sie dann
Hochdramatisch durch die Luft,
Und er sagt zu ihr: »Du Hure!«
Dafür sagt sie dann: »Du Schuft!«
Und er dreht ihr das Genick um
Und er quetscht sie Arm in Arm,

Und bevor sie fast erstickt ist,
Ist sie erst mal doppelt warm.

Und er legt ihr aufs Geäuge
Beide Fäuste, bis sie blind
Und ganz blau ist an den Rändern,
Worauf beide glücklich sind.
Denn auch er steckt in der Zange
Wie sein Zeh in ihrem Mund,
Und sie beißt ihm auf den Nagel,
Und er sagt: »Das ist gesund.«

Schließlich sind sie ganz verknotet,
Eins im andern, sie in ihm,
Und als letztes Glied der Inbrunst
Werden sie auch noch intim.
Jacomirsky fließt wie Butter,
Und sie stöhnt: O du mein Knülch!
Und bei diesem Hauch gerinnt sie
Wie beim Wettersturz die Milch.

Martin Kessel

Meine Marie

Hinter einem düster-grauen Friedhof —
Herrlich hat ihn Böcklin einst gemalt —
Liegt das Haus, worin Maria wohnet.
Inniglich ihr blaues Äuglein strahlt.
Zither spiel' ich zart wie Veilchenseife,
Und ich sitz' ihr bebend vis-à-vis,
Wenn ich singend in die Seiten greife
Von meiner Marie.

Luther sagte: In der Woche zweimal.
Sicherlich war Martin impotent,
Sicher kannte er auch nicht Maria,
Wenn sie lacht im Spitzen-Unterhemd.
Nichts gibt's, was uns auseinanderbrächte,
Und mir graut schon immer vor der Früh.
Drum wünsch' ich, die Tage wären Nächte
Mit meiner Marie.

Träumend steh' ich vor den Litfaßsäulen.
Alles, was so rund ist, find' ich schön,
Und ich kenn' nichts Schön'res, als den Globus

Und Marias Busen anzusehen.
Sinnend irrt mein Blick dann in die Weite,
Und ich bin so selig wie noch nie,
Seh' ich dann im Traum die andre Seite
Von meiner Marie.

Ewig soll die Liebe ob uns walten,
Ewig wie das Loch in meinem Zahn,
Sauber woll'n wir die Gedanken halten,
Sauber wie die Wirtin an der Lahn.
Wachsam will ich sein, so wie ein Dachshund,
Fleißig und solide nur für sie,
Gehe mit den Hühnern schon ins Bett und — — —
Mit meiner Marie.

Jo Herbst

Das für Dritte unverständliche Lied

O nudeldicke Dirne,
Da mir mein Glück mißriet:
Ich nestle an der Stirne,
Wo Kummer Fäden zieht.

Wenn Lieb wie Höllenhefe
Den Busen schwellen macht;
Mein Vogel an der Schläfe
Kläfft in die schöne Nacht.

Wer weiß, in welchem Lichte
Du morgen deine Schultern wölbst —
Ich brenn mir meine Träume selbst
Und red' mein Heil zunichte.

Ob Zoten oder Zeichen,
Ganz gleich, was mir vom Munde geht,
Kann dir das Wasser nicht reichen,
Das mir zum Halse steht.

Ich mache schwarze Beute:
Ha, Wortgewöll, heh, Eulendreck,
Da meinen schlaue Leute,
Ich trüg die Gall am rechten Fleck.

Die Gall im Narrenkleide —
Es zieht, die meines Übels lacht,
Die holde Henkerin, die Nacht,
Den Mond aus wolkiger Scheide.

Peter Rühmkorf

Die Strandung

Ein stämmiger Germane ging
Gespannten Regenschirms zum Thing.
Schon glaubt er hocherfreut, er hätte
Erreicht des Thinges heilige Stätte,
Weil plötzlich da an einer Wand
Ganz deutlich Ting geschrieben stand.
Da merkt er zwischen Tür und Angel:
Er tritt hier in ein Tingeltangel!
Am Eingang las man nur noch Ting,
Weil auf eltangel Efeu hing!
Er murmelt was von Sittenfäule,
Gab Schirmchen aber ab und Keule.
Nach Neudrapierung seines Felles
Bestellt' er sich ein großes Helles
Und ließ sich mit dem Vorsatz nieder:
Das eine bloß, dann geh' ich wieder!
Schon grinst er über einen Goten
Mit stabgereimten Urwaldzoten,
Sechs süße Sachsenmädchen zeigen
Sich dann in einem Schönheitsreigen.
Kurz, unser Recke kam in Fahrt,
Und bald mit metverklebtem Bart
Grölt er am Busen einer Maid:
»Ein Prosit der Gemütlichkeit!«
Erst als es früh ans Zahlen ging,
Da fiel ihm ein: Heut war ja Thing!
Ein Kärtchen aus dem Bumslokal
Entschuldigt ihn für diesesmal,
Doch unterschrieben auch die Damen,
Und zwar mit ihrem Kosenamen.
Sein Thingwart war für Weiterleitung
Ans Obergauamt zwecks Entscheidung!

Hier lächelt Gauassessor Schramm
Verständnisvoll: »Cherchez la femme!«
Dann stahl ein Aushilfsrunenschreiber
Die nackten Tingeltangelweiber.
Durch seinen Teutoburger Wald
Zieht ächzend heimwärts Hadubald
Und glaubt vor lauter Schädelbrummen,
Daß rings die weißen Bären kummen.
O Mensch, nie aus Charaktermangel
Geh statt zum Thing ins Tingeltangel!

Ernst Klotz

Windiges

Ach, welcher unverdienten Schmähung
Ist ausgesetzt die arme Blähung!
Da sie, zwar schuldlos, sich nicht schickt,
Lebt sie im tragischsten Konflikt,
Und zweifelnd zwischen Tun und Lassen
Hat sie sich heimlich anzupassen
In einem Kampf, der voller Pein
Dem, der gern kinder-stubenrein.
Wie glücklich doch der Grobe prahlt:
»Heraus, was keinen Zins bezahlt!«
Der Feine hat sich abzufinden,
Er muß die Winde über-winden!

Eugen Roth

Hund in der Wüste

Ich bin allein auf weiter Flur,
Nur Sand und Sand und Wüste nur.
Wohin ich schau, kein Baum, kein Strauch,
Mir ist so sonderbar im Bauch.

Ich möchte gern mein Beinchen heben
Und irgend etwas von mir geben.
Doch rings ist alles flach und kahl,
Kein Eckchen, kein Laternenpfahl,
Noch nicht einmal der kleinste Winkel,
Wohin ich armer Köter pinkel.

Ja, wenn ich nur ein Bastard wäre,
Aber so — geht's gegen die Hundeehre.
Ich bin als edler Hundesohn
Ein Opferlamm der Tradition.
Bei meinen Ahnen war's so Brauch,
Parole d'honneur, so halt ich's auch.

Ich hätt längst mein Geschäft verrichtet,
Doch alter Adel, der verpflichtet.
Nun hüll ich mich in einen Traum,
Erträum mir einen schönen Baum,

Da mag es dann getrost passieren,
Dafür kann ich nicht garantieren.
Im schönsten Frieden schlaf ich ein
Und träume: Immer hoch das Bein!

Fred Endrikat

Reklame

Ich wollte von gar nichts wissen.
Da habe ich eine Reklame erblickt,
Die hat mich in die Augen gezwickt
Und ins Gedächtnis gebissen.

Sie predigte mir von früh bis spät
Laut öffentlich wie im stillen
Von der vorzüglichen Qualität
Gewisser Bettnässer-Pillen

Ich sagte: »Mag sein! Doch für mich nicht!
                        Nein, nein!
Mein Bett und mein Gewissen sind rein.«

Doch sie lief weiter hinter mir her.
Sie folgte mir bis an die Brille.
Sie kam mir aus jedem Journal in die Quer
Und säuselte: »Bettnässer-Pille«.

Sie war bald rosa, bald lieblich grün.
Sie sprach in Reimen von Dichtern.
Sie fuhr in der Trambahn und kletterte kühn
Nachts auf die Dächer mit Lichtern.

Und weil sie so zähe und künstlerisch
Blieb, war ich ihr endlich zu Willen.
Es liegen auf meinem Frühstückstisch
Nun täglich zwei Bettnässer-Pillen.

Die ißt meine Frau als »Entfettungsbonbon«.
Ich habe die Frau belogen.
Ein holder Frieden ist in den Salon
Meiner Seele eingezogen.

Joachim Ringelnatz

Arlette

Wem sie ihr Lächeln abgesehn,
Hat sie mir nie verraten.
Sie war für gutes Geld mondän
Und aus den Vereinigten Staaten.

Auch küßte sie mit viel Geschmack
Und legte Wert auf Farben . . .
Doch fand ich, daß mir Ruß und Lack
Zuweilen den Spaß verdarben.

Die schwarze Seide stand ihr sehr
Zu Körper und Gesichte.
Ich dachte auch noch manches mehr —
Wovon ich nicht berichte;

Denn schließlich blieb es nicht bei dem —
O süßes Ungeheuer.
Doch ward mir dies bald unbequem
Und auf die Dauer teuer.

Denn auch am allerschönsten Spiel
In Daunen und in Seide
Und weniger, wenn's uns gefiel,
Verliert man mal die Freude.

Wem sie ihr Lächeln abgesehn,
Hat sie mir nie verraten.
Heut küßt sie wen, ich weiß nicht wen —
In den Vereinigten Staaten.

Günther Böhme

Empfang

Aber komm mir nicht im langen Kleid!
Komm gelaufen, daß die Funken stieben,
Beide Arme offen und bereit!
Auf mein Schloß führt keine Galatreppe;
Über Berge geht's, reiß ab die Schleppe,
Nur mit kurzen Röcken kann man lieben!

Stell dich nicht erst vor den Spiegel groß!
Einsam ist die Nacht in meinem Walde,
Und am schönsten bist du blaß und bloß;
Nur beglänzt vom schwachen Licht der Sterne;
Trotzig bellt ein Rehbock in der Ferne,
Und ein Kuckuck lacht in meinem Walde.

Wie dein Ohr brennt! wie dein Mieder drückt!
Rasch, reiß ab, du atmest mit Beschwerde;
O, wie hüpft dein Herzchen nun beglückt!

Komm, ich trage dich, du wildes Wunder:
Wie dich Gott gemacht hat! weg den Plunder!
Und dein Brautbett ist die ganze Erde.

Richard Dehmel

Auf einen Kuß

Ich weiß, geliebtes Kind,
Daß meine Treu in Küssen,
Daß meine sanfte Bissen
Dir ganz zuwider sind.
Doch warum willst du mich nicht brünstig küssen lassen
Ich soll bei dir was mehr als Mund und Lippen fassen.

Johann Christian Günthe

Die Zeit

Lästert nicht die Zeit, die reine!
    Schmäht ihr sie, so schmäht ihr euch!
Denn es ist die Zeit dem weißen,
    Unbeschrieb'nen Blatte gleich.
Das Papier ist ohne Makel,
    Doch die Schrift darauf seid ihr!
Wenn die Schrift just nicht erbaulich,
    Nun, was kann das Blatt dafür?

Anastasius Grün

Abschied an den Leser

Wenn du von allem dem, was diese Blätter füllt,
Mein Leser, nichts des Dankes wert gefunden,
So sei mir wenigstens für das verbunden,
Was ich zurück behielt.

Gotthold Ephraim Lessing

VERZEICHNIS DER AUTOREN
und ihrer Gedichte

QUELLENVERZEICHNIS

B ö h m e , Günther, »Der wohlempfohlene Mord«, Schwaedt, Wiesbaden 1970

B r e c h t , Bert, »Hauspostille«, Propyläen, Berlin 1927 (u. später)

B r i t t i n g , Georg, »Gedichte«, Nymphenburger Verlagsanstalt, München 1956

B u k o f z e r , Werner, »Respektlose Lieder«, Horst Erdmann Verlag, Tübingen 1970

D i e t t r i c h , Fritz, »Mit fremdem Saitenspiel« (Übers. Verlaine), Insel Verlag, Leipzig 1964

D o n a t h , Andreas, »Junge Lyrik 1960«, Hanser Verlag, München

E n g e l , Fritz, »Senff=Georgi«, Max Hesse Verlag, Berlin

F u c h s , Günter Bruno, »Das Lesebuch des . . .«, Hanser Verlag, München 1970

G o e b e l , Ingeborg, »Respektlose Lieder«, Horst Erdmann Verlag, Tübingen 1970

G u g g e m o s , Josef, »Das Gedicht, Jahrbuch zeitgenössischer Lyrik«, Wegner Verlag, Hamburg 1958

H a m m e r s c h l a g , Peter, »Der Mond schlug grad halb acht«, Zsolnay, Wien 1972

H a r d e k o p f , Ferdinand, »Gesammelte Dichtungen«, Verlag Der Arche, Zürich 1963

H a r i n g e r , Jakob, »Das Fenster«, Zürich, 1946

H a u s m a n n , Manfred, »Die Gedichte«, Suhrkamp, 1949

H e r b s t , Jo, »Ich hab noch eine Schnauze in Berlin«, Fackelträger Verlag, Hannover 1967

v a n H o d d i s , Jakob, »Satirische und groteske Lyrik des 20. Jahrhunderts«, Diesterweg Verlag, 1972

H u c h , Ricarda, »Gedichte«, Haessel Verlag, Berlin

K ä s t n e r , Erich, »Lärm im Spiegel« / »Ein Mann gibt Auskunft«, C. Dressler Verlag, Berlin o. J.

K a l é k o , Mascha, »Das lyrische Stenogrammheft«, Rowohlt (rororo), 1956

K e s s e l , Martin, »Lunapark und Alexanderplatz«, Piper, München 1964

K i e s s l i n g , Franz, »Seht wie ihr lebt«, Desch Verlag, München 1955

K l e f f e l , Helmut, »Das Gedicht, Jahrbuch zeitgenössischer Lyrik«, Wegner Verlag, Hamburg 1954

K l o t z , Ernst, »Die Badewanne«, Verlag Graeber und Olzog, München 1956

K r a m e r , Theodor, »Die Gaunerzinke«, Ruetten und Loening, Frankfurt/M. 1929

K r a u s , Karl, »Auswahl aus dem Werk«, Kösel Verlag, München 1957

K ü h n e r , Otto=Heinrich, »Narrensicher«, Henssel Verlag, Berlin 1972

L a b é , Louise, Übers. Paul Zech, Verlag Rudolf Zech, Berlin 1947

L i c h t e n s t e i n , Alfred, »Gesammelte Gedichte«, Verlag Der Arche, Zürich 1962

M a j a k o w s k i , Wladimir, »Gedichte«, Verlag der sowj. Militärverwaltung in Deutschland, Berlin 1946

M e c k e l , Christoph, »Werkauswahl«, Nymphenburger, München 1971

M o s t a r , Gerhart Hermann, »In diesem Sinn Ihr Hermann Mostar«, Scherz Verlag, Bern 1966

N a s h , Ogden, »Respektlose Lieder«, Horst Erdmann Verlag, Tübingen 1970

O w l g l a ß , Dr., »Kleine Nachtmusik«, Piper, München o. J. (etwa 1936)

R i d e a m u s im Ehrenwirt Verlag München

R i n g e l n a t z , Joachim, »Und auf einmal steht es neben dir«, Henssel Verlag, Berlin 1964

R u b i n e r , Ludwig, »Kriminal=Sonette«, Scherz Verlag, 1962

R ü h m k o r f , Peter, »Kunststücke«, Rowohlt, Hamburg 1962

S c h o l l , Albert Arnold, »Die gläserne Stadt«, Verlag Diederichs, Düssel= dorf 1952

S c h n u r r e , Wolfdietrich, »Was gibt's da zu lachen?«, Scherz Verlag, München 1969

S i n g e r , Eric, »Bänkelbuch«, Kiepenheuer und Witsch, Köln 1953

T h e l e n , Albert, Vigoleis, »Vigolotria«, Diederichs Verlag, Köln 1954

U l r i c h , Rolf, »Ich hab noch eine Schnauze in Berlin«, Fackelträger Ver= lag, Hannover 1967

V e r l a i n e , Paul, Übersetzer W. Willige, Luchterhand, 1960

V i e t h , Werner, »In die Pfanne geschlagen«, Voggenreiter Verlag, Bad Godesberg 1962

W a g g e r l , K. H., »Heiteres Herbarium«, Otto Müller Verlag, Salzburg 1950

W a l s e r , Robert, »Was gibt's da zu lachen?«, Scherz Verlag, München 1969

W e i n h e b e r , Josef, »Werke«, Otto Müller Verlag, Salzburg 1953